LARGE PRINT

VOL. 101

WORD Search PUZZLES

bendon

Ashland, OH 44805 bendonpub.com 1-888-5-BENDON

ROCKS A-J

Puzzle #1

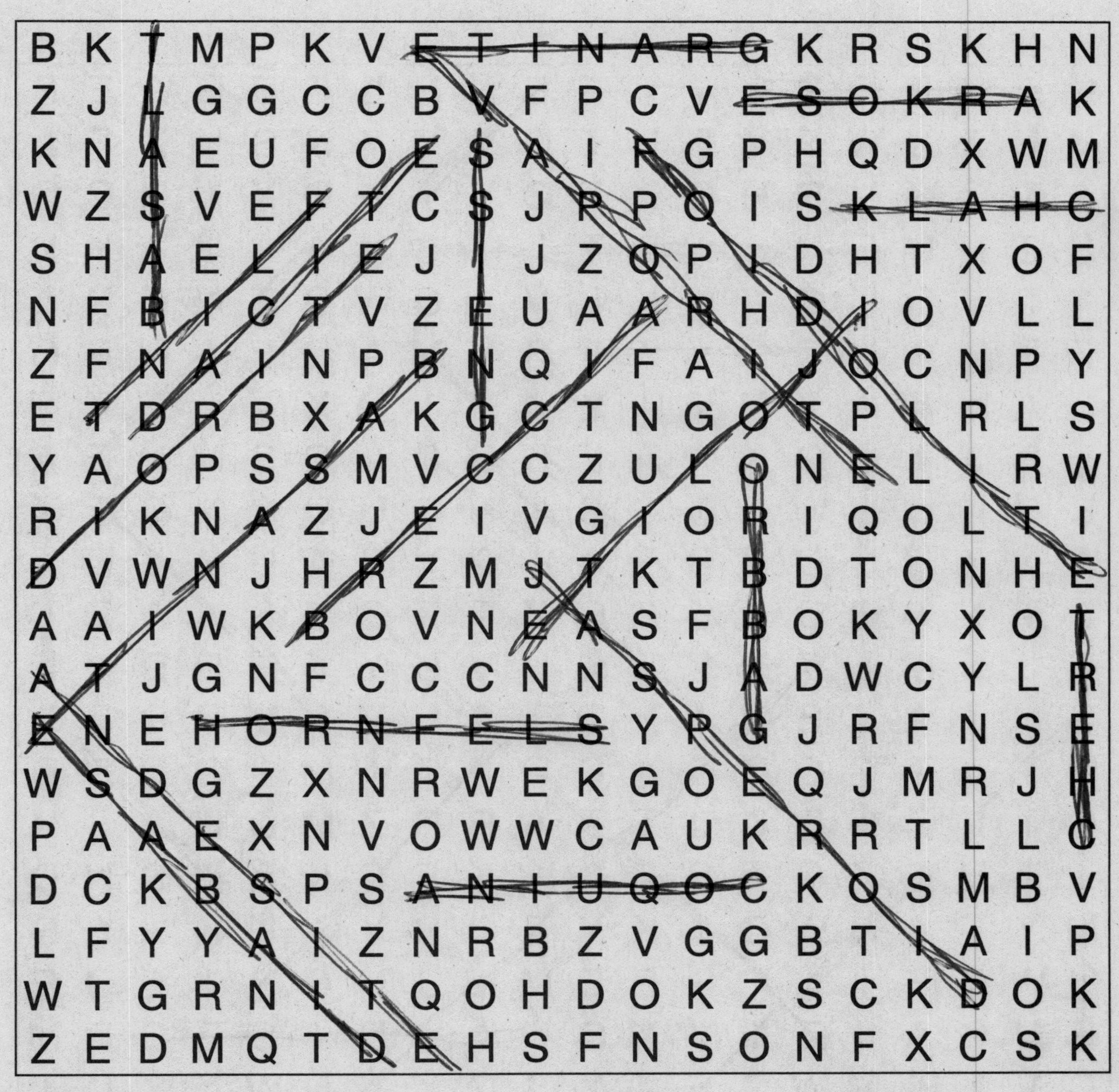

ANDESITE
ARKOSE
BASALT
BASANITE
BRECCIA
CHALK
CHERT
COQUINA
DACITE
DIABASE
DIORITE
EVAPORITE
FLINT
FOIDOLITE
GABBRO
GNEISS
GRANITE
HORNFELS
IJOLITE
JASPEROID

ROCKS K-S

Puzzle #2

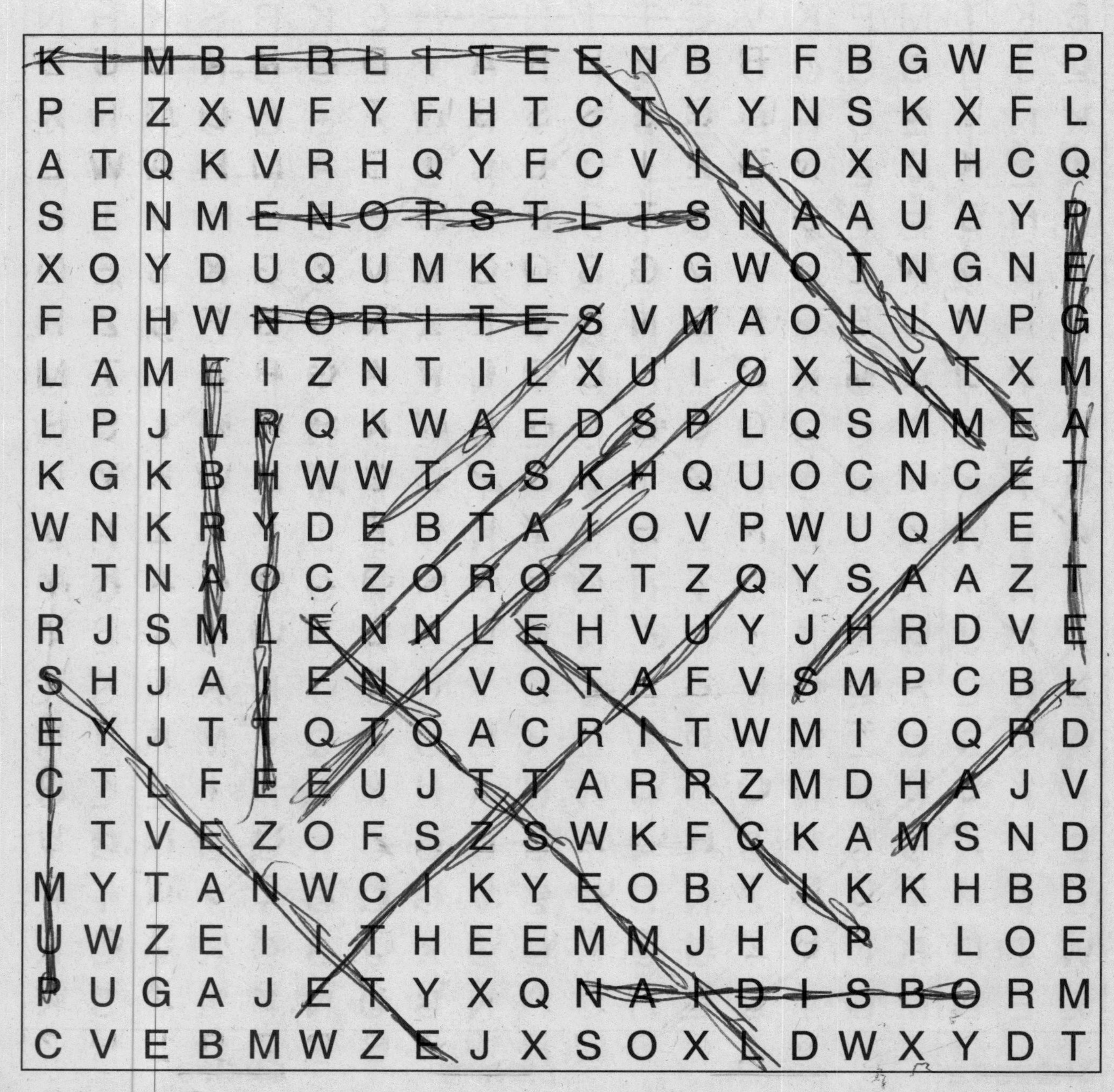

KIMBERLITE	MUDSTONE	PEGMATITE	SHALE
LATITE	MYLONITE	PICRITE	SILTSTONE
LIMESTONE	NORITE	PUMICE	SKARN
MARBLE	OBSIDIAN	QUARTZITE	SLATE
MARL	OPHIOLITE	RHYOLITE	SYENITE

A TRIP TO THE ZOO 1

Puzzle #3

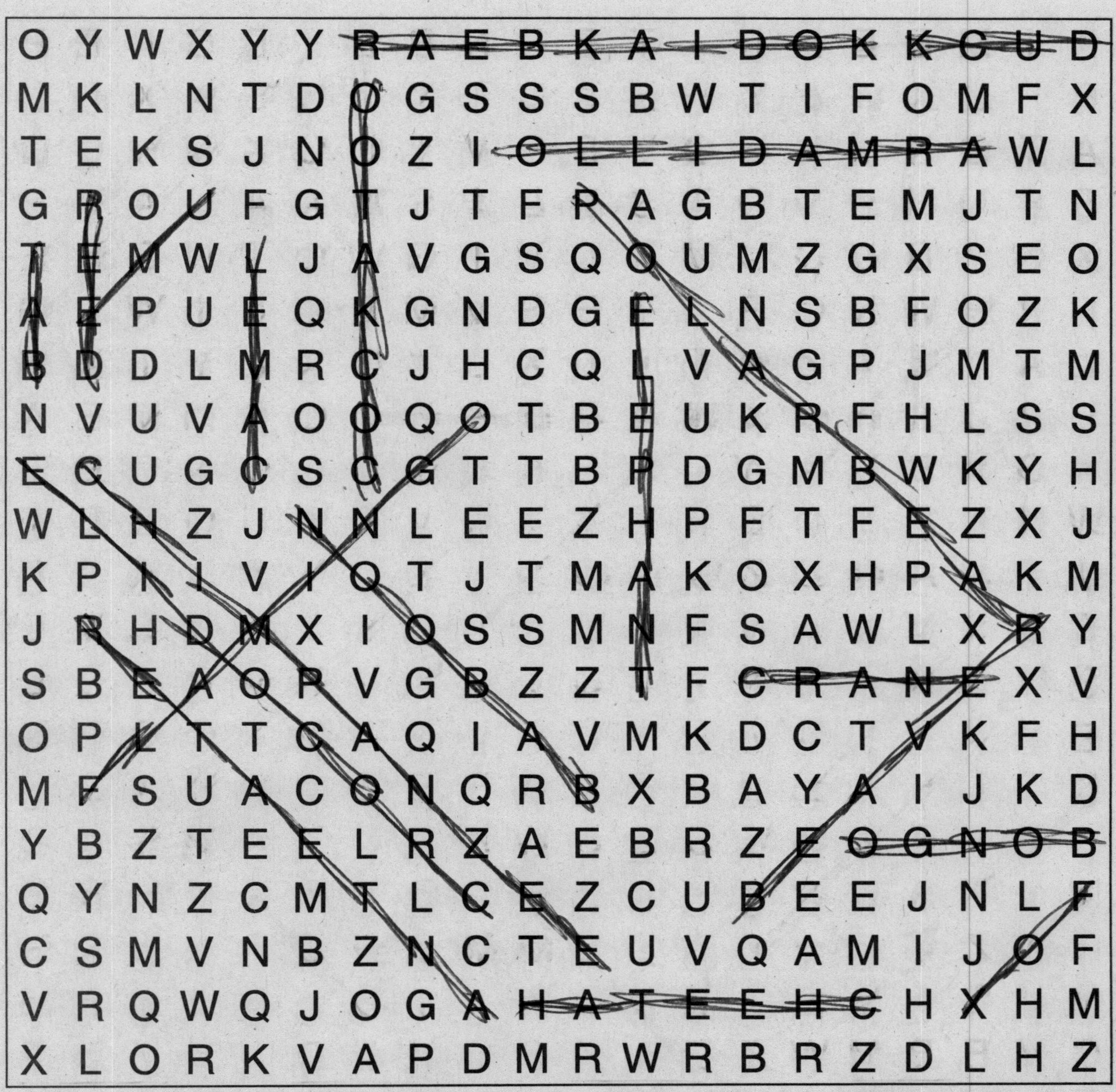

ANTEATER
ARMADILLO
BABOON
BAT
BEAVER
BONGO
CAMEL
CHEETAH
CHIMPANZEE
COCKATOO
CRANE
CROCODILE
DEER
DUCK
ELEPHANT
EMU
FLAMINGO
FOX
KODIAK BEAR
POLAR BEAR

A TRIP TO THE ZOO 2

Puzzle #4

GALAH	HERON	LEOPARD	OTTER
GAZELLE	HIPPO	LION	PANDA
GECKO	KANGAROO	LORIS	PARROT
GOOSE	KOALA	MONKEY	PORCUPINE
GORILLA	LEMUR	OCTOPUS	PYTHON

A TRIP TO THE ZOO 3

Puzzle #5

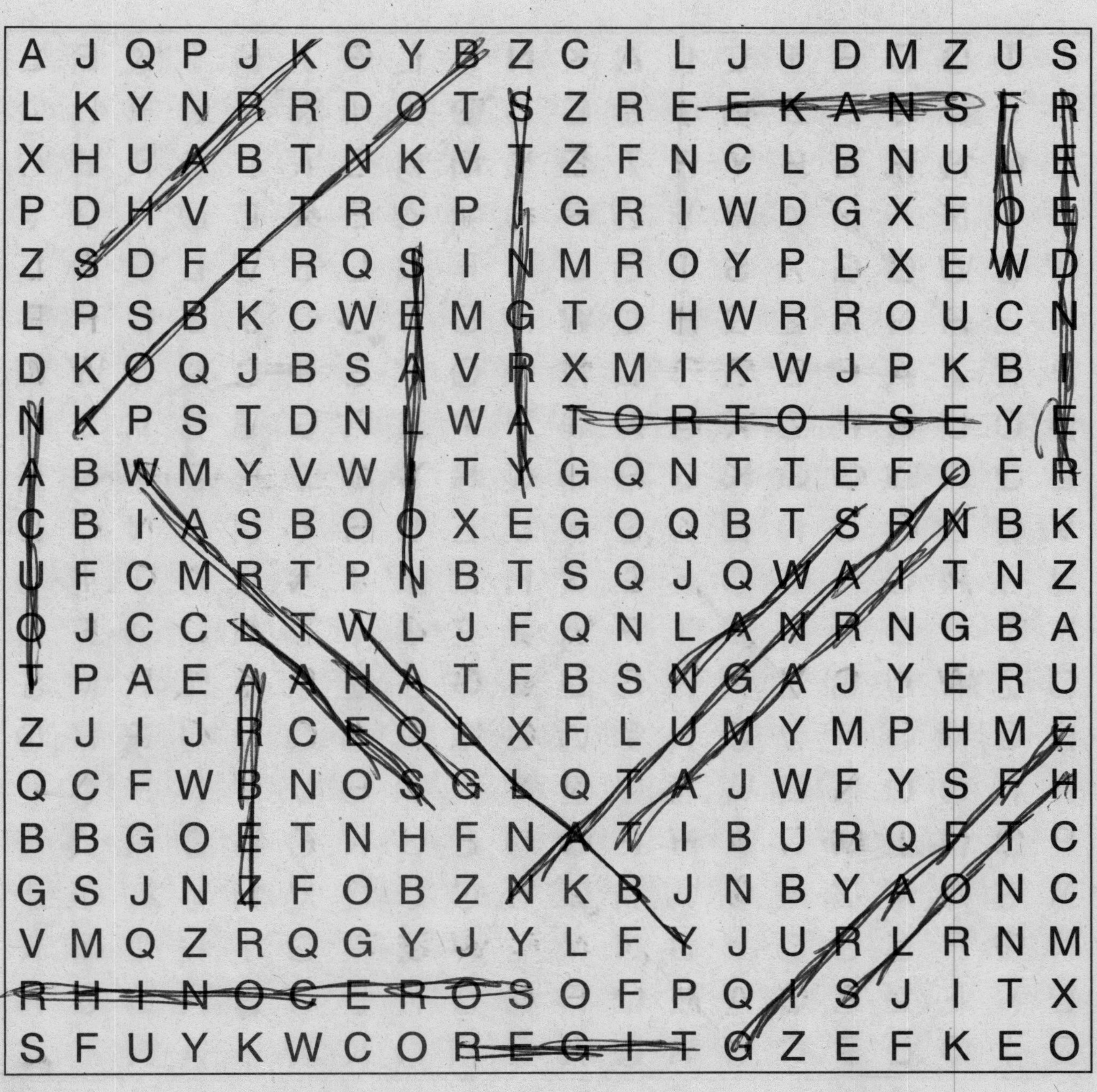

BONTEBOK
GIRAFFE
ORANGUTAN
REINDEER
RHINOCEROS
SEA LION
SEAL
SHARK
SLOTH
SNAKE
STINGRAY
SWAN
TAMARIN
TIGER
TORTOISE
TOUCAN
WALLABY
WART HOG
WOLF
ZEBRA

EMAIL

Puzzle #6

F Q J O H B E D C E H E E F X H J J R L
T J M V S K W A O B D D N I O Y S F H A
Z V Q Y S I I E A D G Q R U F L B A F C
G G Z F N A V R W F O R W A R D D A R L
K B U B E D H N G U S I R U F Z A E R T
E H O B Q Z R U Q C M U S S E T K E R X
I X Z X O B L I A M O Q M S P S S I L S
D C H B O U N C E F H P E W B E S R I E
P Z G U A R H U O O Q G S D E L E T E N
Y P D B U N H C E N E E S P V N H Y T D
V J N G A U O Z R T H M A T S K D T N D
I F V D X B I T Y A X Z G I P N H A E X
D Z F U B S R H Q U E Y E E B U T R M E
Q L M F E V Q K D W B S P G Q J U R H O
G K Q Q L X W E Y Z Y K R U V Y N Y C L
E B N E W C E V P C D L W K C H P R A E
R S S I Z Y I W R T S O U Q V N J W T I
N Y T E S Q V B N Y L P E R D I H T T K
U F E Z Z L L E M Q G D K E U B H W A B
N I V D P G S S Q X J M G K W I A N L Z

ATTACHMENT	FONT	MESSAGE	SENT
BOUNCE	FORWARD	NEW	SIZE
DELETE	INBOX	REPLY	TRASH
DRAFTS	JUNK	SEARCH	UNREAD
FOLDERS	MAILBOX	SEND	VIEW

HARDWARE STORE

Puzzle #7

BOLTS
BUCKETS
DRILL BITS
FILE
FLATHEAD
GLUE
HAMMER
HOOKS
JIG SAW
KNIVES
NAILS
PAINT
PUTTY KNIFE
RULER
SAW
SCREW DRIVER
SPADE
SPRAY PAINT
TOOL BOX
WHEELBARROW

HOTEL AMENITIES

Puzzle #8

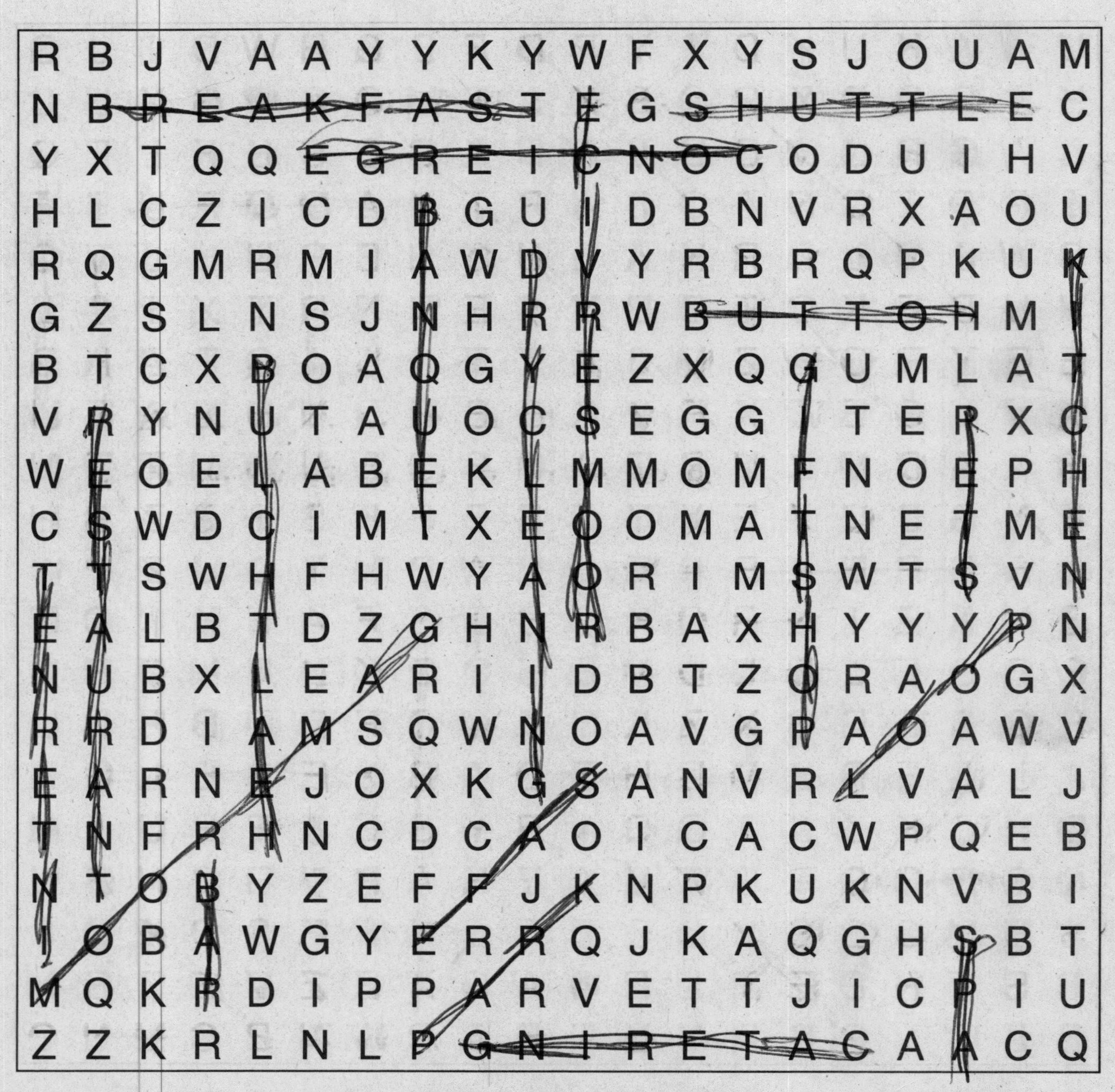

BANQUET
BAR
BREAKFAST
CATERING
CONCIERGE

DRY CLEANING
GAME ROOM
GIFT SHOP
HEALTH CLUB
HOT TUB

INTERNET
KITCHEN
PARKING
PETS
POOL

RESTAURANT
ROOM SERVICE
SAFE
SHUTTLE
SPA

GOLF

Puzzle #9

BALL MARKER	DRIVER	IRONS	TEE BOX
BALLS	DROP AREA	PLAYERS	TEES
CART	FAIRWAY	PUTTER	UMBRELLA
CART PATH	GOLF BAG	SAND TRAP	WEDGES
DIVOT	GREEN	SPIKES	WOODS

CHILDREN'S INDOOR FUN

Puzzle #10

CARDS
COLOR
COMPUTER
CRAFTS
DANCE
DOLL HOUSE
DRESS-UP
GAME BOARDS
INSTRUMENTS
MOVIES
PAINT
PRETEND
PUZZLES
READ
SING
SLEEPOVER
TEA PARTY
TOYS
TV
VIDEO GAMES

CHILDREN'S OUTDOOR FUN

Puzzle #11

BASEBALL
BIKE
BOATING
CAMP
FOOTBALL
HIKE
HOPSCOTCH
JUMP ROPE
KICKBALL
PLAYGROUND
RUN
SLEDDING
SNOW SKI
SOCCER
SWIM
SWING SET
TAG
VOLLEYBALL
WALK
WATER SKI

WEATHER TERMS A-C

Puzzle #12

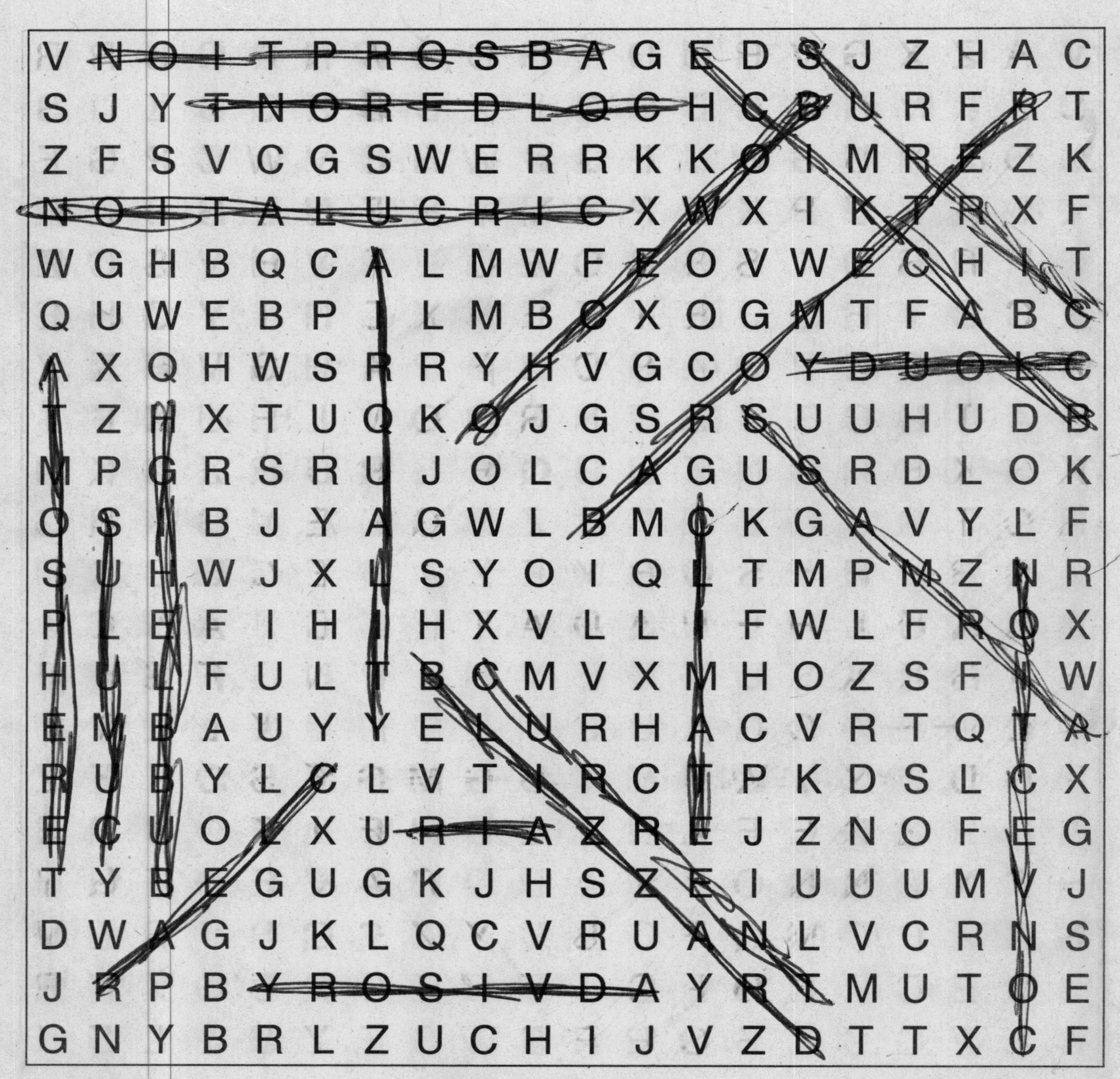

ABSORPTION	ATMOSPHERE	BUBBLE HIGH	CLOUDY
ADVISORY	BAROMETER	CIRCULATION	COLD FRONT
AIR	BLACK ICE	CIRRUS	CONVECTION
AIR MASS	BLIZZARD	CLEAR	CUMULUS
AIR QUALITY	BOW ECHO	CLIMATE	CURRENT

WEATHER TERMS D-F

Puzzle #13

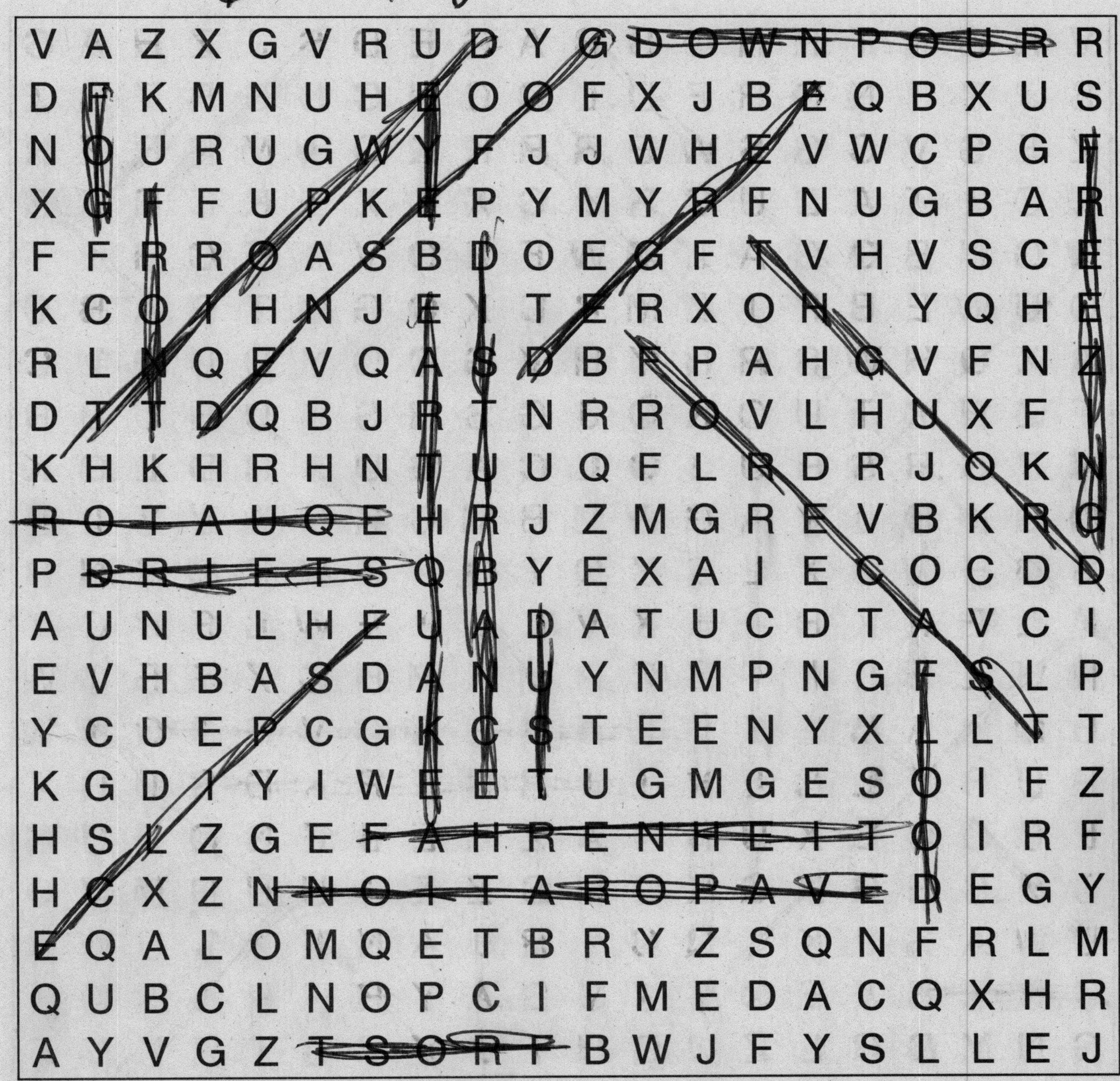

DEGREE
DENSE FOG
DEW POINT
DISTURBANCE
DOWNPOUR
DRIFTS
DROUGHT
DUST
EARTHQUAKE
ECLIPSE
EQUATOR
EVAPORATION
EYE
FAHRENHEIT
FLOOD
FOG
FORECAST
FREEZING
FRONT
FROST

WEATHER TERMS G-N

Puzzle #14

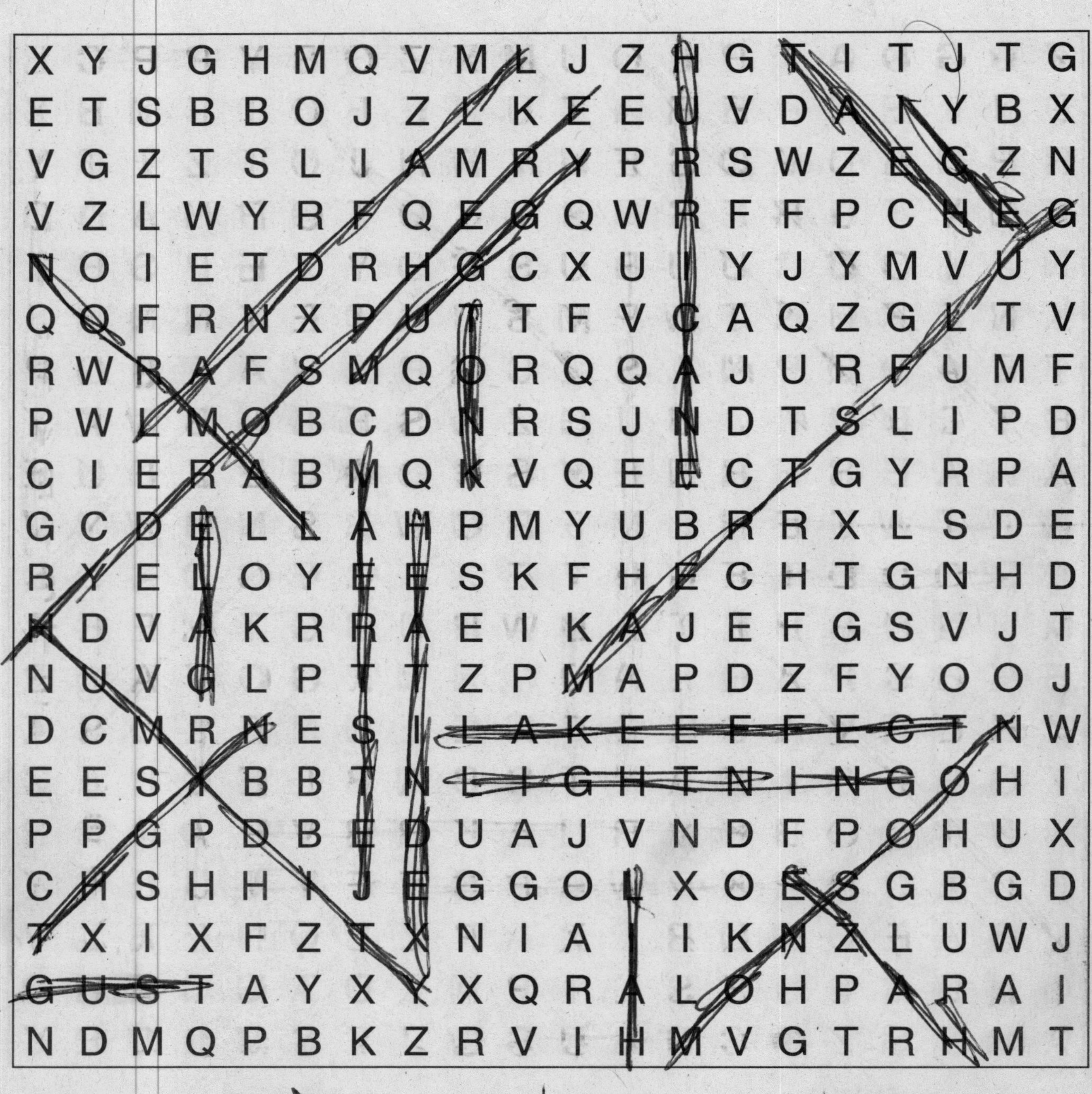

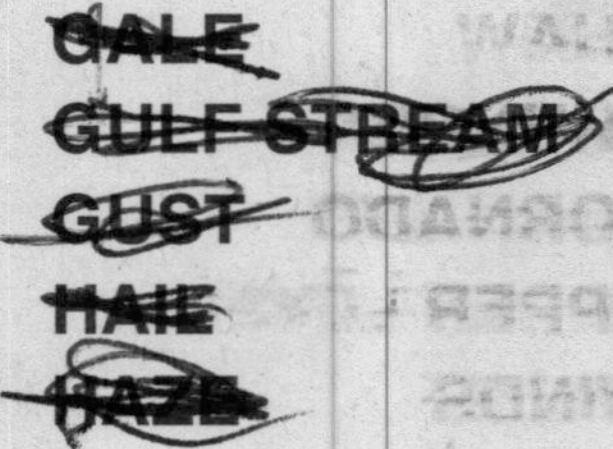

LIGHTNING
MONSOON
MUGGY
NIGHT
NORMAL

WEATHER TERMS O-W

Puzzle #15

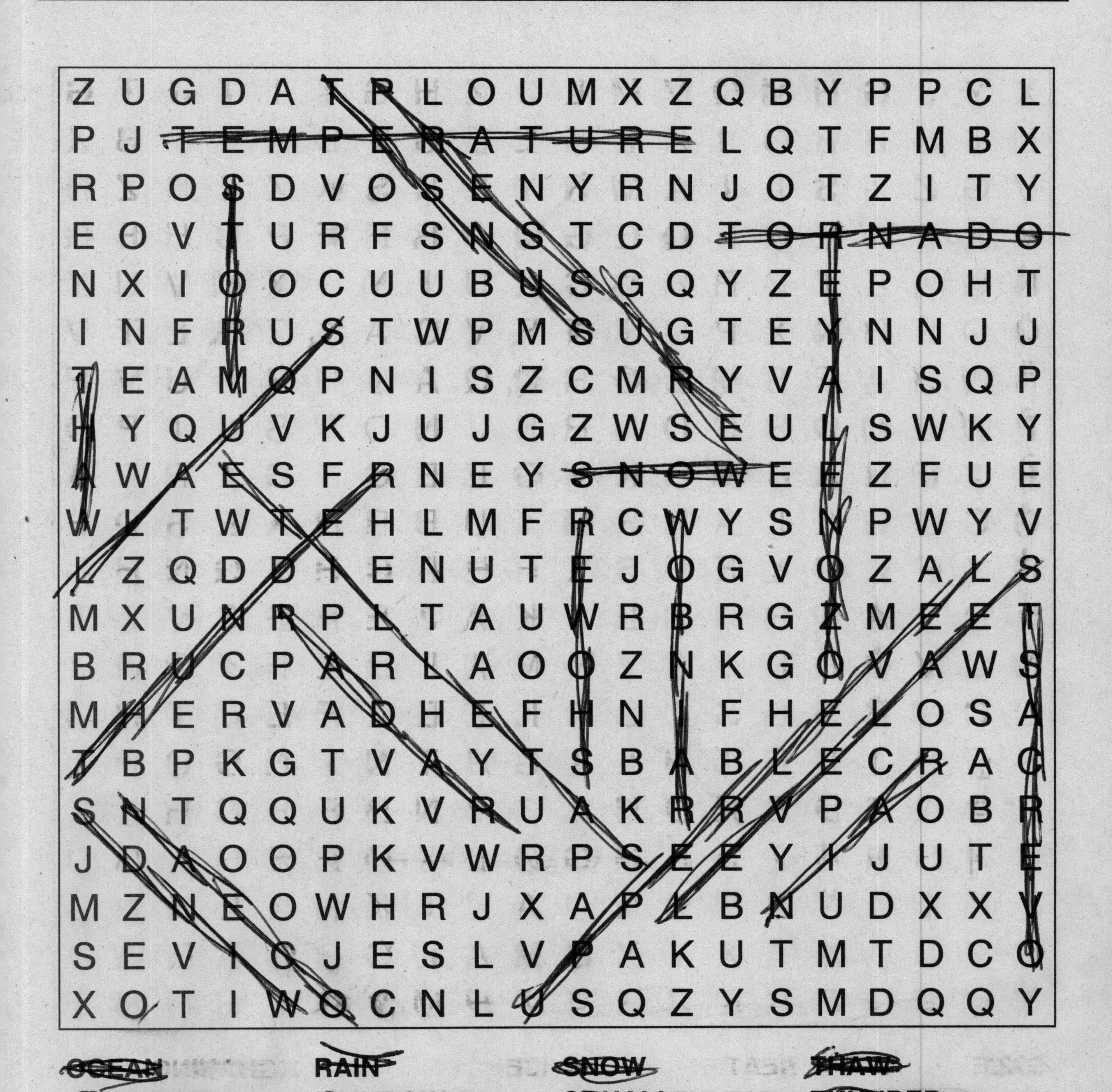

OCEAN
OVERCAST
OZONE LAYER
PRESSURE
RADAR

RAIN
RAINBOW
SATELLITE
SEA LEVEL
SHOWER

SNOW
SQUALL
STORM
SUNSET
TEMPERATURE

THAW
THUNDER
TORNADO
UPPER LEVEL
WINDS

THE 1ST STATE

Puzzle #16

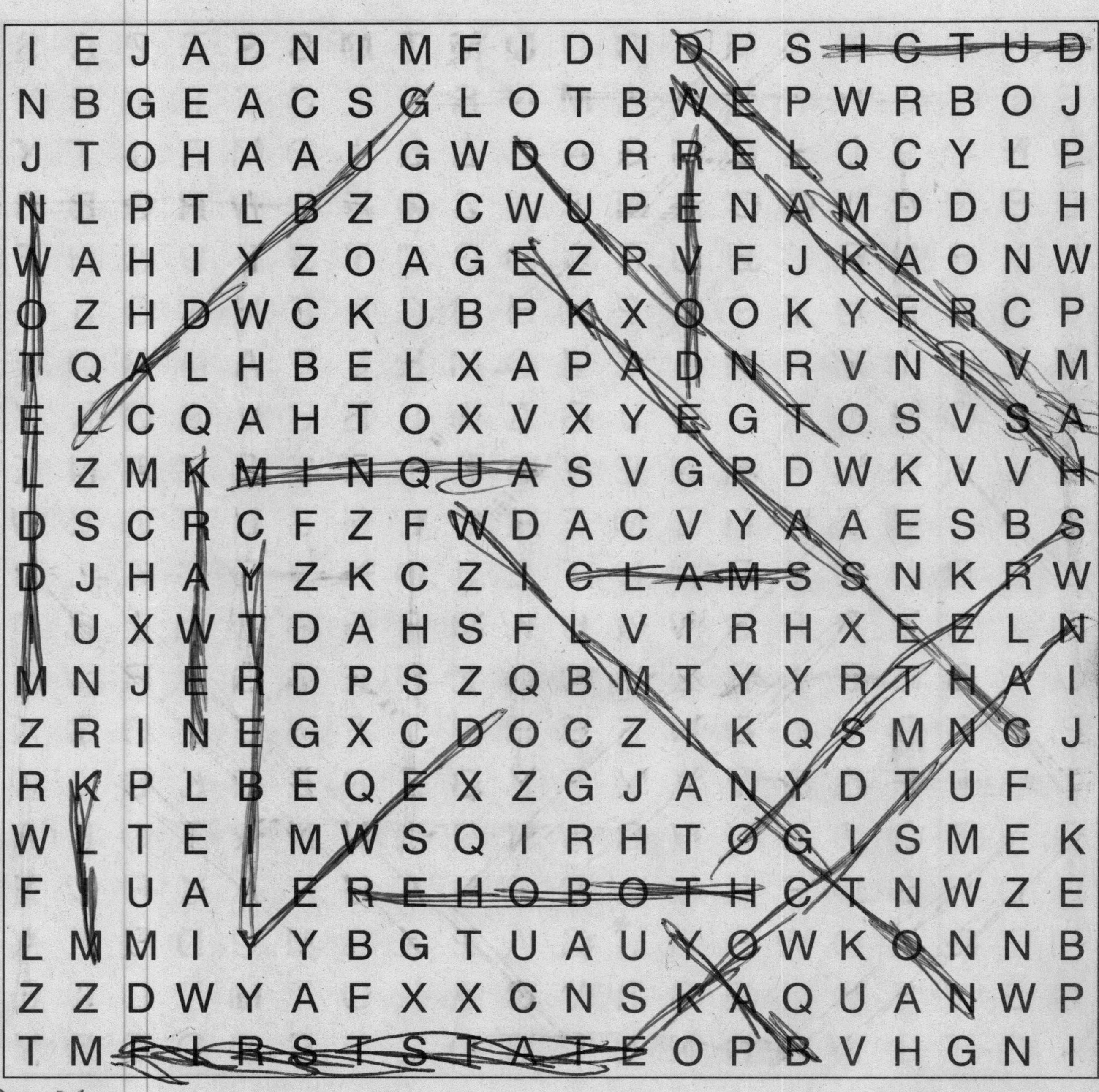

BAY	DOVER	LIBERTY	NEWARK
CHESAPEAKE	DU PONT	MIDDLETOWN	OYSTERS
CLAMS	DUTCH	MILK	REHOBOTH
DELMARVA	FIRST STATE	MINQUA	WEAKFISH
DEWEY	LADYBUG	NANTICOKE	WILMINGTON

THE 17TH STATE

Puzzle #17

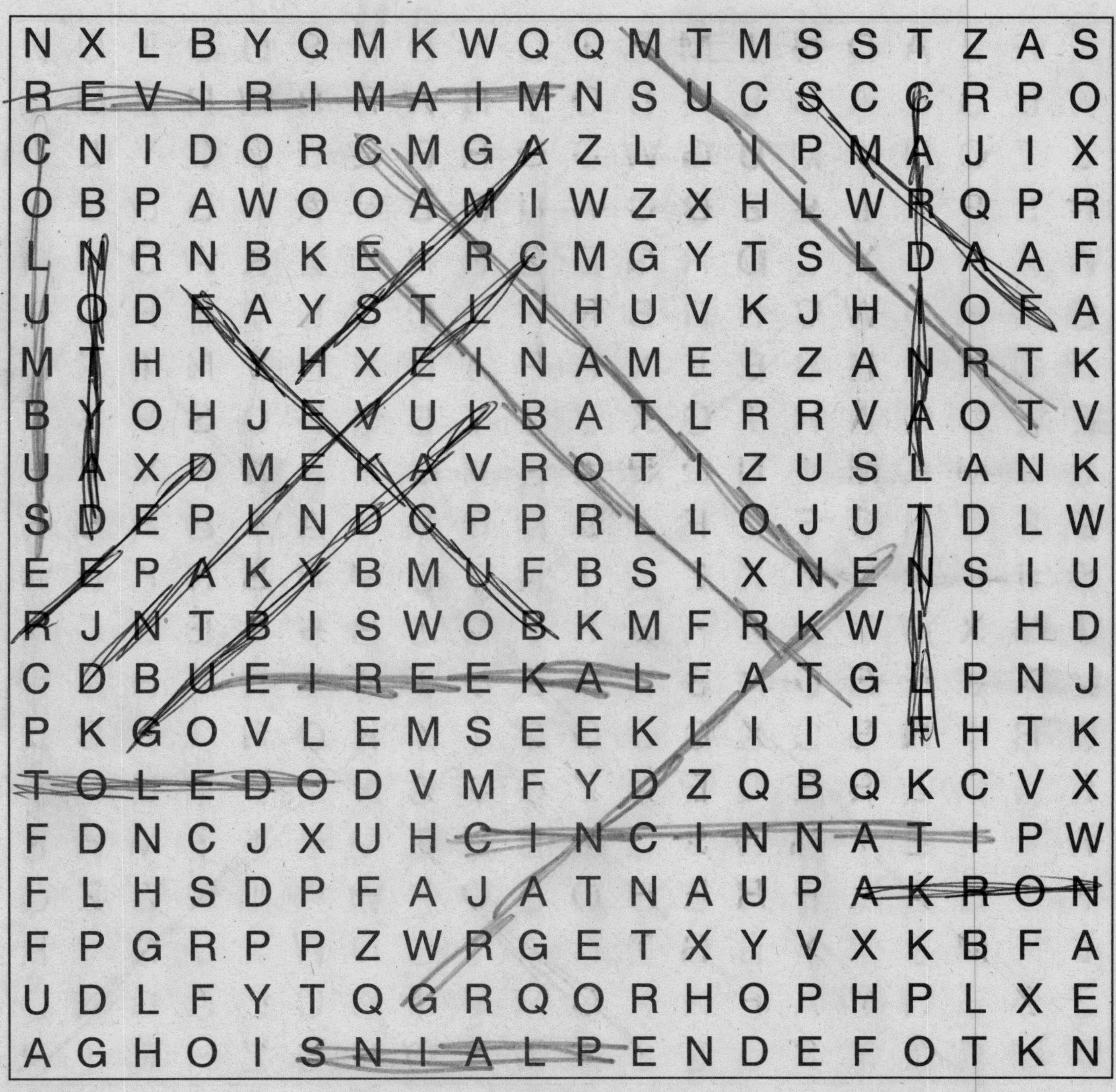

AKRON
AMISH
BUCKEYE
CARDINAL
CARNATION

CINCINNATI
CLEVELAND
COLUMBUS
DAYTON
DEER

FARMS
FLINT
GRAND LAKE
LADYBUG
LAKE ERIE

MIAMI RIVER
PLAINS
TOLEDO
TRILLIUM
TRILOBITE

THE 21ST STATE

Puzzle #18

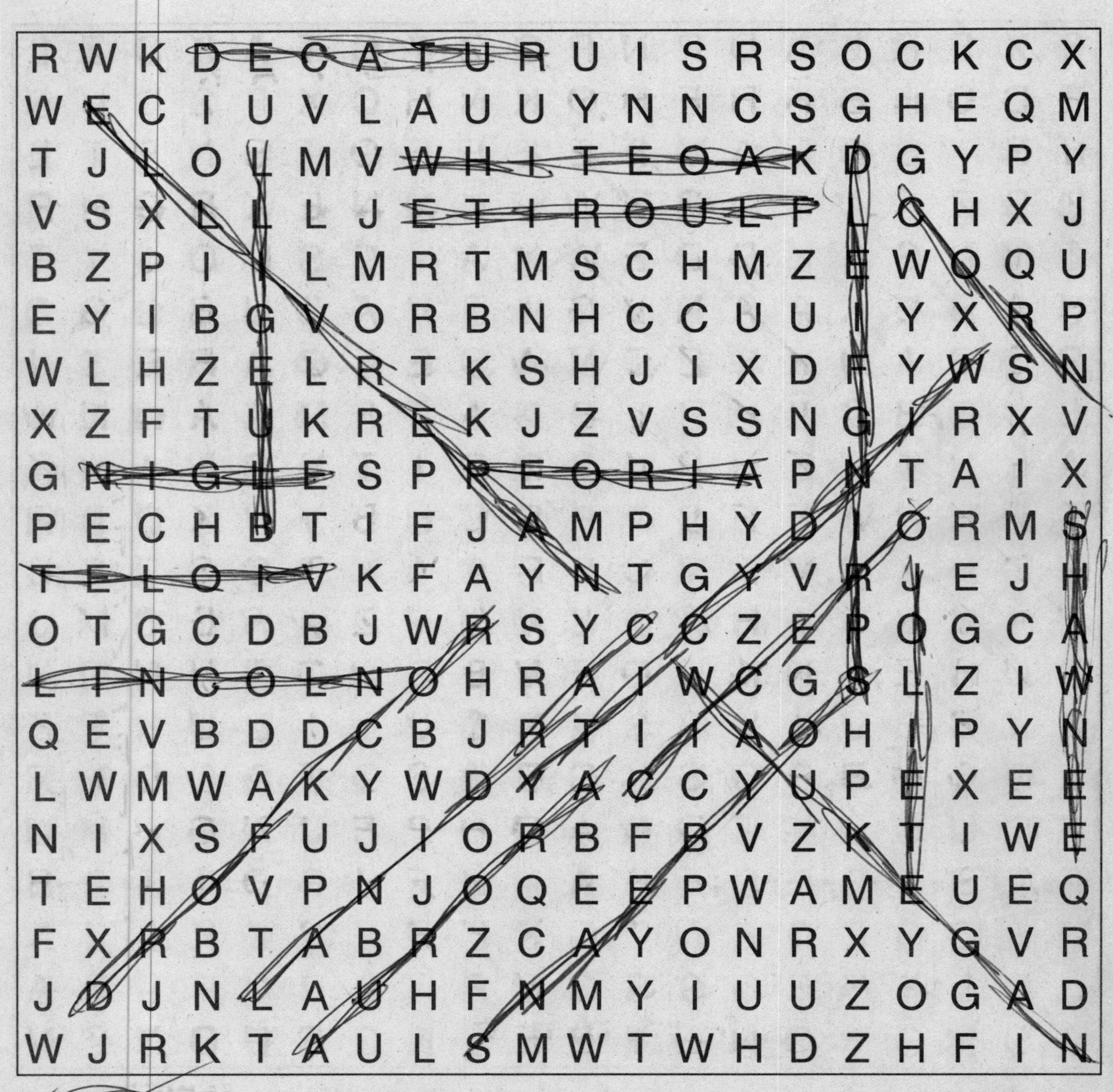

AURORA
BLUEGILL
CARDINAL
CICERO
CORN

DECATUR
ELGIN
FLUORITE
JOLIET
LINCOLN

NAPERVILLE
PEORIA
ROCKFORD
SHAWNEE
SOYBEANS

SPRINGFIELD
VIOLET
WAUKEGAN
WHITE OAK
WINDY CITY

THE 23RD STATE

Puzzle #19

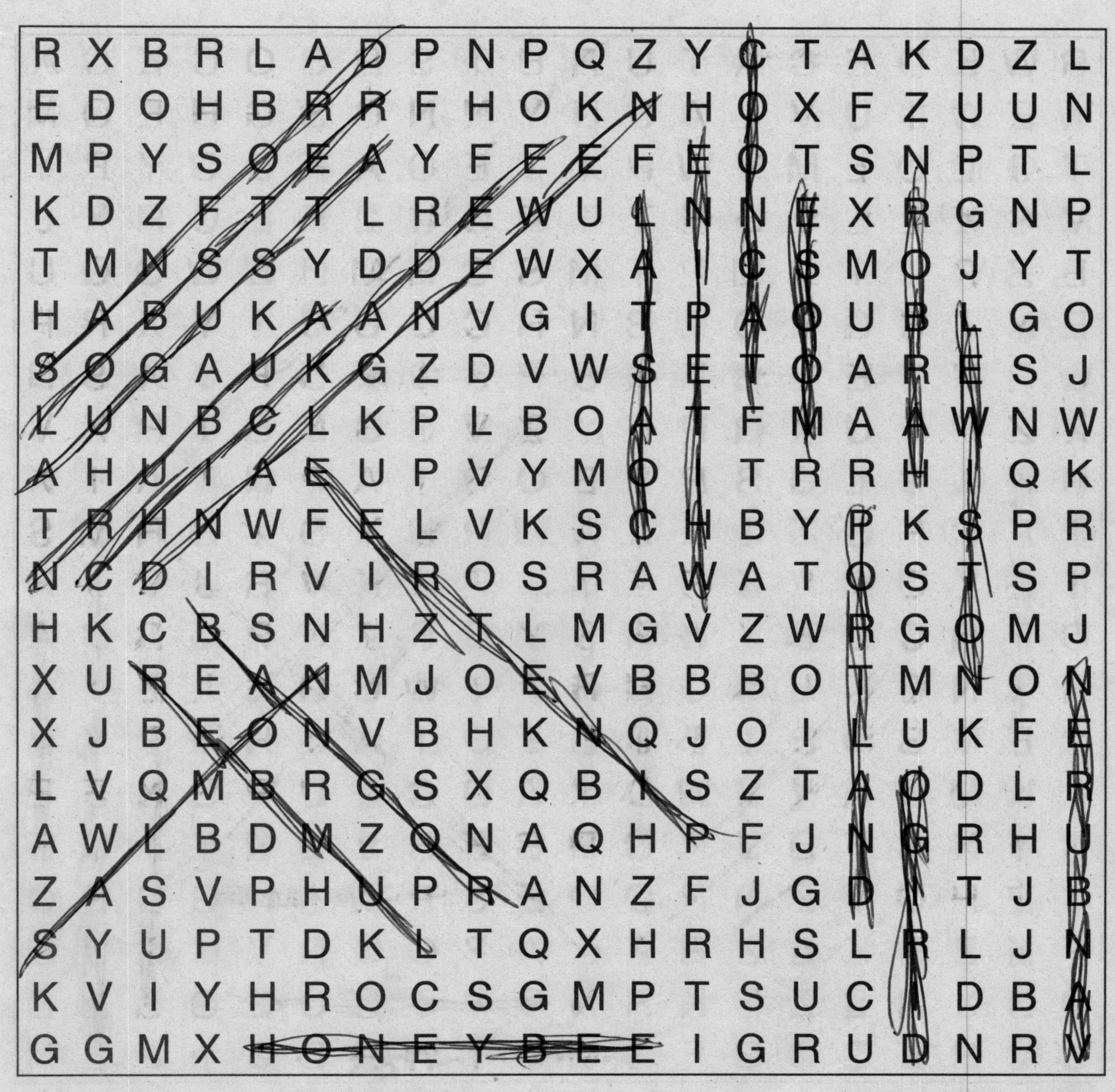

AUBURN
AUGUSTA
BANGOR
CHICKADEE
COASTAL
COON CAT
DIRIGO
HARBOR
HONEYBEE
LEWISTON
LOBSTER
LUMBER
MOOSE
NEW ENGLAND
PINE TREE
PORTLAND
SALMON
SANFORD
VAN BUREN
WHITE PINE

THE 38TH STATE

Puzzle #20

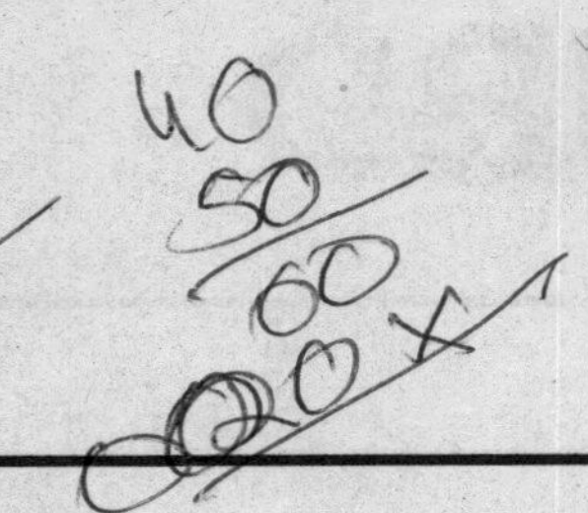

G C E T N I M V C A P Q V D Q M N L W P
Y E W D D M J O F N R Y A I W V S K H X
U Q M B H M H W J X C L I X X J W H B S
M I L E H I G H X F M X K D H E H P F L
L R W L A H Z I A T R I Z A H W G U K C
E N Z K K N Z T T W G K U Z R N V S N Y
C R I S N I L L O C T R O F O E J X A D
E X M N U T Q D L Y R R I D Z P E D R X
N K K I K G H E A B Q O H V T Q A L E K
T A F Y Q T Q N K O W N C N S V X N S S
E E Y O M A K K E U I P M K R S I V U X
N P D S I F T E W L M B R A I R I N R A
N S K E H H O J O D P Y B U A E X O U S
I E G J N E T Y O E Z C I M E K S T A P
A K L G G V E M D R S D A W D B O N S E
L I R I T E E P N V I U H Z L Q L R O N
C P P T T Z P R Z U Q S K I I N G O G C
Y H Z F K L Z E A A N F C O D V G H E Q
Q N X R S Z P K H J B R O N C O S T T P
L M Y L G C G F E L T T A C E C I J S Y

AQUAMARINE
ARIKAREE
ARVADA
ASPEN
BOULDER
BRONCOS
CATTLE
CENTENNIAL
DENVER
FORT COLLINS
LAKEWOOD
MILE HIGH
MINT
PIKES PEAK
PUEBLO
ROCKIES
SHEEP
SKIING
STEGOSAURUS
THORNTON

SHAPES

Puzzle #21

I	J	X	T	J	W	D	P	D	A	X	O	H	E	P	T	A	G	O	N
F	H	W	T	S	O	U	E	M	Z	E	F	W	Y	P	I	L	H	J	D
M	K	S	U	R	Z	S	A	C	L	R	Q	P	V	U	C	F	L	N	Y
S	S	I	C	T	G	R	W	G	A	I	C	I	J	W	O	H	O	N	U
T	Q	V	D	I	G	J	N	R	H	G	S	H	O	V	S	M	G	N	Z
S	Y	S	T	A	R	A	O	R	G	E	O	T	C	J	A	M	L	O	E
T	R	E	T	E	T	I	O	Y	Y	Z	X	N	V	I	G	P	T	G	P
E	F	N	D	C	O	A	I	T	R	H	I	A	D	M	O	L	M	A	D
X	E	V	E	Y	N	C	V	Z	R	S	T	T	G	T	N	P	C	T	T
P	Q	R	N	N	Y	X	T	F	A	I	T	Y	A	O	X	O	H	N	R
U	H	H	F	E	V	H	L	A	I	F	A	W	C	M	N	L	Y	E	A
S	Q	U	A	R	E	Q	M	N	G	F	P	N	F	R	E	Y	Y	P	P
W	U	W	K	N	C	E	R	U	S	R	K	G	G	M	Q	G	V	P	E
A	O	B	A	O	B	W	M	S	E	H	A	A	P	L	R	O	P	C	Z
O	R	G	M	L	K	R	Q	R	J	O	U	M	H	B	E	N	N	Y	O
K	O	Z	A	O	S	M	X	F	M	M	N	L	S	Y	A	V	P	F	I
N	O	D	A	H	H	V	H	Y	R	B	O	L	N	L	U	M	M	K	D
N	O	O	O	H	V	R	J	T	E	O	G	H	T	J	J	T	Q	H	X
H	P	O	C	T	A	G	O	N	U	I	I	R	U	G	S	K	A	E	F
M	D	E	C	A	G	R	A	M	O	D	D	Y	H	F	I	M	A	G	E

DECAGON	HEPTAGON	PENTAGON	RHOMBUS
DECAGRAM	HEXAGON	PENTAGRAM	SQUARE
DIAMOND	ICOSAGON	POLYGON	STAR
DIGON	OCTAGON	RECTANGLE	TRAPEZOID
HENAGON	OCTAGRAM	RHOMBOID	TRIANGLE

NORTHEAST COLLEGES

Puzzle #22

G R O V E C I T Y X J X Q A T Q Z N Y N
L F U E Z A J U J L Q T M R L V Y U A R
U K D R S W E T A T S N N E P E C C E T
B W E L L E S L E Y R K E Z L X N P Y N
P Y I O L B N N X K H D R S S J L Q P D
Z B Q E S T F V S D D Z E A E C Y F K L
Q T K E B Y N E H G E L L A L L T P N E
B A T E S E H M K A O E Y U I C A A Z I
I F K B P A R J K A L J O L P F R Y G F
W P G R K P M K K I T B N M G D I W Z R
U J F Z Z L E P L V E I R R P A C E K I
O M N O T S O B I E O Z T I P C N T O A
X J K G H A C D Q D E A G R G P Z H G F
O Y P D M Q B T W V N C F D Q H Y O C D
S K R X T H S O F H L H K C B M T M C Q
Z L F R K R B Q D D L T E M P L E A C A
I Z P F U S H O R D Y U P N L O S S I Y
V E M Z Y C X B A G P C I D R A V R A H
I B Y J M W W X B A L F R E D H T S D L
T J G D S P T M Q D F C Z Z M E K Z T Q

ALBRIGHT
ALFRED
ALLEGHENY
BARD
BATES
BERKLEE
BOSTON
BOWDOIN
CLARK
CURRY
FAIRFIELD
GROVE CITY
HARVARD
LESLEY
PACE
PENN STATE
TEMPLE
THOMAS
WELLESLEY
YALE

MAN'S BEST FRIEND

Puzzle #23

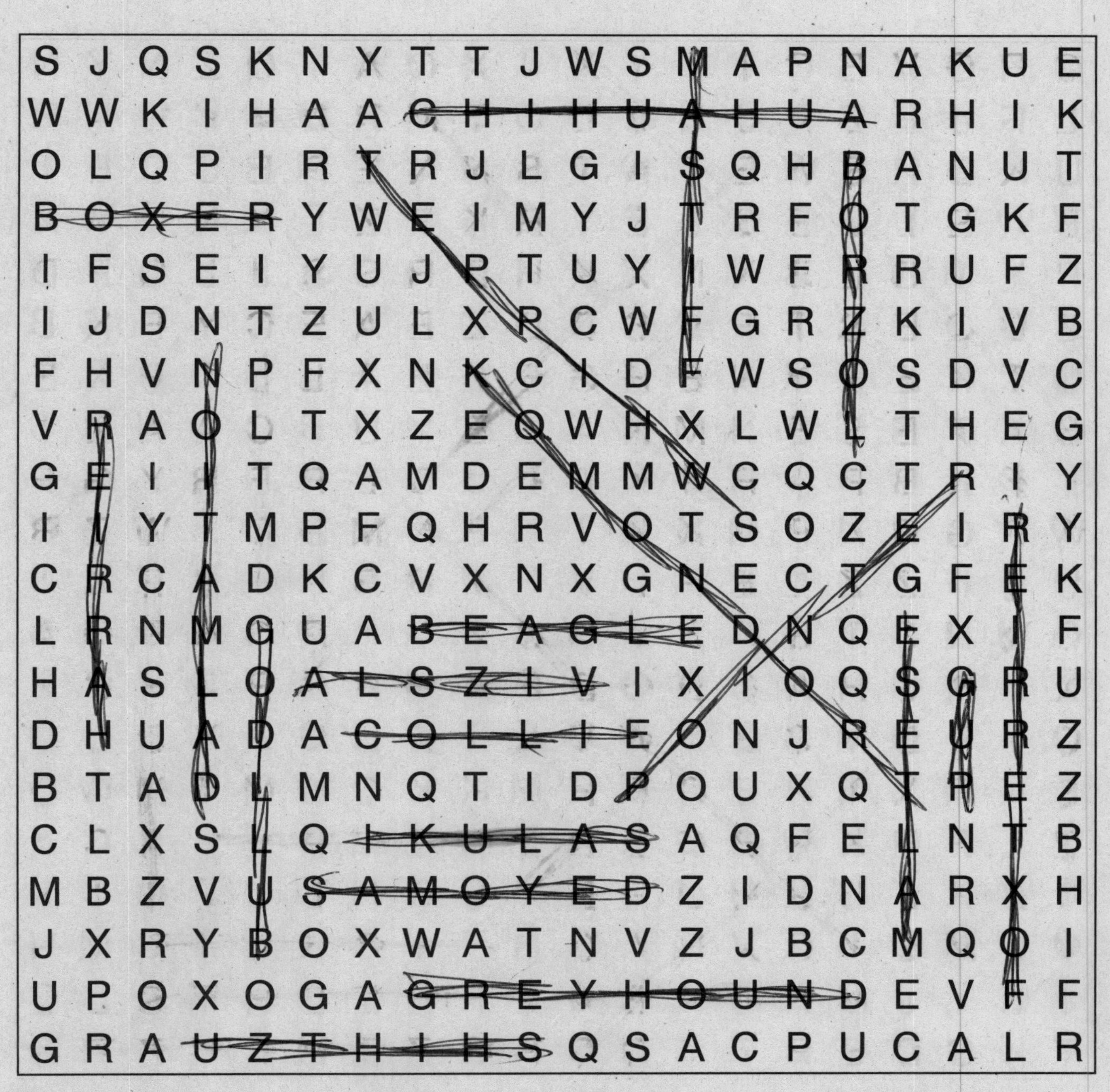

BEAGLE	COLLIE	KOMONDOR	SALUKI
BORZOI	DALMATION	MALTESE	SAMOYED
BOXER	FOX TERRIER	MASTIFF	SHIH TZU
BULLDOG	GREYHOUND	POINTER	VIZSLA
CHIHUAHUA	HARRIER	PUG	WHIPPET

PLANNING A VACATION

Puzzle #24

V	H	T	R	H	Z	B	E	T	S	S	P	M	S	P	H	U	L	D	O
L	C	K	G	C	Y	P	E	E	H	O	T	T	F	O	O	D	A	U	E
T	S	S	P	E	A	R	I	O	I	R	H	C	I	M	R	I	J	H	R
N	P	L	U	C	A	R	A	P	I	G	S	L	X	T	M	Q	J	W	Z
P	F	M	K	Y	T	T	Y	R	I	Z	C	Q	O	F	F	Z	L	Y	G
K	O	I	Q	E	T	L	P	L	E	H	Q	A	Y	L	M	Y	I	P	B
Q	N	X	L	I	R	U	F	A	A	N	S	A	I	Z	O	O	U	Z	T
G	Y	I	N	M	A	P	O	N	S	Q	I	H	R	B	D	D	N	B	C
B	O	U	M	S	C	R	G	S	U	S	B	T	F	N	N	C	F	E	I
T	W	H	B	U	T	E	S	G	T	H	P	S	I	B	O	A	S	G	Y
D	D	C	T	A	I	K	A	G	X	P	U	O	S	K	C	M	H	Z	C
G	N	U	A	V	O	Z	F	B	W	I	O	O	R	D	N	E	O	G	S
E	H	U	R	V	N	F	H	O	T	E	L	H	J	T	V	R	P	Y	Z
D	J	F	O	Y	S	E	N	C	D	E	T	I	H	G	A	A	P	D	D
E	C	M	R	R	F	J	A	M	Z	M	X	B	U	W	R	C	I	W	J
I	E	Y	J	X	G	S	C	L	A	T	I	M	E	O	F	F	N	C	Y
I	V	X	V	W	E	P	Z	Q	K	P	E	C	H	W	U	P	G	C	X
Q	M	P	D	S	X	V	M	F	S	H	T	I	C	K	E	T	S	M	U
F	E	F	V	S	E	W	I	A	S	E	I	T	I	N	E	M	A	J	C
V	N	V	Y	Y	L	G	E	N	C	R	E	N	T	A	L	C	A	R	X

AMENITIES
ATTRACTIONS
CAMERA
CAMPGROUND
CONDO
FLIGHTS
FOOD
HOTEL
ITINERARY
MAP
MONEY
OIL CHANGE
PACKING
PASSPORT
RENTAL CAR
SHOPPING
SUITCASES
TICKETS
TIME OFF
TOILETRIES

SOLAR SYSTEM Puzzle #25

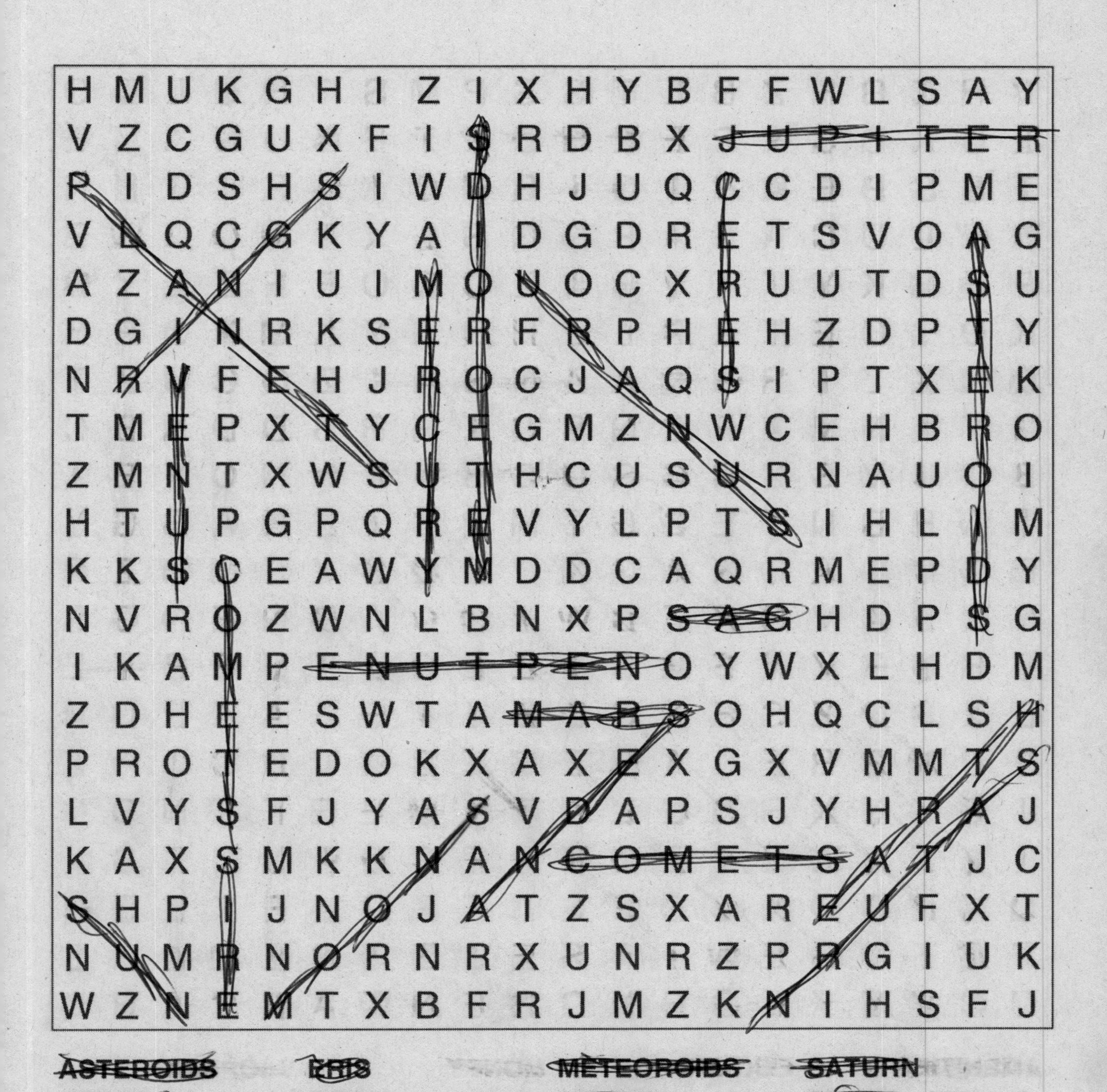

ASTEROIDS
CERES
COMETS
COMETS
EARTH
ERIS
GAS
JUPITER
MARS
MERCURY
METEOROIDS
MOONS
NEPTUNE
PLANETS
RINGS
SATURN
SEDNA
SUN
URANUS
VENUS

SUMMER FUN

Puzzle #26

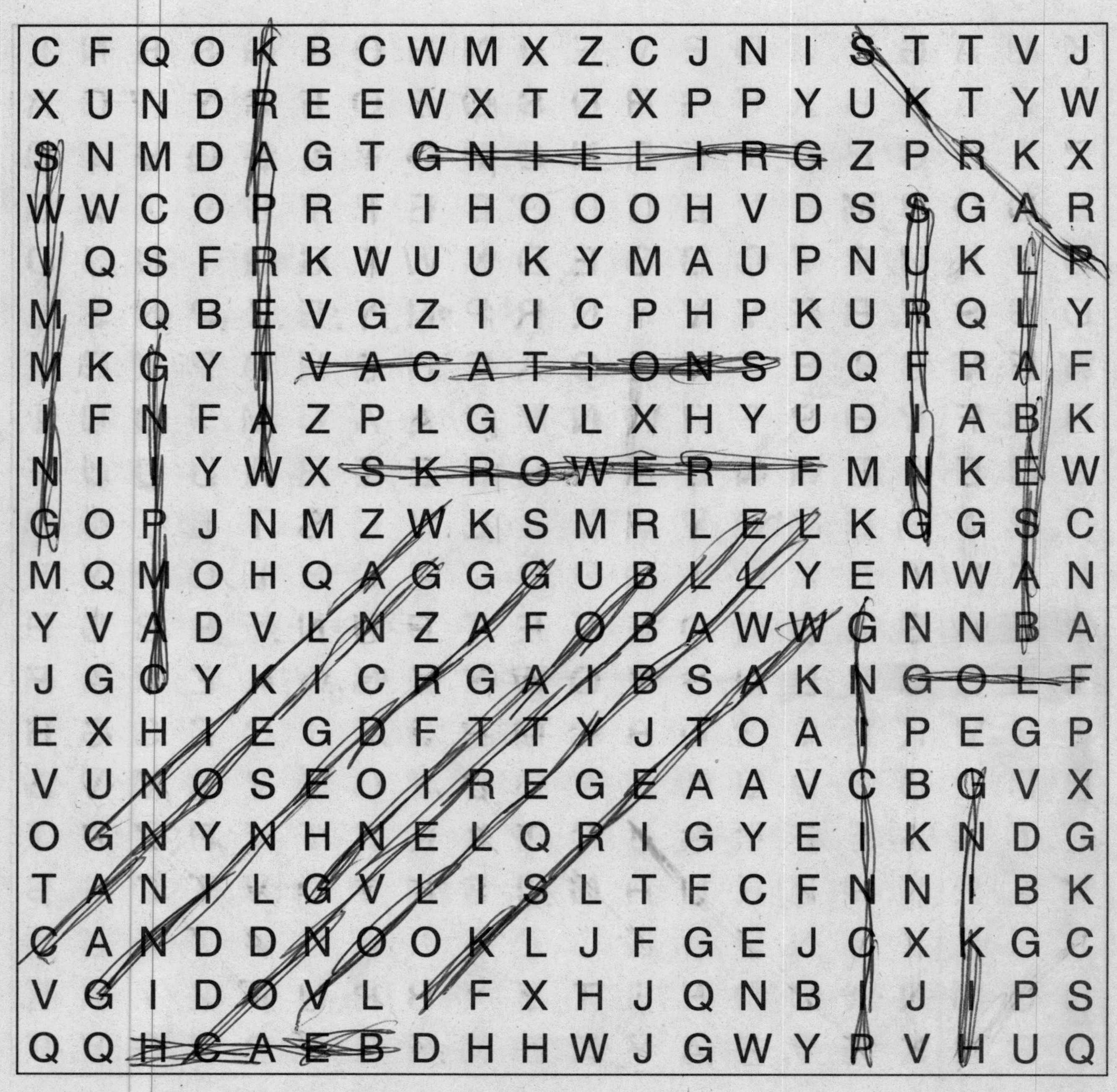

BASEBALL	CONVERTIBLE	HIKING	VACATIONS
BEACH	FIREWORKS	PARKS	VOLLEYBALL
BOATING	GARDENING	PICNICING	WALKING
CAMPING	GOLF	SURFING	WATER PARK
CANOEING	GRILLING	SWIMMING	WATER SKI

PIGSKIN

Puzzle #27

K L A G Y J D P V E J N H O I G S B N L
M C A P R X V G R D S O B O F S Y W G A
Z L A C P O V E R N O N O Y L F O V I O
F O O B M J P E C D S T E P V D E X X G
D V K U R T C B S E D Y W F G Q I N J D
O F S F R E Y V Y N R P N Y E J P N S L
W E M S I E T Y E O A P H G H D P V G E
N J F V H P F R W N Y C A A U M T Q U I
S C E L E R N E A H R R E T R A U Q J F
Z R I M H M K V R U A E Y U S T L L G P
X N N A N N U W G E Q I Z C Y L O P Y K
I R W S X J C D E L E T P U N T B B D P
T Z Q O S L U S Y Q W Y E G D K Z V A F
T X Y K D V Z D B L M R J X I C Z S G H
G C L D T H V W N Y O D J C Q Z S M V W
L T H A L F C G J C T X K P T V P Z P T
X L H N R Z J U H Q U E K Y D V T C F F
R C I X M O Z U O O L E L K C A T X G Q
C U S N W U Q F I T Y Y B P U P Z T A Z
Z R N X E V E A Y T L A N E P B X Q V K

DEFENSE	HOLDING	PENALTY	REFEREE
DOWNS	KICK	PUNT	RUN
FIELD GOAL	LINE	QUARTER	TACKLE
FLAG	OFFENSE	QUARTERBACK	TOUCHDOWN
HALF	PASS	RECEIVER	YARDS

LARGELY POPULATED ISLANDS

Puzzle #28

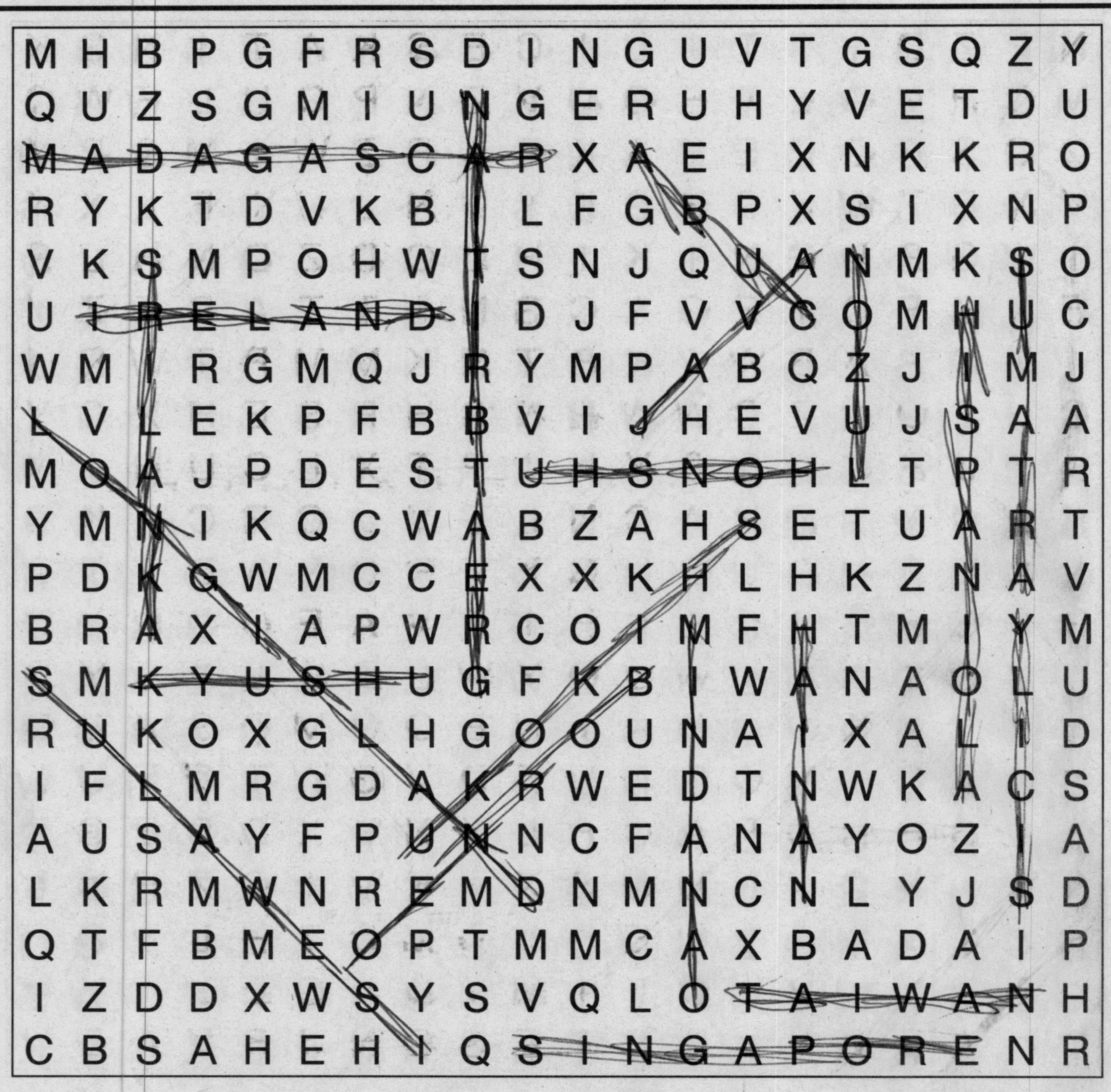

BORNEO
CUBA
GREAT BRITIAN
HAINAN
HISPANIOLA
HONSHU
IRELAND
JAVA
KYUSHU
LONG ISLAND
LUZON
MADAGASCAR
MINDANAO
SHIKOKU
SICILY
SINGAPORE
SRI LANKA
SULAWESI
SUMATRA
TAIWAN

IT'S A DATE!

Puzzle #29

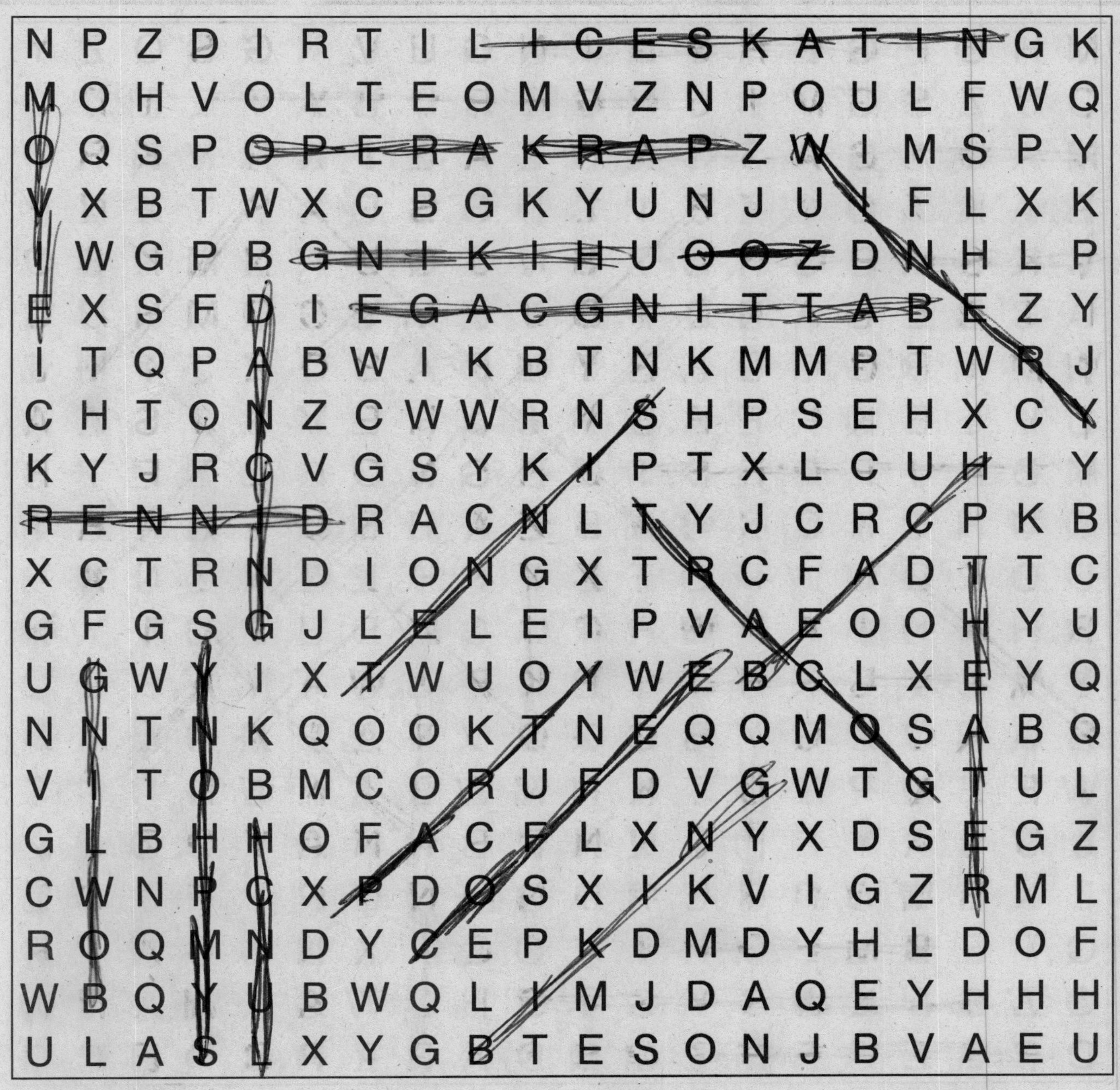

BATTING CAGE	DANCING	LUNCH	SYMPHONY
BEACH	DINNER	MOVIE	TENNIS
BIKING	GO-CART	OPERA	THEATER
BOWLING	HIKING	PARK	WINERY
COFFEE	ICE SKATING	PARTY	ZOO

GAMEDAY

Puzzle #30

Y I Q P S E I T R A P N Z Q N X N J U A
P Y A U E T B S N O I T I D A R T M Y D
T A I L G A T I N G Z P Z F O G V R A P
L A A A O C Z E M S D G S C N F Y E Z M
C R O W D S H U S A V A Y I H Z L V C P
A C G L Q X B E P I Y Z M S E K D A O S
H P M M W C G K E Q D O L I T X Z P G B
U A T A Q N E A E R C N T H N A P G E S
K U N I F O R M S E L G A X Q O D U Z J
Q U H C Y Y X C M I S E E H N V S I B S
U O P D G W H O T C F R A E C F I J U B
R H N U G F H S P T A G N D E R O T W M
Y A S T E K C I T B N T S O E I E K D O
B A H V O C H B Q X S V E Z D R U M X R
W Z F L V V O T Y N M W E A L L J D B T
J V J X Y D M L Z A H B R A O F C Q R E
I X E W G R E U P I Q I E Y P F P I D L
Q H E A L U M N I Y O L F F N D G N P Z
Q W G N O S T H G I F H E W C K M I V W
D P R E G A M E M M D A R Z R V Q N C G

ALUMNI
BAND
CHEERLEADER
CROWDS
FANS
FIGHT SONG
FLAGS
HOME
HOMECOMING
MERCHANDISE
OPPONENT
PARTIES
PRE-GAME
RADIO
REFEREES
STADIUM
TAILGATING
TICKETS
TRADITIONS
UNIFORMS

CREEPY CRAWLERS 1

Puzzle #31

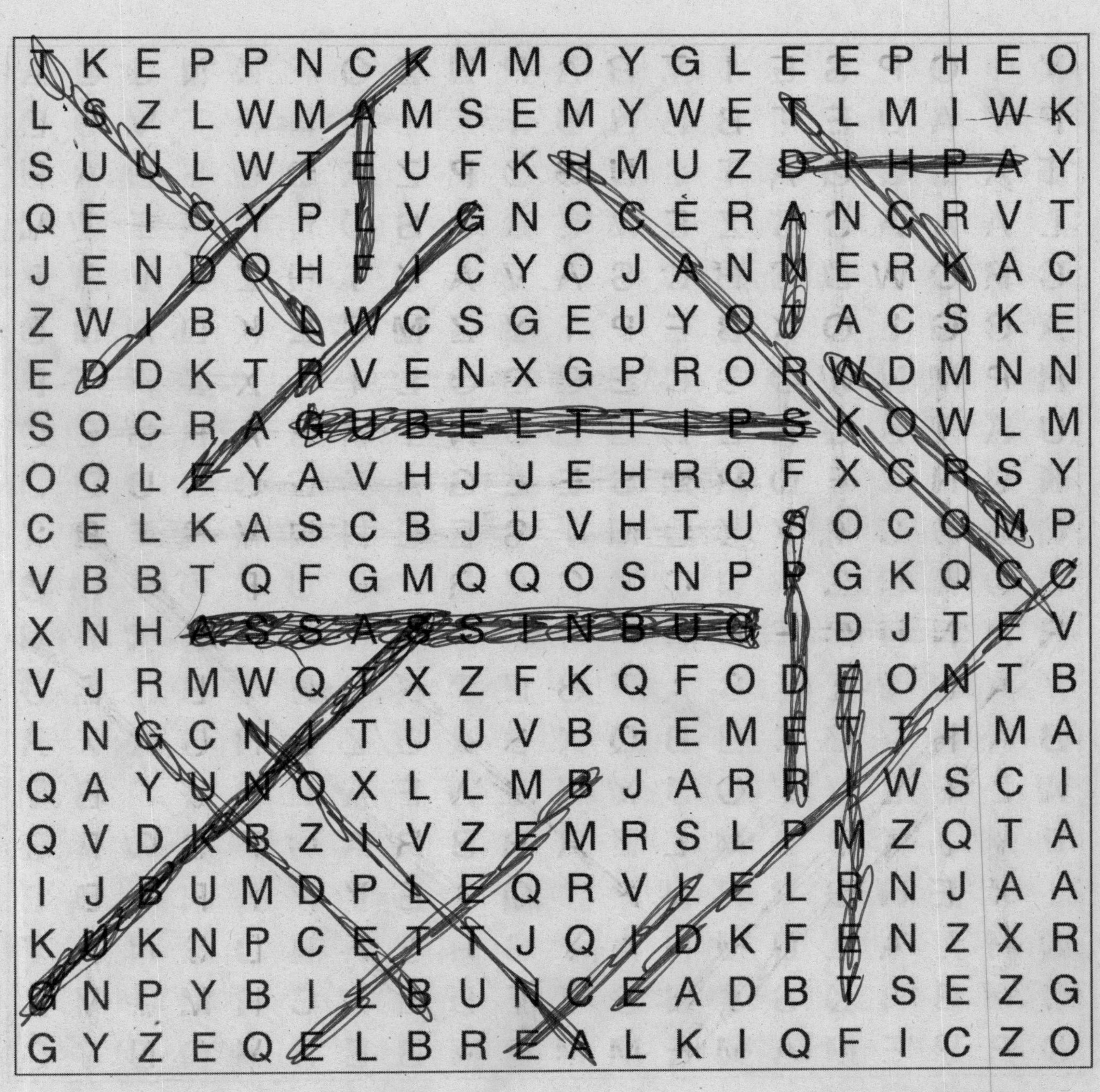

ANT
ANTLION
APHID
ASSASSIN BUG

BED BUG
BEETLE
CENTIPEDE
COCKROACH
EARWIG

FLEA
KATYDID
LICE
LOCUST
SPIDER

SPITTLE BUG
STINK BUG
TERMITE
TICK
WORM

HOLIDAYS

Puzzle #32

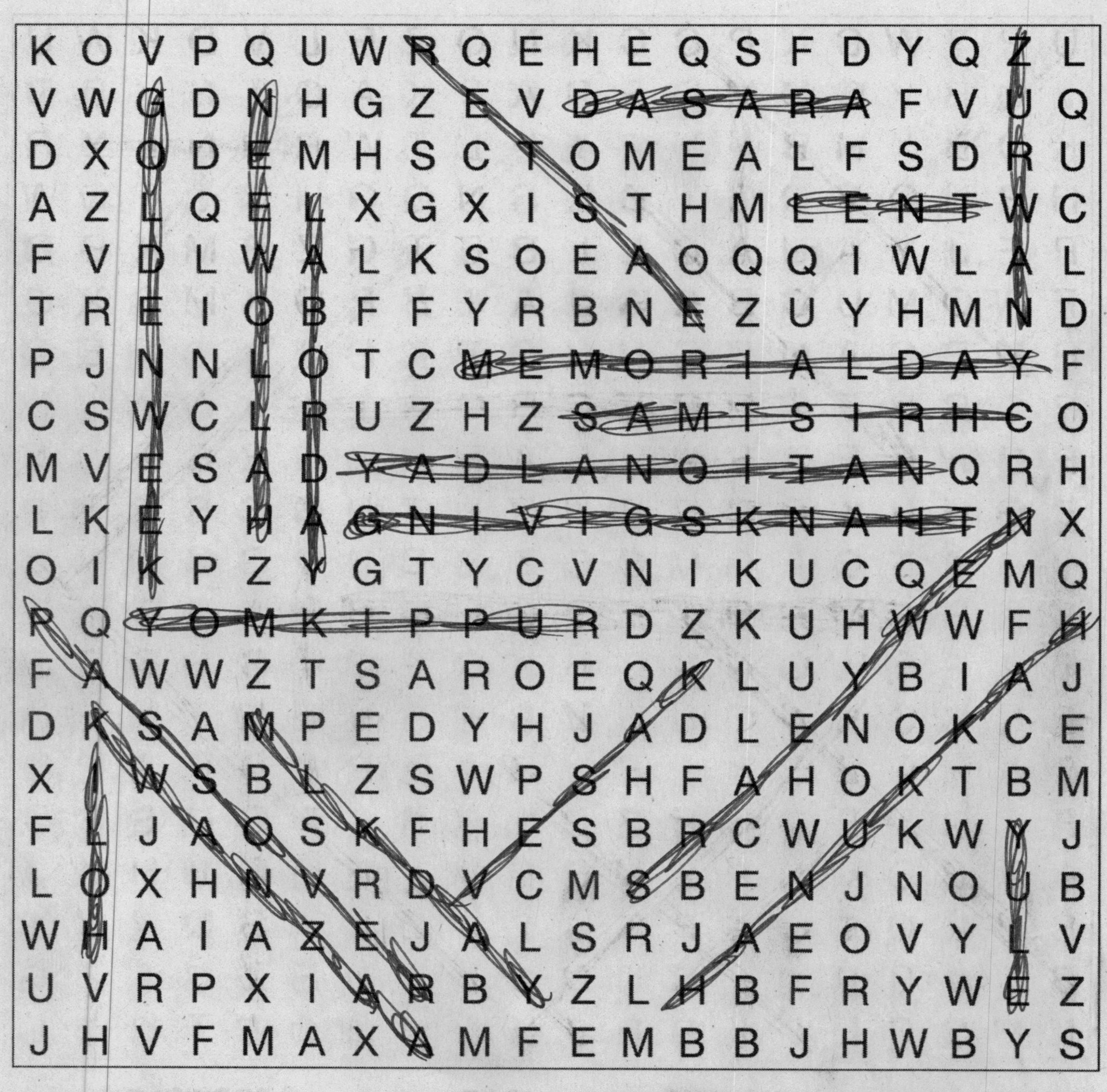

CHRISTMAS
DASARA
EASTER
GOLDEN WEEK
HALLOWEEN

HANUKKAH
HOLI
KWANZAA
LABOR DAY
LENT

MEMORIAL DAY
MLK DAY
NATIONAL DAY
NAW RUZ
NEW YEAR'S

PASSOVER
THANKSGIVING
VESAK
YOM KIPPUR
YULE

JOYS OF SUMMER

Puzzle #33

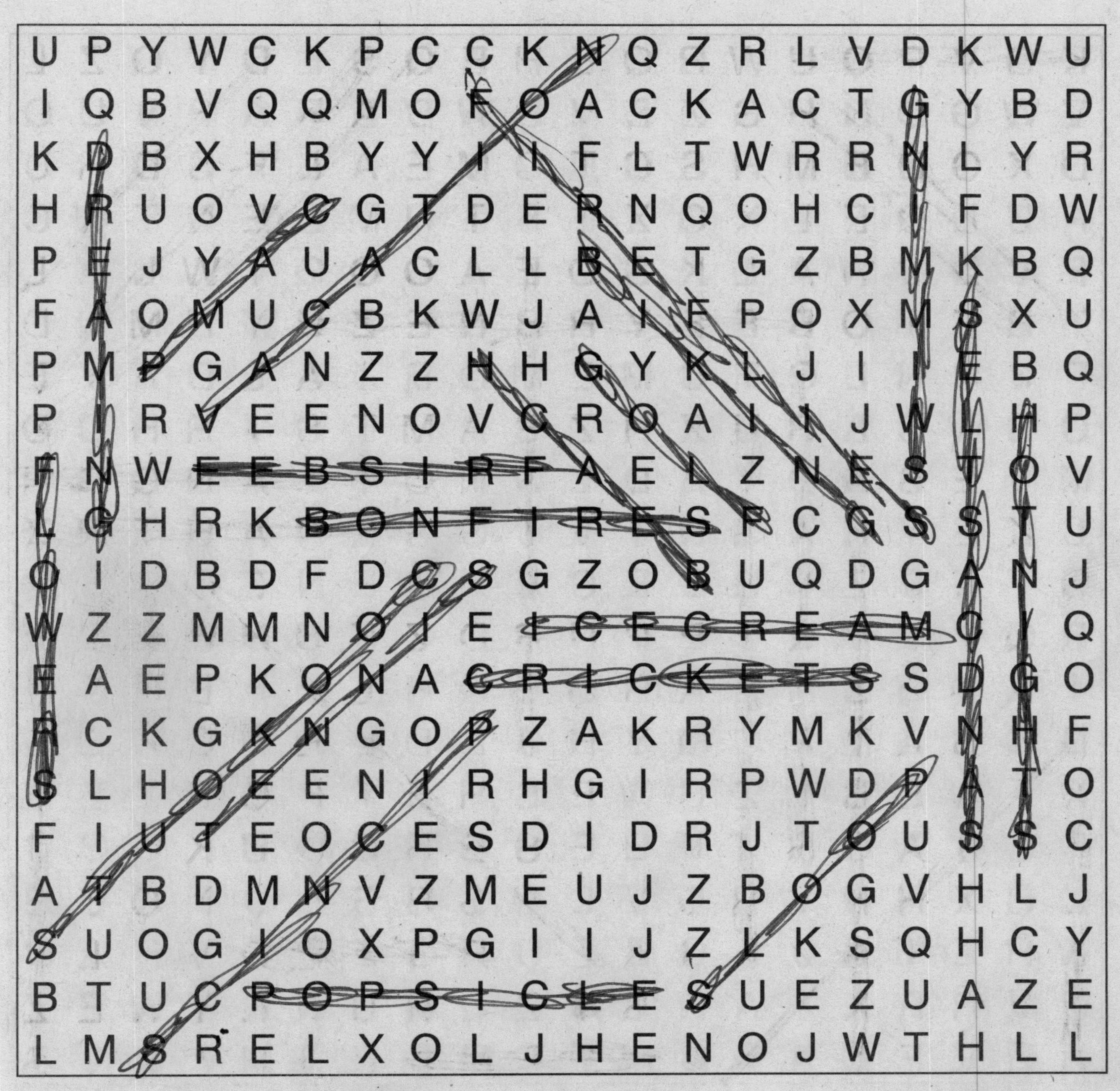

BEACH
BIKING
BONFIRES
CAMP
COOKOUTS
CRICKETS
DREAMING
FIREFLIES
FLOWERS
FRISBEE
GOLF
HOT NIGHTS
ICE CREAM
PICNICS
POOLS
POPSICLE
SAND CASTLES
SWIMMING
TENNIS
VACATION

HAVE A SEAT

Puzzle #34

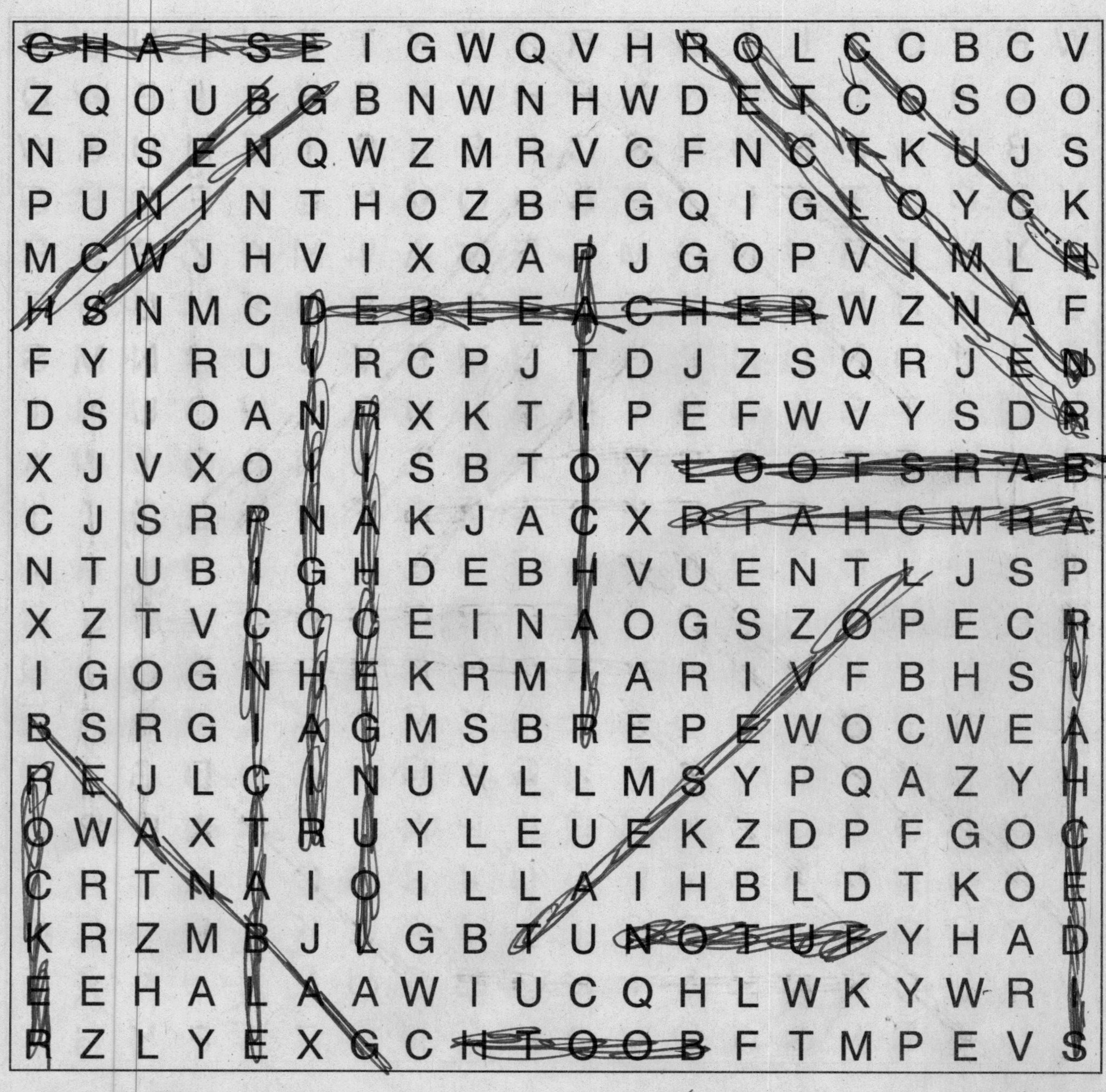

ARM CHAIR
BAR STOOL
BEAN BAG
BED
BENCH
BLEACHER
BOOTH
CHAISE
COUCH
DINING CHAIR
FUTON
LOUNGE CHAIR
LOVESEAT
OTTOMAN
PATIO CHAIR
PICNIC TABLE
RECLINER
ROCKER
SIDE CHAIR
SWING

GARDENING

Puzzle #35

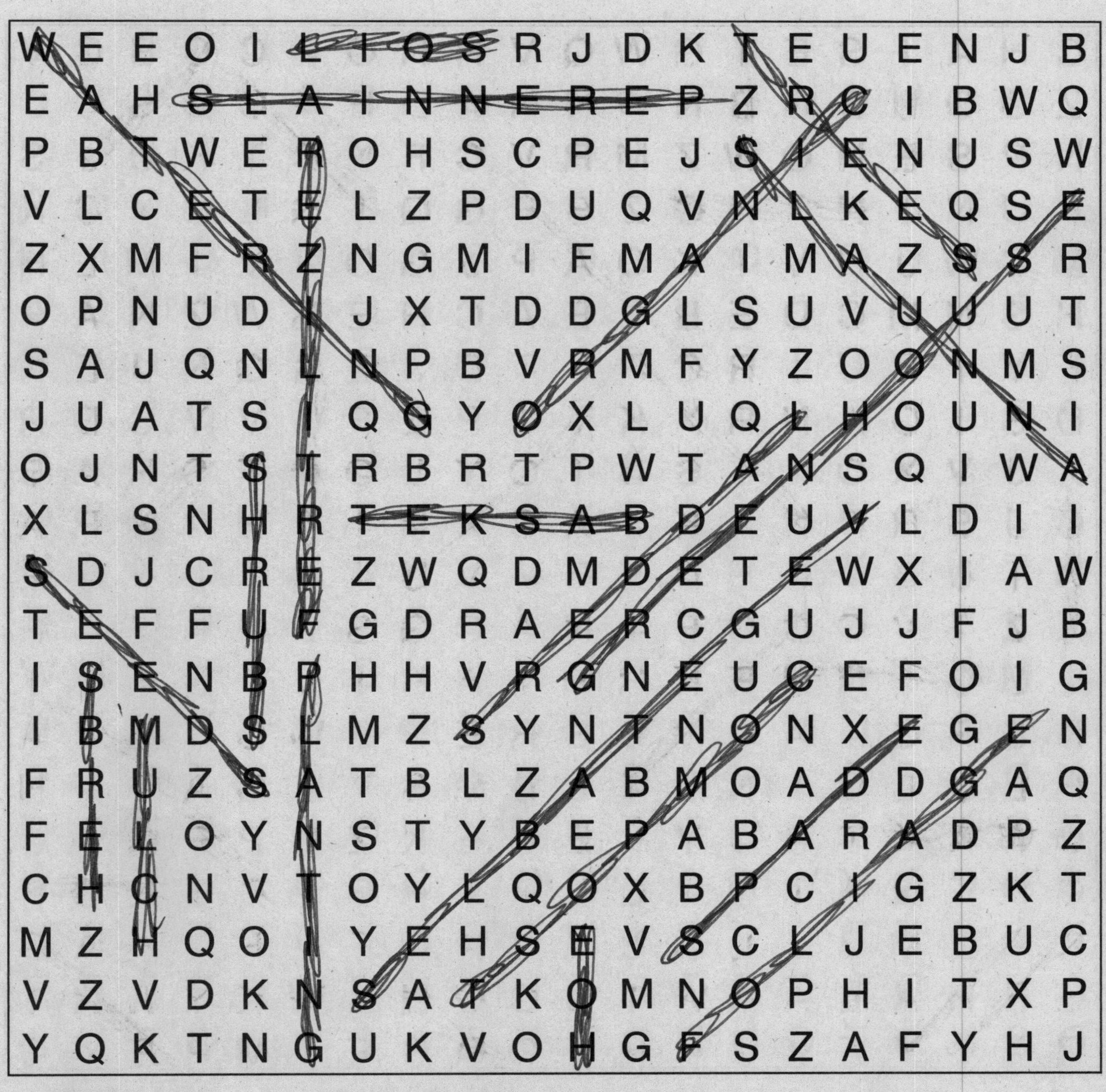

ANNUALS
BASKET
COMPOST
FERTILIZER
FOLIAGE

GREENHOUSE
HERBS
HOE
LADDERS
MULCH

ORGANIC
PERENNIALS
PLANTING
SEEDS
SHRUBS

SOIL
SPADE
TREES
VEGETABLES
WATERING

NICKNAMES Puzzle #36

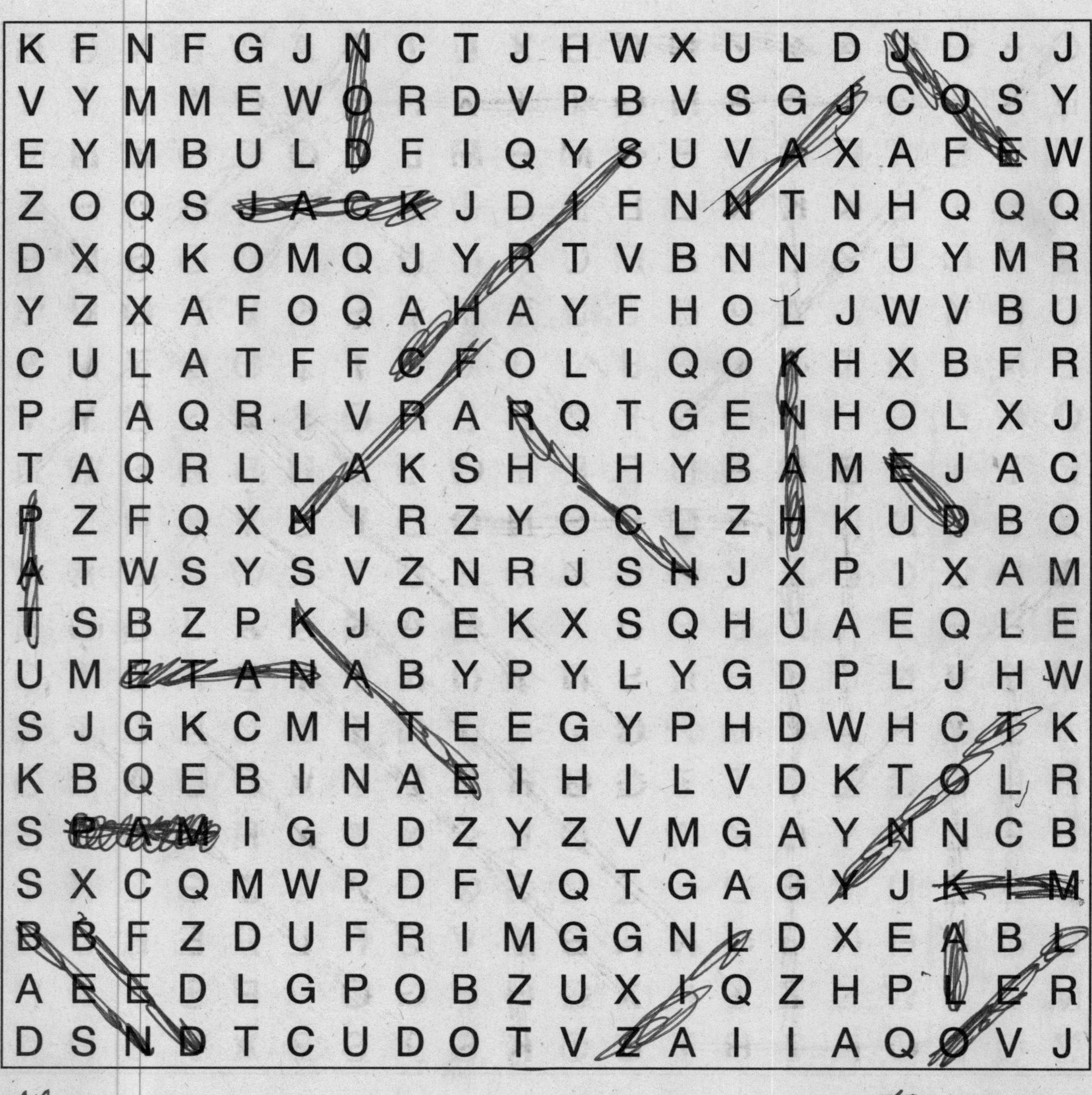

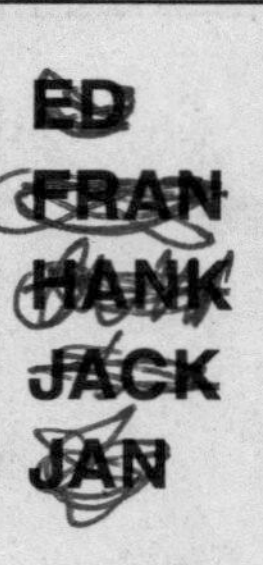

CARD GAMES

Puzzle #37

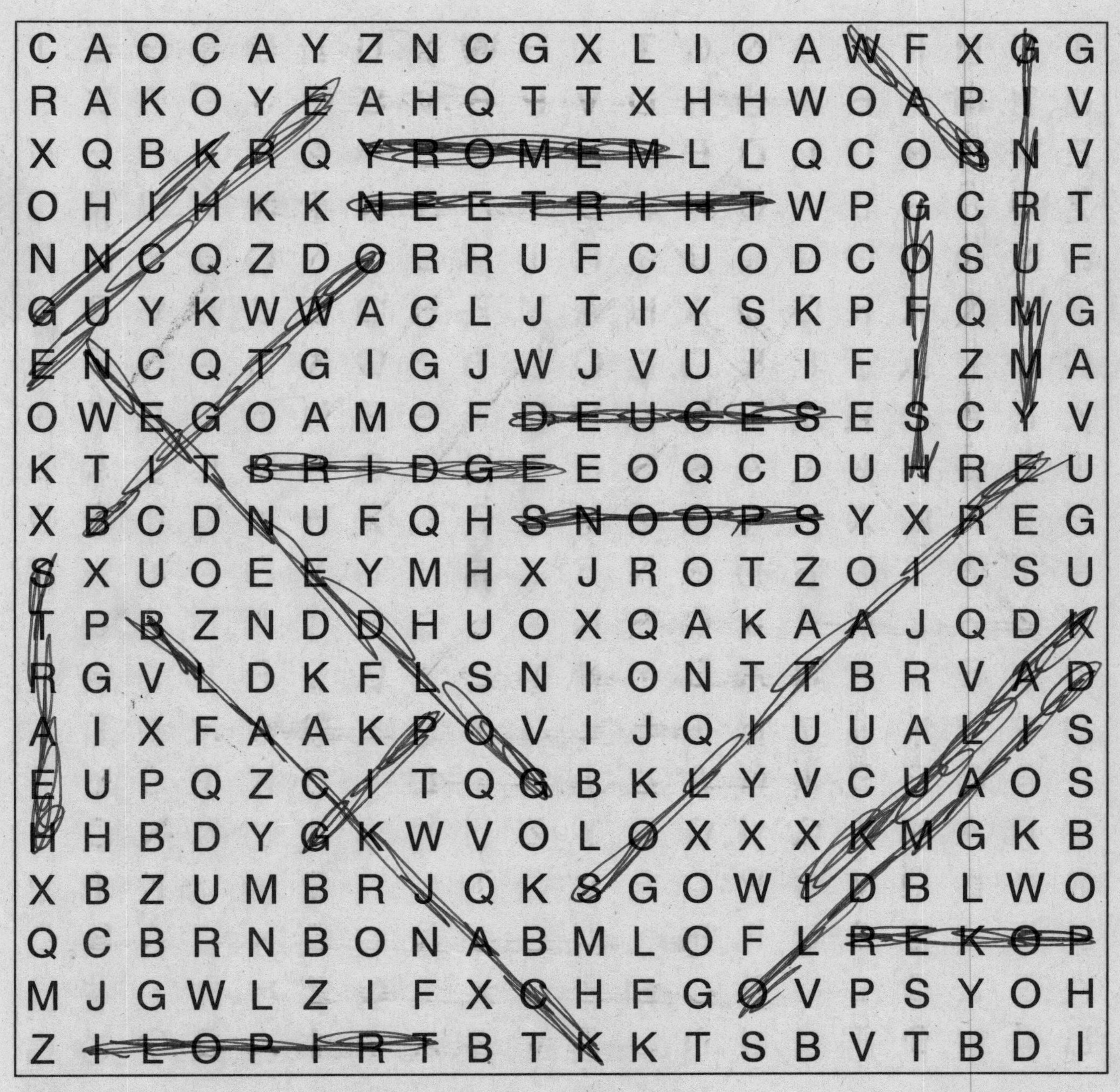

BIG TWO	GIN RUMMY	KING	SOLITAIRE
BLACKJACK	GO FISH	MEMORY	SPOONS
BRIDGE	GOLDEN TEN	OLD MAID	THIRTEEN
DEUCES	HEARTS	PIG	TRIPOLI
EUCHRE	KALUKI	POKER	WAR

CAN YOU TIE A KNOT?

Puzzle #38

ALPINE COIL	BOWLINE	EYE SPLICE	NOOSE
ARBOR KNOT	CATSHANK	GRIEF KNOT	RING BEND
BAG KNOT	DOUBLE LOOP	HALF HITCH	ROUND TURN
BAIT LOOP	DRAW KNOT	JAR SLING	SIMPLE KNOT
BOA KNOT	EGG LOOP	LONG MAT	SLIP KNOT

BEGINS WITH LETTER A

Puzzle #39

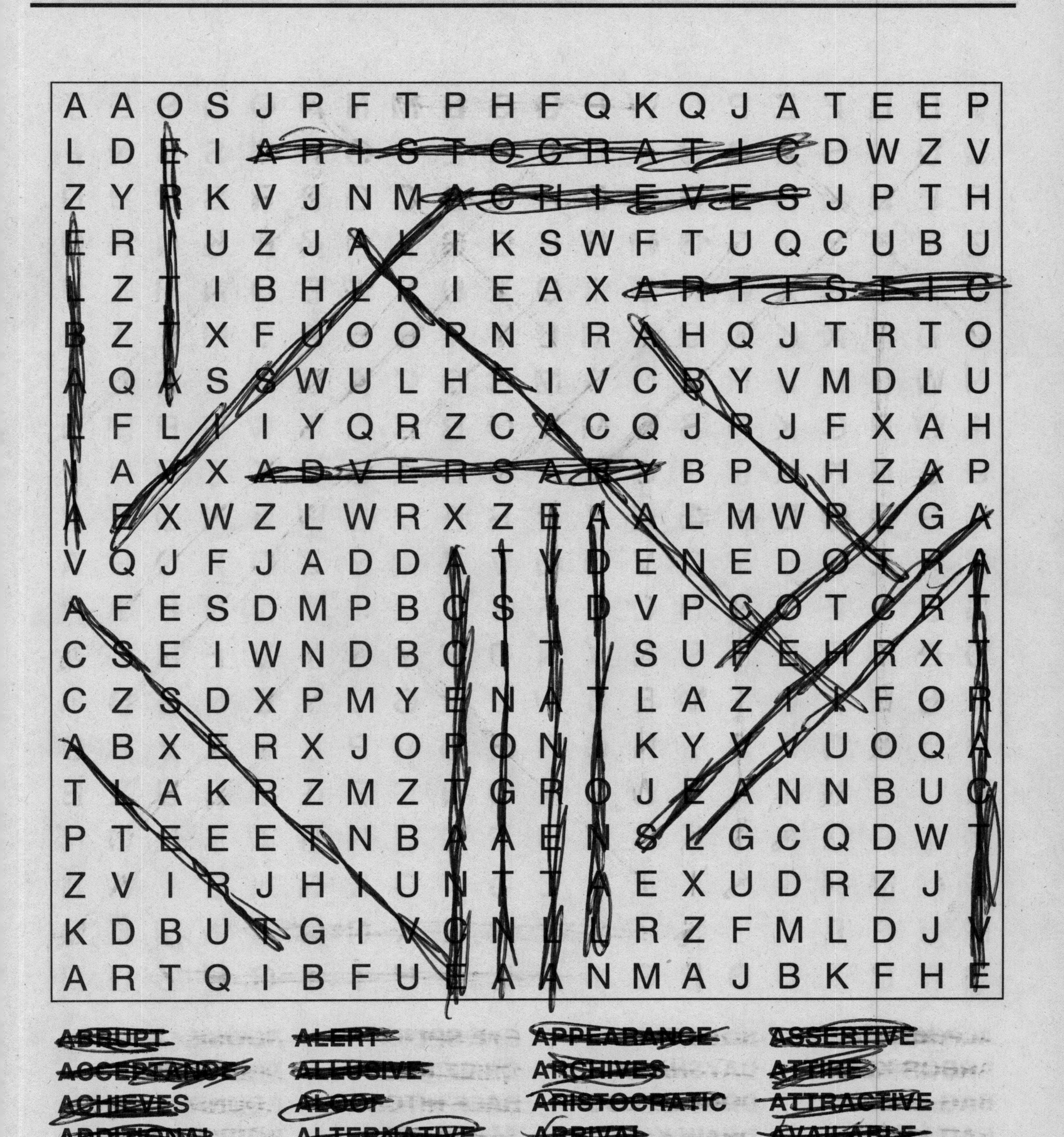

ABRUPT
ACCEPTANCE
ACHIEVES
ADDITIONAL
ADVERSARY
ALERT
ALLUSIVE
ALOOF
ALTERNATIVE
ANTAGONIST
APPEARANCE
ARCHIVES
ARISTOCRATIC
ARRIVAL
ARTISTIC
ASSERTIVE
ATTIRE
ATTRACTIVE
AVAILABLE

BEGINS WITH LETTER B

Puzzle #40

BABBLE
BACKGROUND
BACKTRACK
BADGE
BAFFLED
BAKERY
BAKEWARE
BALLAST
BALLOT
BALMY
BANDED
BEAUTIFUL
BEGUILING
BELLOWS
BESIDE
BEWILDERED
BOUNTIFUL
BRIGHT
BUBBLING
BUILD

BEGINS WITH LETTER C

Puzzle #41

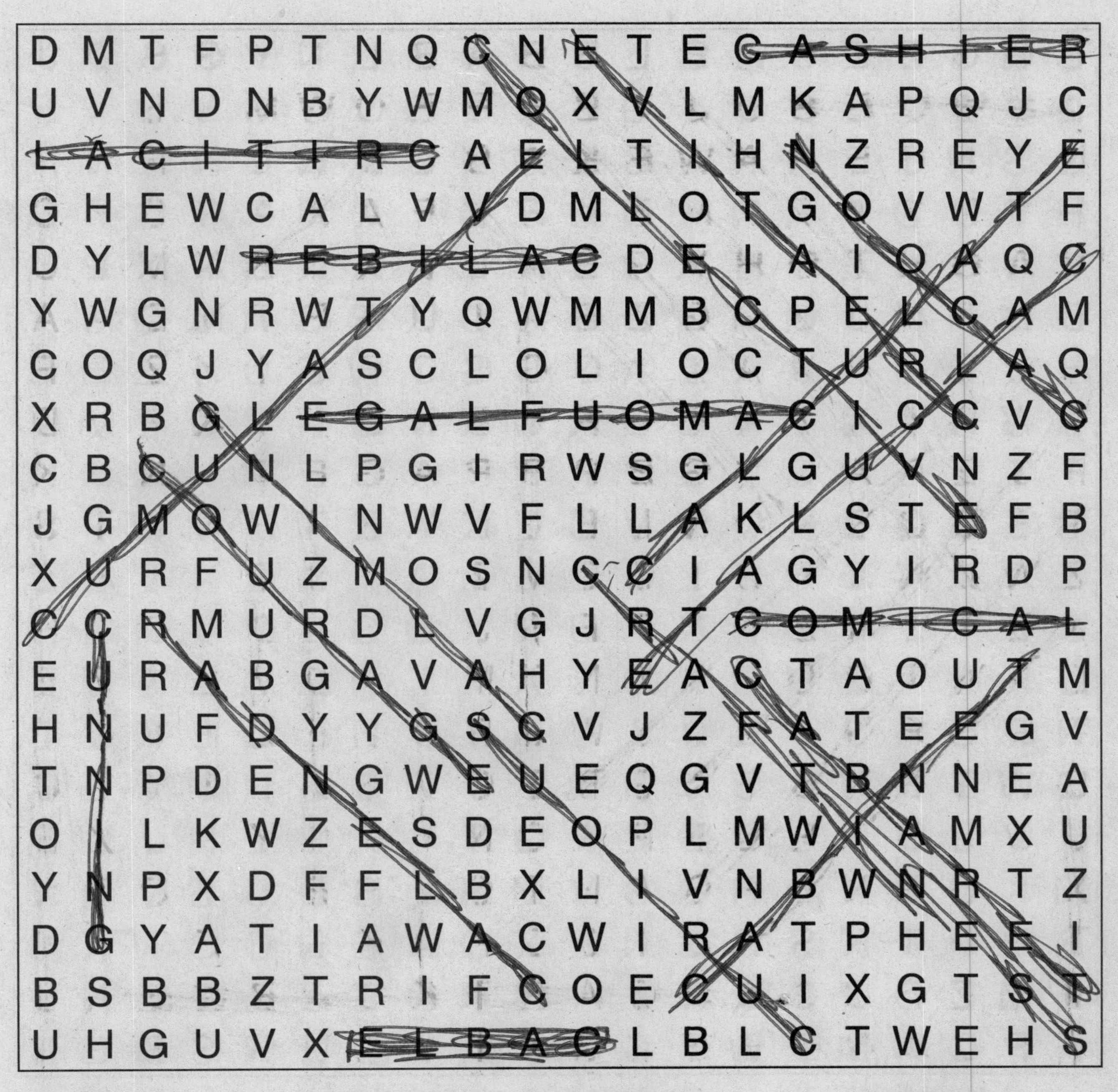

- CABARET
- CABINET
- CABLE
- CACOON
- CALCULATE
- CALCULATE
- CALENDAR
- CALIBER
- CALMING
- CAMOUFLAGE
- CASHIER
- COLLECTIVE
- COMICAL
- COURAGE
- CRAFTINESS
- CREATIVE
- CRITICAL
- CUMULATIVE
- CUNNING
- CURIOUS

BEGINS WITH LETTER D

Puzzle #42

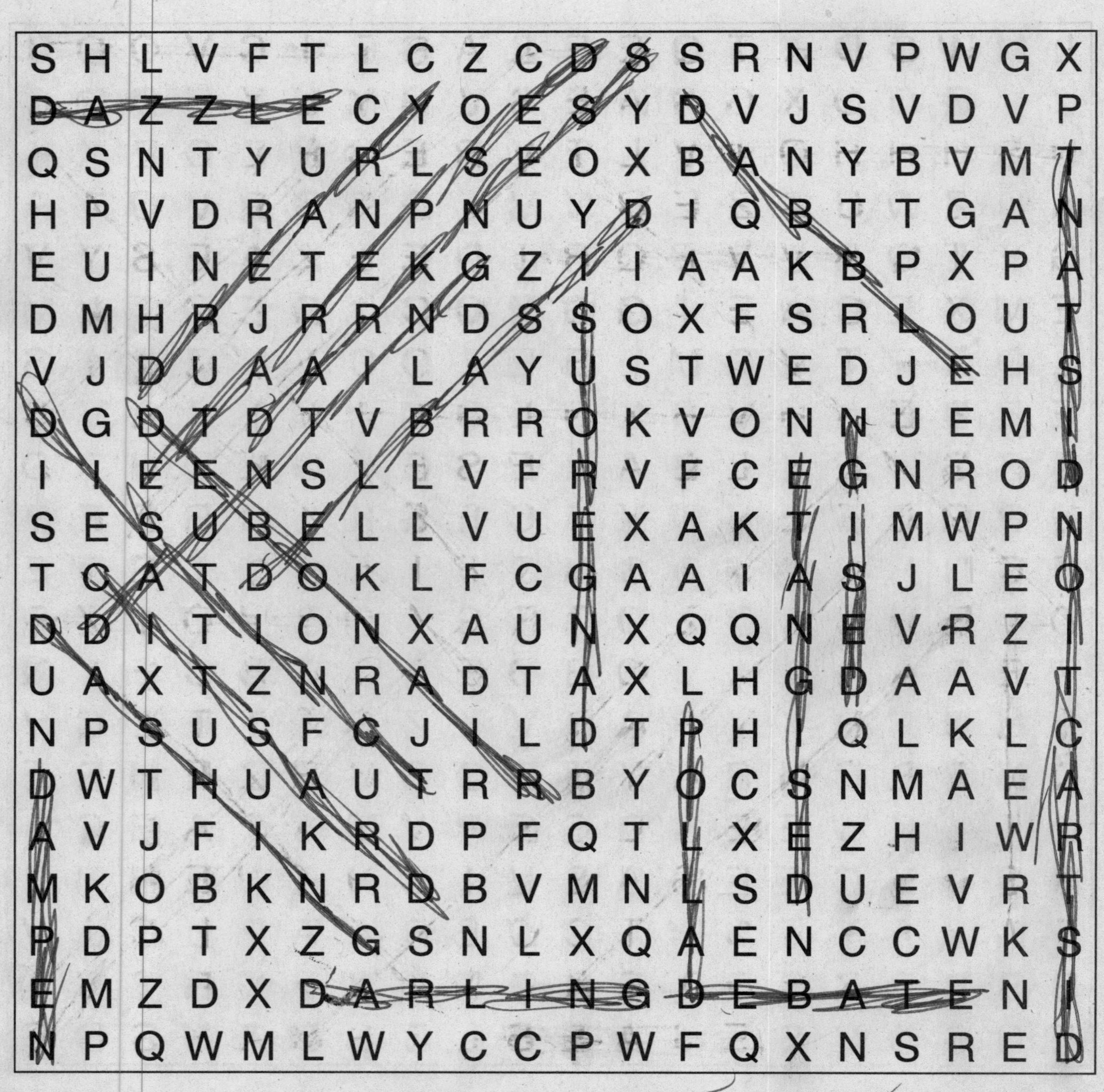

DABBLE
DALLOP
DAMPEN
DANGEROUS
DARKNESS
DARLING
DASHING
DAUNTING
DAZZLE
DEBATE
DEBONAIR
DESIGN
DESIGNATE
DESPERATE
DISABLED
DISTANT
DISTINCT
DISTRACTION
DRASTIC
DREARY

BEGINS WITH LETTER E

Puzzle #43

13%

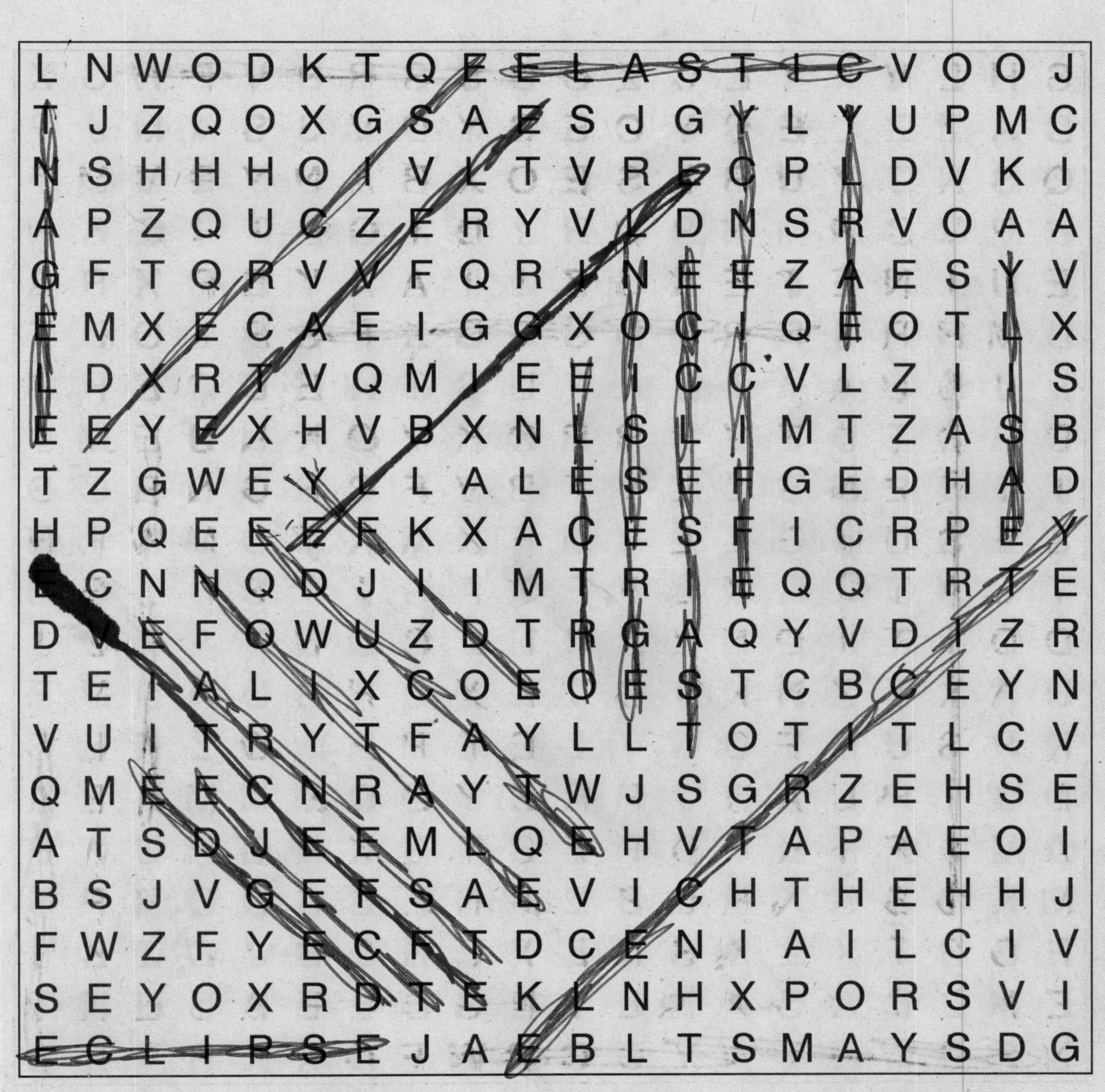

EARLY	EDGED	EGRESSION	ELECTRO
EARNEST	EDIFY	EJECT	ELEGANT
EASILY	EDUCATE	ELASTIC	ELEVATE
ECCLESIAST	EFFECTIVE	ELATION	ELIGIBLE
ECLIPSE	EFFICIENCY	ELECTRICITY	EXERCISE

BEGINS WITH LETTER F

Puzzle #44

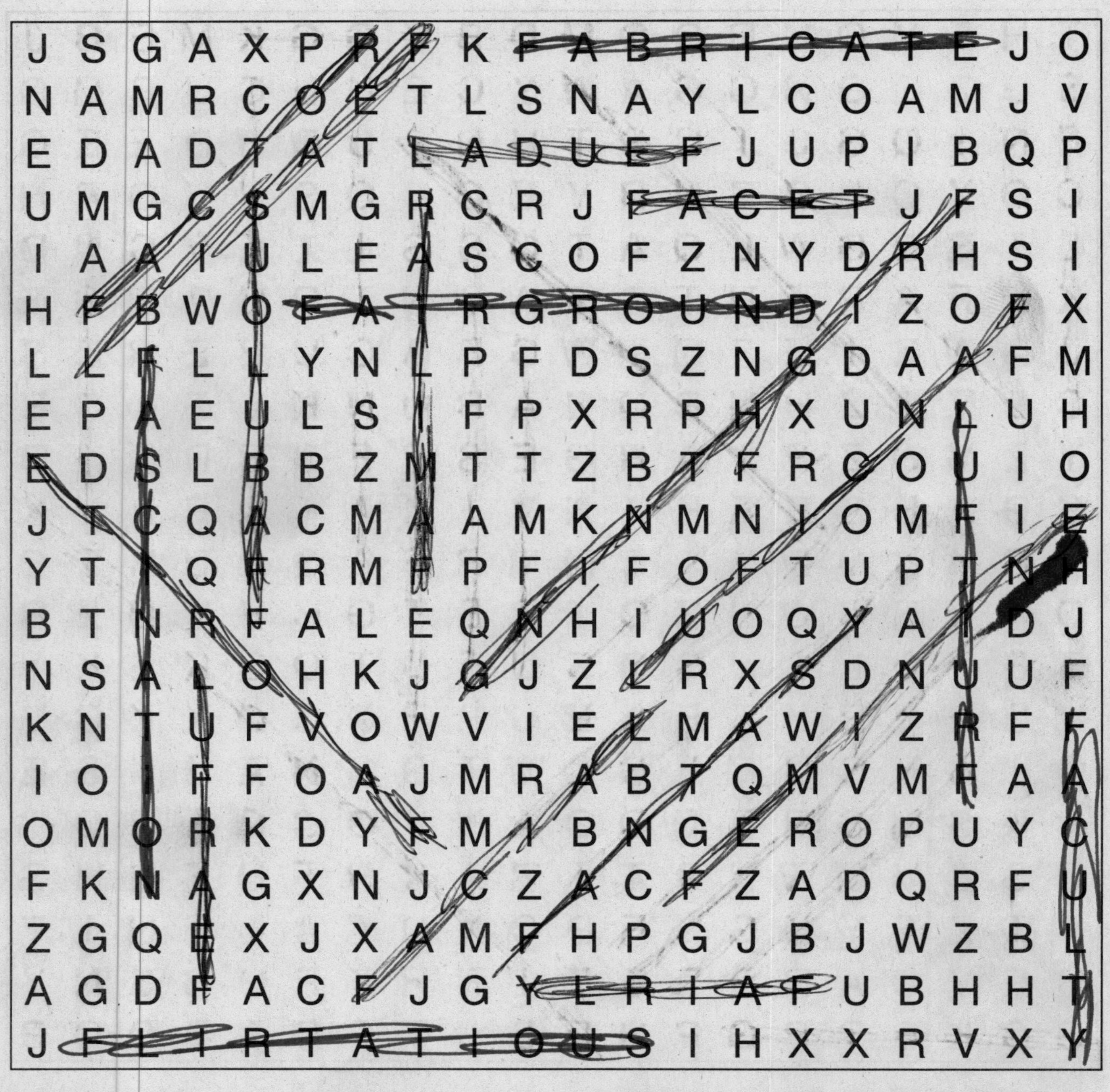

FABRICATE
FABULOUS
FACET
FACIAL
FACTOR

FACULTY
FAIRGROUND
FAIRLY
FAMILIAR
FANCIFUL

FANTASY
FASCINATION
FAVORITE
FEARFUL
FEASIBLE

FEMININE
FEUDAL
FLIRTATIOUS
FRIGHTNING
FRUITFUL

BEGINS WITH LETTER G

Puzzle #45

T H F Y Q N R D O M D B X G G K M E B J
S U O I G R O G V W Y C E U U C J C G N
F N I Q G J T C S T U N I U Q H E E E G
C O X C L V S N R V E O J Q S V N O P N
L I S B G W L Q A T Q S S I I E V C N D
K T F A R E U T I I A J N T R G A U G E
J A W X I E F C M W G R A O U B E R D Y
C L M I Z P N P Q Z A R U N K L G Q C Y
Y E V G Z P I A R G E S P F B R P G M B
S G A B L Z A B A N V I K A E K F F U K
X C G U Y P G L E O M R R A Y G U Y T C
Q K Q G W E L G O U R E T G C E V D I R
E F M D E E D S Y C N F D I D Q K I K I
M Z X V R O S B L E U P R X G O X K B G
O I B Y G U M L G L Y T D B N A J K E A
S K J M S R T E O P A I J O C O I S U G
E J B N M W U J T I R A K R F O T E W G
U T G X Y K G D R R C X G S D U R H T T
R R J U A W D E G P I F P F R Y B V N Y
G G K B I P G P H E L C V E D B G O Q P

GAIETY
GAINFUL
GALLERY
GARNISH
GAUGE
GELATION
GENERABLE
GENERATIVE
GENEROUS
GENETIC
GEOMETRIC
GERIATRIC
GESTURE
GIANT
GREATFUL
GRIZZLY
GRUDGE
GRUESOME

BEGINS WITH LETTER H

Puzzle #46

H	E	L	P	F	U	L	L	L	E	T	A	N	I	C	U	L	L	A	H
B	E	Z	P	I	R	A	P	M	S	P	V	K	T	O	B	M	G	L	H
C	Q	A	N	F	U	G	C	E	I	K	H	V	B	P	I	M	I	U	A
O	F	K	D	T	H	Z	P	O	G	E	G	Y	I	S	C	W	N	F	R
S	U	Z	I	C	X	T	N	N	A	A	L	O	J	S	Y	F	K	E	M
A	F	B	N	Z	O	L	S	R	M	S	R	I	J	P	F	U	I	P	O
W	A	U	Z	C	Z	U	T	A	M	M	M	O	C	N	S	B	A	O	N
H	A	B	N	X	C	F	N	M	F	H	Q	Q	B	X	H	R	F	H	I
H	C	X	M	A	E	H	G	T	A	D	H	A	I	R	Y	V	R	L	O
Z	F	Y	N	L	B	T	K	R	I	Y	N	G	N	Z	A	Z	H	U	U
T	J	S	T	B	F	L	R	L	L	S	G	A	R	E	G	H	A	F	S
K	S	Y	Q	G	J	A	K	M	U	E	F	X	H	Y	B	Q	R	T	Q
M	H	E	X	K	S	E	N	O	P	R	G	W	L	G	Y	W	L	R	X
T	A	R	V	S	A	H	D	O	N	P	E	I	Z	Z	Y	W	E	U	P
E	S	S	B	R	B	R	B	O	A	S	T	P	R	Z	I	O	Q	H	H
R	H	X	E	V	A	K	U	I	C	S	H	C	U	Y	P	J	U	Z	T
K	E	L	K	Z	S	H	U	P	A	I	A	U	Y	L	J	Z	I	C	B
P	R	E	A	Z	K	A	H	H	B	C	G	Q	S	E	F	K	N	U	A
M	Y	H	F	Q	U	O	G	H	I	L	L	S	I	D	E	D	W	A	H
C	T	A	I	A	G	F	D	U	P	N	I	Z	E	R	L	D	H	M	N

HABITUAL	HARLEQUIN	HASTILY	HEARTFELT
HAIRY	HARMONIOUS	HAUNCH	HELPFUL
HALLUCINATE	HARRASS	HAZARDOUS	HILLSIDE
HANDFAST	HARVEST	HEADCOUNT	HOPEFUL
HARBORAGE	HASHERY	HEALTHFUL	HURTFUL

BEGINS WITH LETTER I

Puzzle #47

I	D	O	L	I	Z	E	C	T	H	U	Z	R	H	E	W	W	Z	Q	G
P	J	E	N	U	M	M	I	E	R	E	C	Y	T	C	Y	D	D	L	V
G	U	T	I	K	A	E	I	A	V	W	L	A	F	C	T	U	X	G	X
Q	M	F	Z	L	V	D	L	R	B	I	L	J	I	I	W	O	C	L	T
G	I	K	T	K	L	U	B	W	R	U	S	Z	L	Y	T	I	Q	I	L
I	C	D	Q	Q	G	U	W	X	C	I	F	U	B	M	C	N	G	Y	Z
J	L	V	E	E	D	R	M	A	V	I	T	K	L	I	C	N	E	C	Y
H	C	L	R	A	D	Y	M	I	E	H	K	A	T	L	O	C	I	D	I
B	T	R	U	M	L	M	M	W	N	W	T	O	B	R	I	C	I	X	I
G	I	L	U	S	I	T	F	L	N	A	I	W	E	L	J	R	L	A	G
T	E	W	O	K	T	C	Q	I	Y	D	T	I	M	S	E	Q	L	X	Z
J	L	E	V	A	J	R	M	I	I	Z	A	E	M	V	I	H	I	K	N
I	B	G	R	K	S	A	A	M	D	H	T	H	K	F	I	P	C	L	U
S	I	A	T	P	G	P	M	T	A	E	U	N	T	P	S	N	I	H	I
S	S	H	F	I	W	O	C	L	E	F	N	O	A	W	O	S	T	L	X
E	R	R	N	D	R	K	T	N	M	S	A	T	Q	R	R	U	L	C	O
N	E	E	Q	T	C	V	R	S	X	M	Z	K	I	E	O	E	A	G	C
L	M	W	A	X	B	N	C	S	M	E	Y	G	S	T	G	N	U	H	B
L	M	L	H	N	X	R	C	E	Z	U	D	K	P	A	Y	B	G	B	S
I	I	U	P	J	D	N	N	P	S	E	S	W	L	S	E	Z	N	I	M

IDEAL
IDENTIFY
IDENTITY
IDIOTIC
IDOLIZE
IGNORANT
IGNORE
ILLEGAL
ILLICIT
ILLNESS
ILLUMINATE
ILLUSIVE
ILLUSTRATE
IMAGINE
IMMACULATE
IMMERSIBLE
IMMORTAL
IMMUNE
IRREGULAR
IRRITABLE

BEGINS WITH LETTER J

Puzzle #48

R I R Y U B Q Y Z J D R J W B O J D A K
K G S L F N G K U B J H E O R A P O F X
F M R V X G B B A E T O F N U O H N B U
O J J G I J I J J L N D P J I R A V Z D
C O F J G L N O H U H I P B E L N K G D
P P I C A E D U N X N N M T S W T E Q M
Q X U T G E Y R H X F C I S L S E E Y G
C C I I T E I N K L J V T J A P L L J F
W O L N X A K A S Z U M F I P J O F R W
N G I U C T N L S I D E Z N O G O I C Y
G O I U A H O R Y X I O C G M N A F P U
J J U D G E M E N T C T F L C B E W J J
E F I N K K C A J V I F U E U U E A O Q
I G J I G S A W W K A Q R X Y O C B P E
J O V I A L N E S S L X J G D K H T B V
T Y O O Y R O T A C I D U J P O H I L R
X B X R T E Y P O L A J V O L C E F E D
H J N W S H G N Q C I B T D A M Z Y B G
D K E X M N S V L Z N D E S W E L U Q B
M Y P B Y H K C V H X R J T G F M U G Z

JACKKNIFE	**JEWELRY**	**JOBHOLDER**	**JUBILATION**
JACKPOT	**JIGGY**	**JOINTED**	**JUDGEMENT**
JALOPY	**JIGSAW**	**JOURNAL**	**JUDICATORY**
JASMINE	**JINGLE**	**JOURNEY**	**JUDICIAL**
JETLINER	**JOB**	**JOVIALNESS**	**JUNCTION**

BEGINS WITH LETTER K

Puzzle #49

V N U V I E D E C M P L E K Q Q K P L L

C Q G R L X L A N I P G N I K E E Z D R

S H K T O B Y A C Z K R D H T V Y T H Y

Q K T J A T K B N C Q K U A K Q P G M H

C E B S M C N Q X W G J L J E U U Z Y P

K M S D C M O A Y N Z P M X Y B N Q A Y

B I L K O A W B V J K T Q F H H C G N H

K V P D E C T Y Z C A K V N O V H Z X N

N H C C K T S E I G C I G D L Y Q E B F

Z D X X A E C K X L M T Q A E H Q O O B

J J E G K V E H R B Q T E M I L Y E K J

C Q K T Y A C P U T D E B D S G S I Y H

X R J G R H N G E P D N M U K A V S X B

F O Z O A A V G X R S E W L X G C R B C

E K B U B H E U A C G P R M O I Q D U Z

N L I K N Z N H V R A J A D T Q W E O J

B S D L C B R Z D Q O M G E N W K A C Z

J Q A N N I G Q T N G O N H N I H L M Z

B W H Q I D K W A R I I Q N O I K V T U

I H H P U K M I W G K K K N U L P R E K

KANGAROO
KEEPER
KELP
KERPLUNK
KETCHUP
KETTLE
KEY LIME
KEYHOLE
KEYPUNCH
KICKBOX
KICKPLATE
KILN
KINDHEARTED
KINDLE
KINDRED
KINETICS
KINGPIN
KISSABLE
KITTEN
KNOW

BEGINS WITH LETTER L

Puzzle #50

L X J A W G Z R T L R H T A C J K J I L
C D U M N M F E W A Q E N A F L N B B I
J T C H A Z A U O N H M G N Q A O W S T
B N T O O H A I N D P E Q N F D O D I T
Z L A N G U A G E M T P P D O Y G G C L
W J K F T E D A V A X J H D T L N P N E
W Q B W C M H I N R G H R C M I A M C L
E N X G S F P I K K W O Y L X K L J A S
P N E O F W M P D J B H A B V E B K A P
A I Q F Q A R L U A C N U T A E E S Y W
C Q P L L V Z K L F D H N I K S B M A L
S R H A U F I A Q L R Y L U H F L X E A
D N E W F X J M O Z N R B O T V L O B J
N Z A Y E E D R L F Z X R S L P G E O M
A Y U E X C D L A N P E V S Z G H B A K
L U J R S V L O C D R J Z L A D L E V P
F A N R U M A P Q F D A C A G H C W L X
X X P E L G B B U L K G E Z J D X R L P
R W L E Z K E D E M Q L N L F F Z K G F
V O C S L C L M R E G Q Z X Y C X I F V

LABEL
LABOR
LACQUER
LADLE
LADYLIKE
LAKESHORE
LAMBSKIN
LAMINATE
LANDLORD
LANDMARK
LANDSCAPE
LANGOON
LANGUAGE
LAPEL
LAWYER
LEAP
LEARN
LITTLE
LONGER
LOOK

BEGINS WITH LETTER M

Puzzle #51

V	H	N	Q	V	M	S	G	G	U	P	Q	D	B	M	J	C	E	M	L
A	D	P	H	I	S	N	N	B	A	R	L	T	X	R	C	C	A	T	M
H	C	F	L	E	I	I	S	F	L	I	U	D	R	F	J	C	C	M	H
G	H	D	N	N	N	Y	T	G	I	Y	L	O	N	L	Z	M	B	I	N
Z	E	D	R	E	Z	E	J	C	Z	K	F	O	E	F	O	M	M	S	G
W	A	U	D	A	W	P	O	H	L	R	A	A	N	J	X	K	U	T	O
M	O	D	E	A	M	G	A	M	K	Q	R	A	R	G	Q	K	W	I	I
M	A	Q	B	K	K	I	F	L	A	R	V	R	F	M	A	L	B	F	P
M	B	Y	R	E	N	I	H	C	A	M	T	D	U	O	H	M	T	I	L
B	M	D	J	I	B	Y	V	M	A	G	N	E	S	I	U	M	L	E	F
U	I	E	V	M	I	D	W	I	F	E	Z	I	A	B	H	O	Y	D	W
M	H	C	M	L	A	B	D	C	L	Z	C	Y	G	J	I	W	V	M	M
M	A	G	N	I	F	Y	M	Y	S	T	E	R	Y	M	J	O	O	E	Y
M	U	H	F	I	V	M	Y	S	N	J	U	E	V	A	F	R	S	J	E
E	I	V	M	I	L	K	Y	S	Q	V	K	S	K	G	N	S	S	Q	K
D	L	S	B	M	G	Y	X	J	V	R	Q	I	U	I	Y	U	K	X	N
V	K	D	T	Q	J	I	U	H	I	A	D	M	N	C	B	Q	F	E	O
F	T	N	D	A	U	H	Z	R	B	K	C	G	C	I	L	N	H	F	M
E	D	B	H	I	K	C	F	Q	L	L	G	O	V	A	D	S	M	H	I
R	G	B	X	S	M	E	I	S	O	Z	E	P	Z	N	R	F	D	J	R

MACHINERY
MADDENING
MADNESS
MAGICIAN
MAGMA
MAGNESIUM
MAGNIFY
MAGNOLIA
MESSY
MIDDLE
MIDWIFE
MILDEW
MILKY
MISERY
MISTAKE
MISTIFIED
MONKEY
MORNING
MOURNING
MYSTERY

BEGINS WITH LETTER N

Puzzle #52

T	S	P	U	N	F	M	S	A	S	P	T	E	T	N	D	Q	I	Z	O
F	D	H	A	U	G	N	J	C	E	T	V	U	U	N	E	W	K	E	M
X	M	N	L	D	E	E	N	E	R	Q	H	M	U	S	Q	G	V	F	A
W	N	B	M	E	J	O	A	M	S	O	E	M	I	C	R	I	S	U	D
Y	Q	W	D	N	N	X	T	Y	I	R	E	N	F	Z	T	B	W	V	N
L	W	F	W	E	H	P	E	N	A	R	Q	E	C	A	G	H	B	U	K
J	U	J	N	M	N	Z	M	L	O	F	V	O	R	K	W	M	X	D	R
L	L	G	Y	C	V	H	Y	U	L	I	X	R	S	Y	V	D	I	N	R
V	Z	H	L	D	E	U	S	L	T	Z	A	R	L	G	L	J	Q	K	O
D	B	H	H	C	M	J	J	A	R	N	I	R	M	A	H	G	L	Z	B
N	N	T	X	N	J	N	G	D	J	A	N	R	S	S	R	N	V	Z	H
N	C	L	D	C	O	E	E	H	A	H	E	E	S	N	E	U	Q	K	G
A	A	F	A	K	N	R	Y	R	O	I	O	N	V	C	A	P	T	N	I
N	T	S	O	N	P	I	H	Y	V	O	O	L	E	E	C	R	A	A	E
J	A	K	A	N	O	N	L	C	H	E	R	S	R	L	R	U	R	D	N
W	I	M	D	L	O	I	L	B	U	X	S	X	Q	F	T	L	G	O	D
G	T	C	E	N	G	H	T	X	H	A	X	S	P	I	M	V	T	K	W
U	F	D	E	L	A	W	P	A	R	L	X	D	L	G	I	B	K	K	G
E	L	E	K	W	Y	G	G	Y	N	S	I	U	C	L	I	C	C	V	H
E	C	O	K	I	M	W	G	T	Q	F	S	S	U	K	V	R	Z	T	E

NAMELY
NANNY
NARRATIVE
NARROW
NASAL
NATIONAL
NATURAL
NAUTILUS
NEARLY
NECESSARY
NEEDFUL
NEGATIVE
NEIGHBOR
NEPHEW
NERVE
NEVER
NONE
NUMERAL
NUMEROUS

BEGINS WITH LETTER O

Puzzle #53

V Y N V V G O B J E C T R L E M B A R W
T Y T J F L V Y J X Z A A E R I T V I R
J P K O G W N R S I S E R F D N L T P T
Q U N I X P U D R V M Q C H J N K K A N
K C H Y C T B G U T I W P N N Y E Q Q L
D C K Q W U Z J A O G A E O E M F F L R
P O O F V U J O D H E B Z M E I S Z F Q
M W U S X A I K J H T U Y F M P D D S O
M C I J F C B G M X E W T O P A L E F R
H D K M R E F F O O L W I P U E U F B A
E R U C S B O R A B O V S S H H P R Q O
W L R K F N O I B E S Y E N B D G N S E
E E T D V O R M B Y B Z B D K A X E L C
O D O R A A R S I Z O V O K O S D C E D
Q F T G S A O D I N D V C B A E A U H B
M N O R A C L E E H O D G N U T D P M L
J W O B L I Q U E R V U C I S R L W S N
C O F Q B B W P V X V I S B E C I K O R
R C H D Y A K O M H A H O V K X N C L M
T W W J F Q P H D T R E O L A V O N U H

OATMEAL
OBEDIENCE
OBESITY
OBEY
OBJECT

OBLIQUE
OBSCURE
OBSOLETE
OBSTACLE
OCCUPY

ODOR
OFFENDER
OFFER
OKAY
OMINOUS

OPAL
ORACLE
ORDER
OVAL
OVERDUE

BEGINS WITH LETTER P

Puzzle #54

N	C	B	O	Q	O	I	Y	T	R	A	P	P	X	S	E	U	O	H	C
E	P	Z	K	X	H	F	P	A	C	I	F	I	C	D	Q	U	V	F	Y
P	A	L	U	F	N	I	A	P	R	K	P	B	C	U	M	P	O	M	J
I	D	F	I	R	D	V	A	H	P	C	B	S	H	Q	E	Y	X	R	R
K	D	E	A	I	M	I	R	E	F	L	I	P	W	L	P	I	L	I	V
E	L	Z	T	Y	N	Y	E	R	X	C	A	G	B	E	I	I	H	Q	N
E	E	H	I	T	V	J	P	V	K	N	R	A	U	H	T	V	L	A	I
G	P	Y	A	W	S	B	O	G	G	E	T	J	T	E	V	C	N	L	Q
J	I	B	T	Q	O	K	R	U	V	N	H	O	K	R	M	W	O	Q	S
C	L	T	Z	J	Z	E	P	W	I	L	S	C	J	J	E	Z	D	V	P
E	T	T	N	Y	S	D	W	R	U	X	A	T	P	T	D	R	E	P	A
J	Y	C	T	E	K	L	P	U	E	P	Y	Q	A	P	T	M	E	S	P
T	O	N	L	U	F	E	A	Q	F	T	H	N	A	F	I	R	B	R	E
Q	I	I	W	P	X	P	P	H	M	D	I	C	Q	Z	P	D	T	P	R
E	P	M	O	J	V	O	T	G	N	G	K	W	C	E	V	N	R	Z	B
L	D	X	R	N	M	R	F	I	A	A	S	Z	T	U	A	O	S	H	A
H	A	U	X	E	Z	P	O	P	G	Q	F	U	R	E	M	T	G	B	C
J	B	I	C	U	P	Q	L	E	K	B	A	H	G	P	I	S	V	N	K
P	E	R	S	U	A	S	I	V	E	L	K	A	T	J	G	A	S	F	R
G	X	B	B	K	P	V	H	K	A	V	P	A	K	Q	E	J	L	O	R

PACIFIC
PACKAGE
PACKET
PADDLE
PAGEANT
PAGINATE
PAINFUL
PAINTABLE
PAPERBACK
PARTY
PERMIT
PERPETUAL
PERSUASIVE
PILE
PILFER
PILLS
PRINTABLE
PROMPT
PROPEL
PROPER

BEGINS WITH LETTER Q

Puzzle #55

```
C Q E U J N S V G A V P S J W K Q Q Y J
T S T D E O Z J Q Q S D V K E J R O F B
B V Q N A H L O U U K L C Q N Q I I A M
L D E N F R G E O I I Q U I N T E T U A
L K R N E K S F J M T E U H H F K V Q Q
F H Q V X A Q K H G W E T R F A Q Y D Q
J H I J D R Q U A R T H Q C E D U N Q I
C U P I L T Q E Y T I T N A U Q A O U F
Q Q L Z X G X X K D G E F H I K L E I R
S L U F I T B M U R M Y F E X B I B T I
A Q U A R T E R P Z Q P Z C B S F Y N F
J A R X C X N Y G U Q L I A U Q Y B Z Z
Q Q C U C K Z Z O T U O Z D P Y M A C N
H U U A R I W R N E A V N A M Z Q W O Q
S Q E O J Y U C R T N Q S D T U D I I D
G U E E T M W T Y R T T K N I T T K K X
S I J F N A R D Z A I X I C E S G L W H
W L X V N F B E N U F K K V E O P P D D
T L P B Y V M L N Q Y E M U X K M R B U
X Y Z F K K Y G E M N Q Q G V X I M K K
```

QUACK
QUAIL
QUALIFY
QUANTIFY
QUANTITY
QUART
QUARTER
QUARTET
QUEEN
QUESADILLA
QUESTION
QUICKEN
QUIET
QUILL
QUINTET
QUIRK
QUIT
QUIVER
QUORUM
QUOTABLE

BEGINS WITH LETTER R

Puzzle #56

F	E	S	P	E	G	A	P	M	A	R	J	A	R	T	C	C	H	S	B
D	Z	N	E	M	A	G	U	D	M	P	C	V	R	A	U	S	T	W	V
F	U	U	M	N	L	G	A	W	G	U	W	P	S	I	C	S	F	C	R
U	M	G	M	R	A	O	I	L	K	I	D	G	O	G	P	C	H	A	T
O	B	E	L	L	R	Z	R	I	V	A	L	R	Y	W	W	P	O	P	I
Q	M	K	F	L	B	G	L	L	X	P	A	A	E	N	H	G	E	O	J
J	W	J	I	V	V	Z	W	E	I	E	O	D	N	O	C	F	P	D	N
E	C	A	R	F	M	A	J	T	R	A	D	I	C	A	L	Y	W	J	J
N	R	D	V	M	V	R	E	P	E	A	T	A	O	T	F	G	P	G	I
L	I	R	F	D	F	B	R	F	Y	G	L	N	R	S	Q	I	M	F	R
L	D	Y	T	H	B	B	R	A	V	B	N	T	Y	A	D	P	Z	E	A
J	I	H	D	F	V	A	J	T	C	R	C	I	H	X	R	Z	W	W	C
Z	C	M	E	Q	P	T	G	X	A	K	M	D	R	R	M	Q	P	X	I
X	U	E	T	T	E	B	T	P	X	H	E	M	G	Y	I	I	S	I	S
L	L	S	O	Q	L	M	I	R	N	N	O	T	J	K	W	I	R	H	M
T	O	R	X	N	I	D	A	C	N	S	S	U	E	T	W	E	D	L	I
T	U	W	G	A	I	F	L	S	N	G	W	R	Z	E	D	Q	H	Y	X
E	S	A	X	L	F	W	R	A	G	T	I	M	E	D	R	X	B	H	I
Y	C	W	Y	L	N	R	R	C	R	Y	C	A	U	P	O	O	Z	Z	R
N	P	Y	E	T	U	N	H	T	X	F	I	R	L	R	Y	D	A	E	R

RACCOON
RACE
RACISM
RACKETEER
RADIANT
RADICAL
RAFFLE
RAGTIME
RAILROAD
RAMPAGE
RANSOM
RAPIDILY
RAPTOR
READY
REPEAT
RIDICULOUS
RING
RIPPED
RIVALRY
RUDDER

BEGINS WITH LETTER S

Puzzle #57

S	P	F	S	E	N	S	A	T	I	O	N	S	H	E	O	X	B	Z	G
S	A	T	Y	S	S	X	V	S	P	Z	S	C	I	M	N	S	I	M	S
T	P	W	K	H	P	E	Q	E	I	G	O	Y	R	N	O	X	G	R	B
C	W	Q	O	F	T	V	K	B	T	Y	B	F	H	R	G	C	S	H	T
C	M	U	B	U	C	S	D	R	A	U	G	E	F	A	S	U	Z	C	K
R	L	V	L	S	D	A	S	A	T	I	S	F	I	E	D	Y	L	M	J
D	U	A	G	I	Y	C	E	N	O	I	T	A	T	U	L	A	S	A	B
V	S	M	V	N	S	R	Q	S	H	N	O	I	T	A	U	T	I	S	R
M	S	R	U	G	H	I	N	P	I	B	L	E	A	R	K	F	D	A	J
Q	H	O	I	L	A	F	K	C	Q	U	B	T	D	T	E	A	Z	W	J
A	O	J	S	E	L	I	T	T	V	N	Y	T	M	A	L	V	H	S	X
X	R	D	A	F	L	C	N	X	B	D	D	E	F	X	D	N	B	H	S
I	T	O	L	M	O	E	X	C	P	R	M	U	A	X	D	O	S	T	E
H	F	L	M	Z	W	D	C	W	Z	S	Y	O	V	O	A	Q	I	M	Q
C	Q	A	O	S	E	Q	I	Y	I	A	Z	H	X	S	S	L	Z	T	S
I	O	H	N	Q	S	E	L	A	S	D	K	L	C	N	L	X	E	T	Y
W	B	H	S	A	C	R	A	M	E	N	T	I	Z	N	T	L	B	D	I
B	M	H	T	D	J	J	N	A	J	T	O	S	E	S	A	L	U	T	E
V	R	F	L	M	W	K	R	A	H	S	E	S	C	D	I	Z	O	L	L
N	C	N	P	H	L	V	V	I	M	O	S	F	R	C	A	H	C	A	O

SACRAMENT	**SALMON**	**SENSATION**	**SILHOUETTE**
SACRIFICE	**SALUTATION**	**SHALLOW**	**SINGLE**
SADDLE	**SALUTE**	**SHARK**	**SINGULAR**
SAFEGUARD	**SALUTE**	**SHORT**	**SITUATION**
SALES	**SATISFIED**	**SHOULD**	**STILLNESS**

BEGINS WITH LETTER T

Puzzle #58

Y Y W Z S T E A E E D E Q D T A C K Y O

G C Z M I A T R J L E J U J F H U C V F

D W L C L N N X E T I M W Q Z F E H D M

N H Q A E D B Z J R F A T R U F F L E S

X K T G N E T V X U I O C N Y O R B V K

B O N C J M E U C T R D T M V Q E E H C

T A O B S F R E U W R D N Y N U K R Y W

T O S O B S S R B F E I Q P Y M N U N I

Z W B N W I N X Z W T X X F Y Q I T A X

W Z U J V A J E L B A T E M I T T R E P

H W D E B M I Z J T A S K G V G O O W U

C W L O X J X G T R E A T M E N T T K Z

R E U E C N O N O A V P T U C G Q G L H

T T J R P A A N W X I P A S G A V G H L

I W T E L E V I S I O N B F I T N Z E T

V R P L G B K T R I C K L E E U K Y I D

L H X P T O P P L E F Q O F B W Z N Q Q

X N G E C W T F V N I J I F F F K D V T

M R I D Y X X O H B D G D Q D L Y Z D W

T E L E G R A P H E E B X Z E F V E S W

TABLOID
TACKY
TANDEM
TANGENT
TASK
TELEGRAPH
TELEVISE
TELEVISION
TERRIFIED
TIMETABLE
TINKER
TINKLE
TOPPLE
TORTURE
TOTAL
TREATMENT
TRICKLE
TRUFFLES
TURNABOUT
TURTLE

BEGINS WITH LETTER U

Puzzle #59

K	M	I	I	T	F	A	Y	X	U	T	V	G	B	U	U	N	D	E	R
H	A	Y	Q	Z	Q	E	S	M	E	O	C	R	N	X	D	W	R	Y	A
M	R	A	Z	H	C	J	B	L	N	E	G	C	L	R	W	W	X	S	V
G	G	M	J	H	J	R	O	O	Z	K	I	R	E	V	T	B	V	S	X
O	S	A	K	A	E	I	S	D	N	V	Y	Z	N	U	T	O	P	I	A
Z	N	V	D	L	V	X	C	M	I	I	F	P	F	W	J	Q	A	Y	X
R	X	Q	L	A	Y	O	N	L	R	D	H	T	V	U	U	S	C	R	A
E	M	A	R	S	I	U	I	G	E	I	W	C	N	I	N	L	M	O	U
C	T	T	O	Q	Q	Z	H	I	X	U	A	Y	R	O	Z	U	L	P	T
L	L	D	U	U	E	M	F	N	N	U	O	V	N	U	B	G	D	U	P
U	C	N	J	D	O	I	Q	I	Q	C	N	P	X	P	Y	L	C	S	R
P	D	U	A	R	N	T	V	L	Y	O	J	B	N	D	M	Y	Y	E	S
R	G	O	P	U	A	E	G	I	E	F	F	C	E	R	E	H	V	L	S
D	G	S	O	W	R	R	U	T	M	O	S	T	O	A	O	Y	D	E	P
O	J	A	W	S	U	X	R	N	B	I	A	F	R	U	R	C	W	S	K
O	E	R	E	W	E	R	G	E	J	N	I	L	E	R	L	A	I	S	H
K	K	T	Q	B	N	F	B	G	T	N	J	M	P	V	B	L	B	N	Y
O	T	L	T	W	O	U	Q	A	U	T	M	C	P	G	H	N	B	L	U
H	Z	U	P	U	L	L	R	J	N	P	U	R	U	E	Q	W	U	Y	E
Y	U	N	B	E	C	O	M	I	N	G	A	I	V	B	S	P	E	Z	O

UGLY
ULCER
ULTRASOUND
ULTRAVIOLET
UMBRELLA
UNBEARABLE
UNBECOMING
UNCIVILIZED
UNDER
UNICORN
UNIFIED
UNIFORM
UNIVERSE
UPPER
URBAN
URCHIN
USELESS
UTMOST
UTOPIA
UTTER

BEGINS WITH LETTER V

Puzzle #60

A V Q Q T B P V C W R B Y X E X N C V D
L Q A L W U A H G N G V D Q X B B J O I
S R U L G R Y M O C A T N E F H Z T A L
L A U R I D E T A G E I R A V E I J V A
V N M E O D T M H X H F I P J E S H E V
J E T H V F A H U S S N H Z S G U X G A
K Y Z F F L D T F U H C X L O T O V E G
T V X I H Y L W E F X L R D N S I E T Y
L F E P R V I R T U E A X F N Z R U A M
E U L A V O A Q O J L B O V L I A T T Q
I A P K I E P H X U S V R T T Z V S I J
M C K S L X Z A C H L X U V P E O P V Z
V S R P L P O S V H Y H I R V X V X E K
X E I G A V A M P O V C A X R J T L X O
K U R L N V O N B Q T Z P F I R K Z E J
R L G I A B N E I O C X E N I C C A V V
A H D F F D Y D R A Q U K W G Q A S O I
K H B O S Y N Y V E N I T N E L A V K U
L Q V E G E T A B L E L V H I R J H V A
X Z F W W C A Y V A L W F D T B E U J T

VACCINE
VALENTINE
VALID
VALIDATE
VALUE
VAMP
VANDALISM
VAPORIZE
VARIEGATED
VARIETY
VARIOUS
VASCULAR
VAULT
VEGETABLE
VEGETATIVE
VELVET
VERIFY
VICTORY
VILLAN
VIRTUE

BEGINS WITH LETTER W

Puzzle #61

W	G	D	E	X	H	Z	C	W	K	S	U	Q	E	O	Y	E	R	D	M
G	P	A	Z	J	R	A	V	T	E	C	E	B	O	R	D	R	A	W	R
E	G	X	M	M	Y	E	Y	L	O	Q	Q	H	P	Q	C	E	U	Y	E
K	C	W	U	A	H	M	B	Y	S	V	H	O	O	A	N	J	B	N	P
J	Z	A	A	W	R	A	M	G	M	W	O	U	L	D	T	P	N	R	E
F	Y	N	X	I	R	U	N	O	G	A	W	D	L	Z	Y	O	E	X	E
I	T	T	Z	A	T	I	S	V	R	T	G	H	A	M	P	G	Z	T	K
I	N	X	E	S	U	O	R	E	D	N	A	W	W	A	A	R	G	R	H
W	A	W	B	R	U	J	C	A	L	L	U	D	E	W	S	H	U	Z	C
C	R	O	B	H	C	B	E	E	W	S	O	W	G	D	O	B	V	N	T
I	R	R	O	S	V	X	W	Z	P	C	S	T	U	K	M	T	C	Q	A
O	A	T	Y	Y	J	A	A	X	W	A	T	E	R	C	O	L	O	R	W
T	W	Z	M	Y	R	J	S	X	H	E	R	L	I	E	Y	B	D	A	K
Y	H	Q	G	P	F	S	H	U	Y	E	M	D	G	P	N	I	S	V	J
X	O	O	N	U	W	X	B	L	H	E	L	F	F	A	W	T	E	Z	B
C	Y	S	Z	A	H	U	O	T	E	V	Z	D	D	K	E	N	I	N	L
L	Z	H	L	T	Q	B	A	I	X	K	Y	I	M	W	K	J	D	Y	T
L	J	T	E	A	C	E	R	S	J	B	K	Y	A	T	E	L	L	A	W
I	Z	I	J	I	W	S	D	O	H	T	A	Y	J	F	L	Z	M	T	E
W	Y	L	O	X	M	V	Z	L	X	W	E	Z	A	N	N	I	A	K	C

WAFFLE
WAGER
WAGON
WAIT
WALLET
WALLOP
WALTZ
WANDEROUS
WANT
WARDROBE
WARRANTY
WASHBOARD
WASTEWAY
WATCHKEEPER
WATERCOLOR
WEAPON
WEARABLE
WEATHER
WILL
WOULD

BEGINS WITH LETTER X

Puzzle #62

R	J	M	T	C	V	Z	E	N	I	E	B	Z	Q	V	H	I	X	F	Q
D	J	Q	K	Z	X	L	R	L	N	Q	L	X	E	N	O	P	U	S	U
M	T	T	E	E	Z	S	R	O	I	K	E	P	D	X	V	Z	Z	X	B
Q	B	Z	N	H	D	M	H	G	E	H	O	N	A	B	Y	Q	Q	U	E
B	I	O	S	M	F	P	W	J	C	A	P	N	E	S	H	C	W	C	C
Z	M	X	E	N	O	B	L	A	S	T	T	O	X	L	Y	N	C	W	I
I	C	D	U	L	Q	K	W	B	U	H	Y	E	N	I	Y	Q	I	W	T
L	X	D	Y	W	W	K	X	L	O	N	M	A	I	E	G	X	H	N	S
X	P	X	B	B	N	E	O	D	L	E	J	R	I	C	X	C	T	F	A
E	Y	Y	B	I	R	V	E	M	T	L	T	Y	N	A	P	Y	N	A	L
N	Z	O	W	A	E	R	E	H	U	X	I	P	H	O	I	D	A	T	P
O	L	R	F	A	M	Y	T	I	L	I	O	G	L	T	F	Q	X	A	O
B	K	I	Q	K	Z	M	X	A	Y	A	N	F	E	Y	D	E	I	M	N
I	N	R	I	Q	B	U	J	H	H	C	Y	E	V	C	J	R	X	O	E
O	G	N	K	M	L	I	G	B	T	N	J	V	X	K	O	Y	D	C	X
T	Y	J	J	E	V	H	H	A	N	I	N	C	R	H	L	O	P	X	S
I	L	N	N	L	B	T	J	F	A	X	J	W	T	A	H	Z	M	M	I
C	O	D	N	Y	K	N	Z	D	X	B	L	N	N	P	B	P	Y	A	Z
K	Y	V	F	X	V	A	Q	I	K	L	A	M	I	B	R	K	I	O	F
W	Z	N	W	T	D	X	Y	H	P	X	L	X	W	G	U	Z	D	Z	C

XANTHIC
XANTHIUM
XANTHODERM
XANTHORIA
XANTHYL
XENIUM
XENOBIOTIC
XENOBLAST
XENOMI
XENOPHILE
XENOPLASTIC
XENOPUS
XERAFIN
XINCA
XIPHODON
XIPHOID
XYLAN
XYLEM
XYLENE
XYLOPHONE

BEGINS WITH LETTER Y

Puzzle #63

M D A W A E Y D Y F Y Z Q Y H N R A Y S
F C H C K E Q O A Y M I Q W O Y A W N N
B U C L A F U A N Z E U S L H J L U V I
I U E S V R Z A H N D S Y E L L O W L Y
Y G T D S I M C X K M P T Q J D T C O E
D G H E C O L V L T L J R E B B W G J S
T E L S E N H N R P Y O I U R K T U E T
S F L Y H G U U W V R A Y R J D P J C E
E N H E H I G X I Y J B R D E U A Y G R
G E G K Q O A B Z U X M Y D T K Z Y E Y
N G R M Y C N G F Y E A R U H F N U A E
U T L U F H T U O Y V N M N P X Z O C A
O V X M K X V P U I U J Q T A P R Y Y R
Y N W W P C M D N E G Q D L Z K I I N Y
B K V Z C Y I E O L U Y O P D T Q E E M
M C W L A N N T M D C O Z I C M L A P V
V W I Z R R A R M O I G J A M Z R L V J
U S Y E C B O V A Z W A X V G L R X Q I
Y W W T Z I C O H E I N I C Y V L C Z N
I V D Q S T I G T N Y Q P V A F A L U D

YARD
YARN
YAWN
YEARLY
YEARN
YEAST
YELLOW
YEOMAN
YESTERDAY
YESTERYEAR
YIELD
YOGA
YOGURT
YOLK
YONKER
YOUNGEST
YOURSELF
YOUTHFUL
YUCCA
YUPPIE

BEGINS WITH LETTER Z

Puzzle #64

Y	U	Z	U	C	C	H	I	N	I	G	K	Z	F	W	K	W	B	X	R
D	K	C	O	L	P	I	Z	F	Y	H	F	O	H	G	N	I	K	Z	M
I	V	P	F	S	H	V	A	Z	T	W	B	N	E	D	O	C	P	I	Z
C	Z	E	A	L	O	U	S	I	V	Z	L	Q	A	H	P	H	H	F	D
Y	S	E	Y	Y	P	R	R	N	I	O	Z	E	H	L	C	S	J	F	T
B	S	H	P	P	L	R	G	C	M	N	X	E	E	Q	A	O	S	L	M
P	Q	S	C	H	S	C	W	O	D	E	I	U	O	Z	D	R	M	I	I
M	M	L	N	C	Y	F	Y	G	O	N	G	W	Z	M	H	E	L	B	S
Q	Z	T	I	H	A	R	G	R	B	O	U	Y	D	I	Z	Z	W	A	J
H	F	Y	Z	J	H	T	O	A	R	U	S	N	G	R	R	N	A	E	O
F	N	N	T	P	D	Z	L	P	Z	Y	G	O	T	E	P	C	S	S	W
O	S	L	Q	H	E	J	O	H	A	P	I	I	G	Q	J	X	O	S	V
F	O	P	D	S	I	V	O	D	V	W	P	I	W	Z	A	J	R	N	N
H	G	M	T	R	R	A	Z	L	X	O	U	G	O	H	C	E	E	E	N
T	C	Y	L	B	H	N	H	D	E	P	B	U	F	E	P	E	Y	B	F
N	M	L	A	F	C	F	A	U	P	A	N	V	X	P	Y	J	W	V	J
Q	I	V	I	A	A	J	T	V	C	D	A	J	I	T	I	N	L	Z	M
Q	Q	M	B	Z	J	B	P	T	S	V	E	Z	A	R	B	E	Z	A	K
H	T	K	Y	F	K	C	P	C	T	K	Y	N	E	F	O	V	C	I	U
N	D	Z	Y	Z	E	A	X	K	F	V	E	W	O	O	Z	D	D	X	V

ZEALOUS
ZEBRA
ZEPHYR
ZERO
ZESTY

ZILCH
ZINC
ZINCOGRAPH
ZIPCODE
ZIPLOCK

ZIPPER
ZIRCON
ZONE
ZOO
ZOOLOGY

ZOUNDS
ZUCCHINI
ZYGOTE
ZYMIN
ZYTHIA

TRIP TO THE DENTIST

Puzzle #65

G C D N P P E H E O J P C O P X Z T Q I

I J W P M B V E T H Y P M A D M R Y X X

I K U R O R H C W C R K N Z V Y Y A U M

S I W U U E S O T Y U F F D D I R K Y I

M X Y Y T A U E O F Y B E L C S T M T U

N G B W H T R I C A W U A A O E W I X I

E G G B W H B W V Y Q A E O S S E I E I

Z D H X A E H B S A N G T T M A S I K S

L M E D S I T Y L P H O X J E E G I W R

N X N N H F O P Y P R O V Z T S U F N L

N U W K T C O W H D X E T O I I M A F G

A J K G F U T J B Z Q L V C C D S L U S

A C G N Z H R A R G Z M D E B A U N J G

Q R E I N T U E U B X Q F U N O I C H R

O O R N D N U T S X P S X V R T A N D J

K W D A R T O E H O I F E I S S I E Y U

A N P E V N S A I F R S D U Z K C O L C

V Z X L P A K V N P C E G G K A I T N K

E Q D C M T W B G C W Y S S Y S T Q K N

U E F I L L I N G S S I T I V I G N I G

BREATH
BRUSHING
CAVITIES
CLEANING
COSMETIC
CROWN
DECAY
DENTURES
DISEASES
FILLINGS
FLOSSING
FLUORIDE
GINGIVITIS
GUMS
MOUTHWASH
NOVOCAIN
PLAQUE
PREVENTION
TOOTHBRUSH
X-RAY

ANOTHER WORD FOR ANGRY

Puzzle #66

T	W	I	D	Y	D	E	T	N	O	R	F	F	A	Y	J	N	N	C	F
C	E	G	G	A	G	V	I	T	H	S	B	W	R	G	I	V	Q	B	E
T	H	F	I	Y	I	D	X	F	K	U	A	F	A	D	N	R	D	K	D
Z	B	O	I	R	B	Y	I	J	N	O	C	N	V	Y	L	T	W	Y	K
J	Z	E	L	E	R	E	G	I	R	I	S	C	N	O	Z	X	G	A	X
N	V	O	S	E	R	I	C	G	Y	R	W	Y	E	O	G	Y	T	Q	K
A	A	M	B	C	R	Y	T	A	N	U	W	O	P	T	Y	K	K	D	D
G	Z	T	E	Z	D	I	L	A	M	F	F	Z	K	C	C	E	F	I	E
O	M	D	T	O	Y	E	C	A	T	R	Y	I	Q	T	A	H	D	O	G
R	H	W	A	U	E	W	T	B	L	E	M	H	Y	U	C	Y	U	U	A
X	R	P	R	Y	L	L	L	A	J	R	D	R	H	B	U	S	G	T	R
H	O	G	I	U	T	F	J	D	E	M	F	H	C	Z	J	J	I	R	N
T	A	P	N	U	R	F	Y	V	M	H	F	H	Q	T	V	A	A	A	E
E	P	T	M	I	D	E	N	E	D	D	A	M	V	P	Y	M	B	G	R
M	S	Z	E	Z	M	U	D	Z	F	F	V	U	P	B	I	T	T	E	R
P	U	S	B	F	Q	U	Z	E	E	O	M	R	L	O	H	X	T	D	C
E	K	L	O	J	U	X	F	D	S	Q	O	Z	M	U	L	E	O	O	A
R	K	P	I	R	W	L	P	E	G	A	N	S	F	H	M	R	H	U	L
E	A	J	A	D	C	E	N	Y	T	P	W	F	M	N	J	O	Q	O	Z
D	T	H	F	G	M	M	O	Q	D	P	Y	L	Q	O	E	G	S	B	T

AFFRONTED
ANNOYED
BITTER
CHAFED
CHOLERIC
CROSS
ENRAGED
FIERCE
FIERY
FUMING
FURIOUS
HATEFUL
HEATED
HOT
HUFFY
IRATE
IRRITATED
MADDENED
OUTRAGED
TEMPERED

BIRTHDAY PARTY

Puzzle #67

Q Q H A N D P X U S V I S B B G F R G W
R B Q B A I B L N J N U D O O L S N T O
X T H N L C Q O L V R Z V O O S N Q C H
L I S R A B O S I P M P D W C N O Q B C
C G B S V L E T R S G Y E E A W I T V M
Q Y D V L L A I W T B R L P D O T K A K
B Q R A D T S Q E A S E S Z O L A K R L
S Q B N I E V S G S B D D Z Q C R Z F E
T D A O S U L S G R O Z R Q J U O M P A
N C N D T K I L A N I F A M S R C V S S
E S W D K W U T M I I P C O G Q E A R C
S S S R Z E I S H L H G A P A F D I D V
E D A V E O K M Z G N A N U M R T V H I
R C X B N N C W D N A E D I E E E A G C
P R I Z O O N S Y Y T G B M S V V V M E
K W E S Y W W A J X E D G E Q P W C U C
N E F N U S S I B E K Y O I W P Y A J R
P N S I N M X K X G A Z X L F V V Y B E
J P R P I I W L A K C V J D L T V C W A
Z L X R V G D U K Y J G Z R Y P S X A M

BALLOONS
BANNER
BOWS
CAKE
CANDLES
CARDS
CELEBRATION
CLOWNS
DECORATIONS
DINNER
FLOWERS
GAG GIFTS
GAMES
GOODY BAGS
ICE CREAM
INVITATIONS
MUSIC
PRESENTS
SINGING
SURPRISE

BOATS A-F

Puzzle #68

W	Z	J	B	M	E	U	T	E	G	R	A	B	S	R	Z	R	Q	D	R
E	Q	V	I	Z	B	T	C	I	O	T	X	C	G	C	E	N	O	A	K
L	Y	Q	A	Z	V	I	D	R	Z	A	A	K	O	S	K	Z	B	X	A
C	Q	B	D	T	H	Y	O	B	I	A	B	O	I	R	O	C	K	K	K
A	N	J	R	B	A	A	H	R	D	F	L	U	B	I	H	X	G	K	S
R	V	X	E	J	D	O	B	G	V	K	R	Y	P	A	P	N	O	Y	Y
O	K	R	D	K	O	O	B	G	N	C	F	R	Z	S	N	L	Y	F	R
C	Y	M	G	C	A	D	I	M	A	I	P	R	K	I	V	A	B	X	O
O	B	O	E	T	U	Z	B	E	A	O	D	E	F	Y	F	S	N	F	D
U	F	G	G	A	V	T	X	V	D	H	N	F	O	F	F	B	A	A	V
S	U	J	M	C	Z	C	P	N	F	I	R	E	B	O	A	T	T	X	B
B	O	W	R	I	D	E	R	Q	A	F	Q	U	L	U	V	X	P	T	X
A	O	A	G	J	Y	Y	W	N	T	R	C	T	D	Y	J	Y	N	F	A
L	T	X	C	F	K	W	A	Z	Y	B	A	N	N	N	W	L	Z	E	T
O	P	A	W	G	F	G	Z	W	Z	O	H	M	L	V	H	Y	N	L	V
U	J	R	O	O	N	T	A	O	B	N	O	G	A	R	D	D	N	U	P
Q	Z	I	C	B	H	A	S	M	W	T	B	Q	E	T	U	D	G	C	L
T	C	P	V	Q	R	D	B	T	A	V	A	O	A	T	A	U	U	C	B
D	U	R	O	K	R	A	F	R	G	X	J	T	P	R	G	C	X	A	A
U	X	E	P	Z	S	W	C	C	O	B	L	E	O	L	R	D	I	N	H

AIR BOAT
BANANA BOAT
BANGCA
BARGE
BOW RIDER

CAR-BOAT
CATAMARAN
COBLE
CORACLE
CRUISER

CUDDY
DHOW
DINGHY
DORY
DRAGON BOAT

DREDGE
DURHAM BOAT
FELUCCA
FERRY
FIREBOAT

BOATS G-Y

Puzzle #69

N	V	E	B	L	G	P	T	F	A	R	C	R	E	V	O	H	M	K	N
G	T	T	L	T	S	W	I	S	T	A	O	B	E	F	I	L	O	A	O
V	K	A	Y	U	L	K	F	R	D	D	O	H	P	B	K	I	Y	Y	Q
W	R	O	A	G	D	M	S	R	O	T	N	R	F	B	S	B	L	A	J
Z	C	B	D	B	G	R	N	Y	T	G	A	D	H	S	B	I	J	K	T
E	S	R	N	O	I	I	O	G	J	S	U	O	Y	L	T	M	A	R	G
E	A	E	Q	A	B	Y	O	U	W	M	S	E	B	A	P	H	I	R	X
V	I	W	L	T	V	N	T	P	Q	Y	E	Q	O	T	O	V	A	L	I
F	L	O	A	T	D	X	N	E	I	O	P	B	A	F	E	X	W	V	O
Y	B	P	R	O	S	Y	O	T	M	W	E	A	G	R	Z	J	N	Z	Q
G	O	N	L	H	N	S	P	N	V	S	T	R	B	M	L	U	I	T	T
N	A	A	T	Y	O	R	B	D	U	U	Y	O	F	T	U	Q	I	A	Y
W	T	U	A	D	C	A	L	O	I	T	A	K	H	Q	N	G	O	O	J
U	L	U	O	R	B	F	H	A	A	T	T	H	C	A	Y	B	P	B	K
V	A	I	B	O	H	T	P	I	N	N	A	C	E	F	R	Y	M	W	Z
Y	T	O	G	F	V	K	L	I	K	P	N	I	Q	O	E	G	Z	O	K
A	I	G	O	O	J	X	R	K	U	N	R	F	T	Y	M	Q	B	R	Q
A	F	U	L	I	Y	O	O	I	E	R	E	O	Y	E	H	O	H	Y	E
T	I	E	Q	L	E	V	M	L	W	V	M	O	A	T	N	U	Z	K	F
V	S	X	V	S	U	B	M	A	R	I	N	E	U	L	Y	K	N	J	E

GONDOLA	KAYAK	PIROGUE	ROWBOAT
HOUSEBOAT	LIFEBOAT	PONTOON	SAILBOAT
HOVERCRAFT	LOG BOAT	POWERBOAT	SUBMARINE
HYDROFOIL	MOTORBOAT	RAFT	TUGBOAT
JETBOAT	PINNACE	RIVERBOAT	YACHT

MATHEMATICS A-E

Puzzle #70

R	C	K	J	S	F	L	F	M	H	N	L	U	V	W	Y	D	I	S	K
X	W	U	J	Q	W	O	C	X	R	E	S	F	G	Z	G	O	R	S	G
X	E	O	M	B	N	U	B	E	Q	H	V	V	P	P	N	Y	S	F	E
B	M	L	L	Y	B	N	T	U	C	O	N	G	R	U	E	N	T	A	Q
E	O	C	C	E	Y	E	A	X	S	N	O	I	T	C	E	N	N	O	C
Y	D	K	Z	R	M	T	H	K	N	L	S	U	L	R	E	A	N	K	F
K	E	H	Q	A	I	K	N	D	V	E	X	I	C	E	O	K	A	Y	D
E	C	I	I	O	A	C	L	X	L	R	O	A	C	B	V	E	E	V	I
M	I	D	N	N	U	J	A	G	O	S	P	C	X	D	R	P	L	B	F
O	M	W	H	G	H	D	N	T	O	A	O	F	A	A	I	G	B	L	F
P	A	R	D	G	X	A	A	W	C	J	C	A	Y	D	G	R	I	C	E
S	L	O	E	U	U	N	X	I	N	C	O	D	T	N	L	P	S	K	R
I	Z	L	P	G	I	X	T	A	E	I	E	H	R	M	J	A	I	F	E
U	M	X	E	M	D	Y	G	B	E	O	M	N	X	O	O	W	V	M	N
N	H	E	O	E	U	E	R	Q	R	C	Z	O	T	A	H	J	I	O	C
A	F	N	Z	H	K	U	U	L	L	H	E	P	M	E	C	C	D	H	E
Q	E	N	X	N	L	A	P	B	V	H	X	T	D	N	R	F	G	X	S
D	P	R	D	W	L	R	E	T	U	C	A	W	L	G	Q	U	N	A	X
S	P	G	W	E	P	M	V	B	A	R	G	R	A	P	H	S	B	C	H
H	O	I	Q	M	S	E	X	A	M	D	R	L	V	R	R	S	H	V	W

ACUTE
ANGLES
AREA
AXES
BAR GRAPH
CAPACITY
CENTER
CHORD
CIRCLE
CONGRUENT
CONNECTIONS
CUBE
DECIMAL
DENOMINATOR
DIAMETER
DIFFERENCE
DIVISIBLE
EDGE
EQUAL
EQUATION

MATHEMATICS F-M

Puzzle #71

```
D O Q T C T U G D N C I N V E R S E H M
B W C T Q P E Y L Y K K U C F I C E J A
E S R O I O A S M D B F I U P U N M E R
X I O T M U R K L R L G I E F K M P R I
V P L E T E G N F O O V L U Z U Z T U U
S W T I G C B B W L Q T L O L O Q K S T
R R C E N I T C Z P N I B T F Q S T A B
Y L T G G E H P F I N O I F P Z C D E G
F N T Q W A G B Q E E P I X E W I M M T
I A G T R N Z R S B L F W T W S O D P G
C Y C T H A P E A Y K E U N C H M A A W
N C S T S O G F I P G W N W K A X E A X
E N N X O M S R U R H F K G Q A R H A D
X E D N E R Y Y O N M Z Y T T E C F A N
L U E N D N S U O O C G R A P H D L S W
S Q T J H K P N Z G N T V B X K U S E S
W E S A U I Q K F A R B I H Q M N L U E
X R R A N A D W D X W H K O R N W B G Z
A F J G I A Y M N E V P O O N M Y P V Z
Q L W J G H H L C H T I F K E A I C L L
```

FACTORS
FLOW CHART
FORMULA
FRACTION
FREQUENCY
FUNCTION
GEOMETRY
GRAPH
GROUPING
HEXAGON
INPUT
INTEGERS
INVERSE
LENGTH
LINE GRAPH
LINE SEGMENT
LOGIC
MEAN
MEASURE
MULTIPLY

MATHEMATICS N-Z

Puzzle #72

I O A M A R F K F U F W R U F R B U Y N
Y W N N L K A Q S B Y K B O G H E Z C P
X X O Y F U R S R E B M U N O V W D A D
H J G F I F M P I B Q C E R G B E R R M
X I Y Z H V S O N S S V I R T I A X K O
V M L O P N P D G R D T E S K L S X Y W
Z A O D W A O L R R J C Z C L J M J A E
S A P J T R Z I Y K T I Y E Q Y E V I G
B B E T I D E W T A P V L I K S L R U K
X S E D C S T S N C T L U I J A B R C X
T R K G U W D G Z R I T A Y J X O C N C
N R P T D X L V E A A D I N M U R S U T
N L B O L E M C D O T D E D E M P G C P
X O T W W Q I V O N X E I R R Q A A N J
L M Q R T E W T E Z L E R U P G R W P R
M S I R P O R C I A P R W A S T Z N A T
O L J R K M R S C X O R E Z B G F T P A
B M R X I E K S C L I R R U W B I Y S B
D I I M P R P W V T B T S R Y O S K B L
Z B Y A Z V U I N W N U M E R A T O R E

NUMBERS
NUMERATOR
OBTUSE
ORDER
PARALLEL
PATTERN
PERCENT
PLANE
POLYGON
POWERS
PREDICTION
PRISM
PROBLEMS
RADIUS
RATIO
RECTANGLE
SCALE
SUBTRACT
TABLE
ZERO

DOWN ON THE FARM

Puzzle #73

I	D	X	J	X	I	Y	L	H	M	T	I	X	X	E	V	Q	W	A	Z
Y	Y	U	R	V	L	B	V	T	T	F	N	M	J	E	S	G	Q	H	R
G	M	K	O	F	D	H	Q	B	T	T	H	N	F	D	Q	R	W	X	S
E	Z	X	I	X	E	F	V	F	B	U	L	T	R	A	C	T	O	R	O
X	P	C	C	L	L	A	M	A	Z	N	R	E	M	E	D	D	M	H	A
S	H	E	E	P	G	Y	C	I	G	P	M	K	J	S	Q	A	V	D	D
Q	X	Q	U	H	H	M	H	Z	B	H	A	P	E	T	A	C	A	W	W
N	E	D	L	Y	O	C	G	G	M	W	B	G	J	Y	C	B	M	D	O
M	V	N	O	B	H	Z	O	T	P	T	Q	U	Z	P	L	F	A	N	R
C	A	E	W	I	V	O	J	K	M	G	K	J	P	B	Q	Y	H	Y	N
A	Y	H	C	M	S	U	C	O	M	B	I	N	E	U	C	T	W	G	H
R	Z	K	O	E	K	C	Q	A	Y	Z	R	Z	B	Z	B	E	O	W	T
L	E	A	I	L	J	Q	M	C	I	B	R	R	L	M	I	D	R	Z	C
N	I	U	Z	A	V	N	N	Q	W	O	C	M	I	B	K	O	J	F	S
R	A	D	R	T	C	F	T	P	N	R	A	B	B	C	O	R	N	Y	X
Z	D	T	O	I	Q	I	X	I	Y	T	Y	K	Y	S	O	H	E	H	G
X	I	T	K	Z	Q	P	I	G	B	C	R	E	T	U	L	K	A	Z	F
T	O	D	A	R	Y	N	U	H	S	R	C	E	I	R	N	Y	P	H	C
K	C	U	D	O	T	Q	L	B	W	M	R	P	Y	O	M	A	B	P	Q
O	A	I	Z	D	G	I	H	O	H	R	K	E	D	S	S	I	N	S	X

BARN
CAT
CHICKEN
COMBINE
CORN
COW
DOG
DONKEY
DUCK
GOAT
GOOSE
HAY
HEN
HORSE
LLAMA
PIG
ROOSTER
SHEEP
TRACTOR
TURKEY

COLORS A-M

Puzzle #74

V	L	T	F	T	W	E	F	M	Z	S	G	A	A	N	E	A	Q	U	A
L	E	A	F	L	D	B	U	V	I	S	Z	A	Q	C	U	S	O	S	A
E	H	U	A	M	T	D	Z	Y	K	A	I	P	M	X	O	W	E	T	Y
M	C	R	R	I	Q	R	Z	K	A	R	T	U	T	A	Z	U	N	Q	M
F	O	X	X	G	A	P	C	W	H	B	W	G	P	B	U	E	H	K	I
C	O	C	A	D	E	N	I	M	K	F	L	C	H	Q	G	V	K	M	J
Y	G	C	L	I	Y	X	L	C	Q	Z	X	D	R	A	H	W	E	M	X
E	D	E	F	P	C	E	A	O	M	I	Z	W	M	O	J	G	Q	Y	K
V	J	R	W	U	P	L	L	N	I	N	H	L	T	E	E	O	X	S	O
D	D	U	F	G	B	H	D	X	I	Y	M	P	Z	M	U	U	J	K	H
N	Z	Z	C	S	S	E	L	I	N	D	I	G	O	T	L	U	D	A	C
Q	C	A	B	I	J	B	A	F	V	N	Z	A	B	K	B	F	R	V	P
I	F	P	A	G	F	R	R	S	K	H	U	B	E	M	E	M	A	X	T
W	M	V	M	Z	F	S	E	A	K	G	V	B	U	J	C	E	T	T	Q
A	B	I	C	X	R	M	M	P	T	E	W	Y	L	O	I	L	S	L	L
L	O	E	K	T	Y	A	E	E	I	Z	P	O	B	Y	L	T	U	A	U
W	P	L	I	Y	Y	C	C	D	H	P	J	G	R	V	A	V	M	B	H
O	I	B	S	G	J	W	P	U	J	A	P	O	M	R	U	W	N	O	C
Z	E	Y	S	R	E	T	P	C	D	Z	U	Z	P	P	P	P	Y	C	H
S	D	A	D	I	G	A	K	E	M	I	N	T	G	R	E	E	N	B	K

ALICE BLUE
AQUA
AZURE
BEIGE
BLACK
BLUE
BRASS
COBALT
CORAL
DENIM
EMERALD
FLAX
HOT PINK
INDIGO
JADE
KHAKI
MAGENTA
MAUVE
MINT GREEN
MUSTARD

COLORS N-Z

Puzzle #75

I G E P F C Y I J L Z O F B H R B F W C
P K J T H V I P A I U O R C F K H H V H
O C T L A O Z S N G K S A A G X W R Z U
L Q E N Z O H N J W K R D K N S U A N N
C D M V S T W D O O Z Y E X M G O L A K
B D N O A A K D T L E T R Y B J E T V X
P U R P L E I W J L P R H W S X E H R S
T I A D L H R R P E R L C R O L K T S W
P J I U C A D K E Y U V O A O B N H K B
N T M R E P H L Y I S W T I G H Q S U N
E Q O P B E Q Y F L S P V W H B N B X P
V J O F A R K P D S I N T Q T C I G I N
N V N G R L P T U Z A T E L R A C S O I
V G W E P P E E C C N U Z U P S H X H K
T Y Q E H I X B A I E C D X G I T L U P
Q S C D S L O B L C P G D S E L L D D M
B Q J N X F E K L U H I H I D V X Z R U
F B S I L Y T S U R E T N K N E R E Q P
S A H P N R E Y A Y I S D K V R D K N X
X H W E M P G J D E V I L O Z A N R W E

NAVY
OCHRE
OLIVE
ORANGE
ORCHID
PALE BLUE
PEACH
PEAR
PINK
PRUSSIAN
PUCE
PUMPKIN
PURPLE
RED
RUST
SCARLET
SILVER
VIOLET
YELLOW
ZINNWALDITE

BASEBALL STADIUMS

Puzzle #76

Q	Q	A	Q	R	K	A	U	F	F	M	A	N	D	V	B	K	Z	X	T
G	J	A	R	R	Y	P	A	R	K	Z	K	Y	T	W	R	U	F	E	K
P	M	U	W	P	Q	F	Z	E	H	I	U	R	O	F	A	V	E	P	K
T	O	D	S	H	E	A	Z	M	Z	A	O	C	Z	O	V	X	W	Y	T
S	A	F	E	C	O	K	A	L	Z	P	A	W	Q	R	E	C	A	P	D
N	U	B	Q	S	G	R	U	H	I	M	L	Q	U	B	S	E	Y	P	V
I	I	B	G	D	A	W	K	C	D	E	P	A	D	E	F	M	P	L	D
T	A	Q	A	R	U	B	A	E	T	Y	O	O	J	S	I	B	A	O	L
P	H	S	N	T	E	N	N	N	G	T	D	I	B	R	E	R	R	H	E
E	K	K	T	D	A	G	X	T	K	E	R	T	C	Y	L	F	K	Y	I
K	M	T	P	R	W	H	D	M	U	C	R	L	L	R	D	K	E	K	F
C	A	O	G	X	O	K	D	O	H	Y	I	E	C	Y	O	L	G	U	S
E	E	T	D	R	W	D	J	S	D	M	H	T	G	Q	G	P	X	B	B
A	H	R	X	O	V	Y	O	C	Q	S	L	M	S	I	J	L	Z	C	O
N	U	J	Q	B	R	P	F	M	T	E	B	C	R	E	T	L	B	J	C
G	J	M	T	F	K	T	T	U	E	U	U	W	V	F	L	Q	V	J	A
E	A	C	V	D	N	O	E	X	S	J	S	F	L	W	D	D	W	E	J
L	A	U	Q	Q	O	X	J	M	O	X	C	R	S	W	E	K	N	Z	R
V	H	A	R	T	H	H	O	K	I	E	H	C	P	E	E	K	N	A	Y
W	U	Y	Y	J	W	E	C	N	T	U	Y	H	V	N	B	K	I	W	C

ANGEL
ASTRODOME
BRAVES FIELD
BUSCH
CAMDEN
CANDLESTICK
DODGER
FEWAY PARK
FORBES
JACOBS FIELD
JARRY PARK
KAUFFMAN
METRODOME
RFK
SAFECO
SHEA
TIGER
TROPICANA
WRIGLEY
YANKEE

GEMSTONES

Puzzle #77

E	T	I	R	Y	P	V	L	J	U	U	H	S	V	V	V	A	E	D	Y
T	C	I	R	U	S	A	P	P	H	I	R	E	U	J	Q	P	P	J	M
V	X	W	C	Z	W	B	M	G	W	T	R	E	Y	G	Z	C	B	C	C
R	D	L	A	R	E	M	E	W	W	K	A	B	T	A	I	U	F	I	Y
A	L	F	U	D	B	W	R	T	P	U	U	N	D	I	G	L	X	Y	F
P	X	K	N	S	E	O	C	U	A	R	J	S	W	J	T	A	I	O	T
S	B	Y	P	N	K	J	H	R	Y	E	D	A	J	Z	C	A	T	T	T
D	X	L	G	O	G	X	B	Q	O	B	T	E	N	R	A	G	M	E	E
L	M	O	P	S	T	H	D	U	W	N	V	M	Z	E	E	Y	Z	E	E
E	J	A	C	R	V	J	N	O	M	U	O	B	E	R	Q	Y	Y	O	H
F	L	U	U	V	B	X	O	I	L	U	E	C	H	S	E	X	E	K	K
E	X	W	A	L	U	M	M	S	E	T	S	W	R	S	W	P	K	Y	B
G	T	C	M	Z	F	H	A	E	N	Y	U	H	E	I	P	Z	S	M	A
O	G	S	O	W	Z	O	I	H	I	Y	E	X	T	O	Z	A	J	A	K
X	S	Z	Y	Z	T	R	D	H	P	V	N	P	I	G	B	P	Y	F	J
C	U	F	T	H	F	Q	L	Q	S	C	T	F	Z	D	M	O	L	Y	U
F	E	Z	A	R	T	N	M	Q	Q	H	T	N	N	H	S	T	I	J	I
I	W	C	M	Y	A	E	V	B	K	E	K	M	U	U	D	O	K	H	C
H	L	M	W	J	H	U	M	W	B	Z	D	O	K	T	Y	J	U	K	Y
R	C	Z	E	J	F	I	Q	A	D	S	V	W	S	V	C	J	N	S	R

AGATE
AMETHYST
DIAMOND
EMERALD
FELDSPAR
GARNET
HEMATITE
JADE
JASPER
KUNZITE
OPAL
PYRITE
QUARTZ
RUBY
SAPPHIRE
SPINEL
SUGILITE
TOPAZ
TURQUOISE
ZIRCON

KITCHEN UTENSILS 1

Puzzle #78

N	A	W	C	I	F	R	O	S	M	E	A	T	G	R	I	N	D	E	R
E	Q	Y	Q	P	E	G	N	X	R	A	P	P	L	E	C	O	R	E	R
F	B	F	W	M	H	O	R	W	R	E	R	R	E	W	O	X	I	T	W
D	O	V	A	P	O	J	V	A	I	W	W	X	E	S	R	T	R	Z	X
Z	P	E	V	P	V	Z	H	X	T	N	L	Q	B	T	E	S	D	A	S
M	T	W	S	W	N	E	S	G	X	E	O	G	W	R	T	W	M	E	I
S	I	A	Y	N	U	F	H	K	P	A	R	W	S	A	S	I	B	S	B
Q	E	Y	F	H	T	I	B	Q	C	N	J	D	Z	I	E	H	P	R	E
T	Q	V	V	O	C	N	T	C	N	I	F	W	U	N	T	J	E	Z	E
S	I	F	T	E	R	K	X	N	S	N	P	U	Z	E	O	N	T	E	F
E	Z	W	R	F	A	G	P	F	F	C	P	H	N	R	E	R	F	W	I
D	F	O	U	Z	C	N	J	F	G	B	Z	J	T	P	O	I	C	M	N
Q	I	I	L	R	K	I	N	Y	W	A	R	W	O	O	N	H	D	E	K
L	K	O	N	T	E	R	I	T	N	Z	B	R	Q	K	O	Z	R	A	Y
L	P	D	T	K	R	A	M	F	A	T	A	Y	S	O	U	T	X	S	T
J	Y	W	C	O	K	P	P	A	Y	J	C	F	R	B	G	X	Z	U	I
L	E	W	X	M	N	A	B	X	S	I	E	B	X	T	M	E	T	R	L
L	M	Q	H	F	Y	G	E	Z	C	H	I	N	A	I	S	D	V	I	I
D	U	J	L	L	R	O	R	T	C	M	E	S	N	A	J	A	Q	N	T
C	M	N	T	L	P	A	W	E	S	F	X	R	L	C	V	C	P	G	U

APPLE CORER
CHEF'S KNIFE
GRATER
JAR OPENER
MASHER
MEASURING
MEAT GRINDER
NUTCRACKER
PARING KNIFE
PASTRY BAG
PITTER
SIFTER
STEAK KNIFE
STEAMER
STRAINER
TEASPOONS
TESTER
TONG
TOOTHPICKS
UTILITY KNIFE

KITCHEN UTENSILS 2

Puzzle #79

O	Z	G	Y	Q	L	R	Z	O	J	Y	S	V	Q	H	S	T	Y	W	Z
L	R	N	J	A	W	L	Y	L	M	G	X	B	G	H	D	G	Y	O	E
A	L	Y	P	H	K	E	A	E	Z	E	X	F	I	U	L	A	F	Y	P
D	X	C	I	R	H	M	R	B	V	P	J	V	H	U	O	R	H	Y	T
L	J	S	D	S	M	C	G	C	A	R	C	E	S	U	M	L	R	C	K
E	K	Z	E	S	T	E	R	R	S	E	J	C	F	Z	J	I	O	N	A
U	Y	T	Q	E	L	N	E	J	W	K	T	S	T	W	C	C	A	B	S
M	W	F	O	F	H	O	N	V	S	H	R	G	Y	X	H	P	T	E	D
K	K	O	M	P	S	H	R	E	N	E	P	O	N	A	C	R	P	P	L
S	V	X	F	U	S	G	U	H	I	W	U	A	C	E	L	E	S	N	E
R	F	B	A	F	R	E	T	T	U	C	A	Z	Z	I	P	S	M	N	I
E	E	G	E	Z	V	A	Z	O	Q	G	K	Y	T	K	W	S	F	Z	H
W	T	C	V	L	B	G	M	K	N	U	O	J	L	X	X	K	M	A	S
E	S	A	I	C	M	A	Z	F	V	L	Q	G	O	M	R	U	L	Q	E
K	V	T	F	L	H	Y	S	O	P	P	E	D	E	E	V	U	E	A	I
S	Z	D	I	F	S	O	R	T	Z	K	Y	N	L	R	T	O	R	F	P
Z	R	S	N	W	O	G	P	L	E	E	X	E	N	A	T	E	Z	D	N
P	U	C	V	N	Q	R	G	P	U	R	E	H	P	U	M	S	K	Q	L
G	F	J	B	G	W	S	K	E	E	P	T	S	N	I	F	J	M	R	B
Z	C	Q	D	H	Y	F	K	S	N	R	G	L	T	M	I	G	M	L	N

BASTER
CAN OPENER
CHOPPER
CORKSCREW
EGG SLICER
FORKS
FUNNEL
GARLIC PRESS
LADLE
MOLDS
PEELER
PIE SHIELDS
PIZZA CUTTER
SKEWERS
SPATULA
TEA BALL
TIMER
TURNER
WHISK
ZESTER

MY FAVORITE PAIR

Puzzle #80

```
K O X H V P W H K S J E S L I H B B K M
F L F N Z V K S N F R L O I S O Y Z B R
S O C C E R T O Y U E E H T W B Q J C P
N K F T W E P K H E K K F L E M D A I L
G X K I E I R Q H L X E I A V S B P K F
R S R L L Y M H T N X N E Z O B O U M N
C U T S F I G X C K G P V I U L L L O I
L O W J B I X Y R S C E C Y X H I R C T
E A K L H T S U B L C W X T M W X Y L R
N J W C P H N J Q A A H F S D U I W L O
Z S W Y A B A U F R B G G S Q Y K W Q P
X S N X R B M V B K C X S K Q O E A Q E
R D A Y S H G P M U T T J U A U N T D N
V U F N S I N N E T I E C G G Z Y E A T
B X N F D X T G I L S A L R Z K P R N O
C O I N A A P Z E L P D A L R U S A U E
K F O T I E L T Y V S F B R A S M O I O
D I C T G N T S D R E S S Z G B H A Y V
O Q I J S O G W V H V R S P O T H G I H
I N M B N D E L A Z V I B Z W M E Y E F
```

BABY
BALLET
BOOTS
BOWLING
CLOSE TOE
DRESS
HIGH-TOPS
HIGHHEELS
LOAFERS
OPEN TOE
RUNNING
SANDALS
SLINGBACK
SLIP-ON
SOCCER
STEEL-TOE
STILETTO
TENNIS
WATER

ISLANDS OF AFRICA

Puzzle #81

V	S	M	I	L	J	M	A	N	I	S	E	R	B	E	D	K	B	O	F
L	L	E	Y	R	R	E	S	L	Q	D	D	Z	M	W	H	V	O	I	H
W	T	K	R	D	Z	U	C	S	I	H	Q	W	M	B	R	K	A	G	B
J	U	S	S	E	N	O	N	T	G	K	D	V	A	C	R	O	L	A	S
V	L	Y	X	S	R	A	R	B	Q	T	O	E	S	K	D	Z	U	A	G
Y	L	C	Q	C	E	F	L	N	K	V	H	M	K	T	I	K	U	B	M
C	U	N	M	L	Q	U	T	S	U	J	E	V	A	M	Z	K	Z	T	Y
K	G	D	V	A	D	D	G	P	I	B	E	Y	L	P	E	K	X	H	W
Q	U	Q	E	Z	J	N	R	I	E	E	C	H	I	Z	U	M	U	L	U
D	D	V	S	K	C	A	W	S	R	S	T	V	X	G	O	R	N	B	E
S	O	V	L	A	I	L	M	K	U	D	N	A	L	S	I	D	R	I	B
W	E	O	N	U	R	S	Y	H	R	O	O	I	P	H	K	J	Z	I	S
L	B	A	J	A	M	I	L	I	S	R	M	R	P	O	O	Q	U	M	M
M	D	O	L	N	R	U	E	A	C	F	F	G	Z	A	C	J	G	U	O
H	J	L	N	I	V	M	M	M	N	B	B	O	J	C	S	C	Y	M	R
A	R	R	E	A	S	A	Q	I	I	D	K	R	A	A	I	B	D	A	F
D	A	L	B	Y	B	L	M	V	U	R	B	E	F	H	R	O	V	I	I
M	N	Y	B	H	B	X	A	U	Y	N	P	E	N	N	O	G	Y	S	L
I	V	Q	O	R	Y	V	E	N	K	U	J	L	H	I	C	G	S	O	R
A	A	F	R	L	E	C	N	E	D	I	V	O	R	P	X	D	U	D	T

BIRD ISLAND
CHIZUMULU
CORISCO
DEBRE SINA
DEK ISLAND
GOREE
INHACA
LAMU ISLAND
LIKOMA
MASKALI
MORFIL
PATE ISLAND
PRIMEIRAS
PROVIDENCE
ROBBEN
RODRIGUES
ROLAS
SEAL ISLAND
SEPT FRERES
TULLU GUDO

ISLANDS OF AUSTRAILIA

Puzzle #82

R O Y G D F D S V C Y B Q N I A M U G H
I S Z B F D E W I T T X R D C V Q J B E
A Z T A Y R N X D R O F D O O W P P D R
D X Y Y S W O R R A B V N C J Z J Z N O
Z A N I Z T L R E K O R C E M C C D C N
Z F I S E Y N U R B Z O L Q H A W A P T
Q M D L N N R L I F O E F H O N Q E N Q
D M P A X D Q D D L I V S D O R S O M U
M M P N F C G N L O R A N X T A K U X G
X Z X D G W A E E C L A A P A C K Z R I
J K T S H L B W C V L X R J K T V E W H
W E B F S E V Y E S M A X C C T E Z G W
B O R I T W O F I S B U V O O N P A R T
W O K N J R D N P E S H P W C V R I A C
N S O G Z I O W A O I E M T V D K S U V
E M C T A I M V L W F G L B E Y M R Q F
Q Z I L L I T K C V C F J N Y A A C D B
U F P A L M I S L A N D Y T N C D D O G
W R D E J N R N M W Z D Q I O X Q C E C
O T R O D D I S L A N D A A Y R P T X D

BARROW
BAY ISLANDS
BRUNY
CARNAC
COCKATOO
CROKER
CURACOA
DE WITT
ESK ISLAND
FITZROY
GARDEN
GREEN
HERON
LION ISLAND
MONTEBELLO
PALM ISLAND
RODD ISLAND
TASMANIA
WESSEL
WOODFORD

ISLANDS OF EUROPE

Puzzle #83

D	A	C	B	W	S	A	R	D	I	N	I	A	Z	A	A	D	Y	C	G
F	R	E	L	F	E	W	N	L	O	L	L	A	N	D	P	K	I	E	O
T	S	A	U	K	U	I	P	K	K	D	U	V	O	Q	Z	P	I	J	O
O	Q	N	F	E	B	N	S	Q	U	Y	X	Q	N	U	T	B	P	S	Z
C	E	K	O	A	O	I	A	L	X	P	C	P	W	A	G	E	P	I	V
N	B	I	Q	M	E	W	Q	M	E	P	G	U	M	N	D	Q	V	C	B
B	I	M	X	E	A	J	R	W	Y	O	C	O	M	P	A	P	V	I	V
J	D	N	A	L	E	C	I	Y	E	Y	F	E	T	Z	K	D	W	L	I
Q	N	N	A	L	K	B	Z	L	N	F	I	M	O	L	B	Y	R	Y	F
R	M	G	G	N	N	X	P	A	K	L	A	R	A	S	A	W	R	D	L
H	L	S	Y	W	N	D	Y	F	R	Y	E	R	E	N	Z	N	F	V	T
M	D	Q	V	E	M	J	H	G	O	S	T	D	O	R	K	Y	D	S	X
R	A	N	I	A	B	N	C	M	J	J	I	K	K	E	P	F	P	Y	U
J	A	L	A	H	L	F	T	G	O	R	C	Y	C	L	A	D	E	S	M
Y	V	M	T	L	E	B	V	O	B	O	P	C	P	J	S	H	N	F	N
B	U	W	N	A	E	O	A	E	G	B	O	R	N	H	O	L	M	R	J
D	G	Y	E	H	N	R	H	R	K	L	W	S	C	V	Q	A	M	S	U
C	T	M	B	E	K	L	I	U	D	D	N	A	L	A	E	Z	I	Z	Q
O	J	J	L	C	R	E	T	E	Q	N	U	S	A	C	I	S	R	O	C
G	Q	U	X	N	Q	R	R	A	B	X	Q	L	B	F	I	S	I	H	P

AZORES
BORNHOLM
CORSICA
CRETE
CYCLADES
EUBOEA
FAROE
FUNEN
GOTLAND
HEBRIDES
ICELAND
IRELAND
ISLE OF MAN
LOLLAND
MALTA
ORKNEY
SARDINIA
SICILY
SVALBARD
ZEALAND

NICKNAMES

Puzzle #84

F	M	U	V	A	K	D	T	R	I	U	Q	S	Q	H	G	G	Q	J	W
A	Q	R	N	G	C	Z	E	M	L	U	B	V	G	B	W	O	T	X	Q
R	O	U	B	E	E	H	M	E	N	Z	K	P	U	O	U	D	U	K	E
L	T	P	S	U	U	V	F	N	A	S	J	Y	O	P	S	B	Q	Y	M
O	V	K	M	Z	C	T	R	O	Y	V	M	D	E	C	S	J	B	P	Y
F	R	Q	E	J	Y	K	P	G	V	D	Y	J	F	K	J	U	U	A	E
J	S	L	A	K	B	K	Y	N	Y	B	A	T	R	U	G	C	X	N	S
B	B	E	R	X	O	W	Y	I	Z	K	G	L	V	J	G	V	Q	E	R
M	R	X	C	M	N	L	H	K	F	R	B	U	D	D	Y	M	R	S	E
L	Y	F	D	P	E	E	J	J	F	O	S	C	C	H	Z	E	E	Y	J
L	H	N	Z	I	S	P	P	Y	R	W	V	O	G	U	D	U	D	R	F
E	A	C	P	H	S	O	L	M	E	L	R	F	X	B	K	L	R	U	Y
F	B	R	R	O	B	E	O	C	K	M	J	S	N	R	A	B	U	T	S
T	G	G	E	O	P	X	G	A	R	K	K	O	K	B	E	I	O	G	R
W	A	X	T	N	I	R	U	D	O	U	U	Y	K	Z	K	S	W	N	G
T	G	Z	H	E	E	N	S	K	Y	O	T	Y	B	E	V	I	R	O	V
S	J	Z	X	V	F	G	U	D	Z	R	K	K	C	Q	R	Z	D	G	X
M	B	N	Z	R	L	P	E	J	O	B	O	M	T	F	Q	G	X	S	Z
V	J	O	Y	U	D	S	O	H	T	T	J	E	L	L	I	A	C	G	K
G	K	S	J	W	L	D	S	O	T	E	C	R	V	B	R	T	N	D	S

BALDY
BIG DOG
BONES
BUBBA
BUCKY
BUDDY
DUKE
JERSEY
JOKER
JUNIOR
KING
LEFTY
RED
SHORTY
SQUIRT
STUB
THE GENERAL
TUNA
WOODY
YORKER

ANOTHER WORD FOR BIG

Puzzle #85

U	Q	L	A	T	N	E	M	U	N	O	M	C	A	B	S	F	T	S	Z
D	I	J	K	W	D	M	A	N	S	I	Q	L	I	G	N	L	W	F	Q
N	K	I	K	E	I	T	Q	U	A	M	B	D	A	T	E	Q	K	Y	P
D	J	B	S	G	Q	Q	O	X	H	U	T	P	X	S	N	M	D	U	V
I	T	M	H	N	W	G	E	O	E	G	T	N	H	N	S	A	X	E	J
H	R	T	G	L	N	H	L	I	E	F	Q	N	A	U	N	O	G	J	O
Y	Y	S	S	O	A	T	O	F	Q	C	E	H	A	I	G	S	L	I	H
E	M	Q	M	B	F	X	C	P	M	R	E	E	T	G	G	E	R	O	G
R	V	U	J	L	F	Q	G	D	P	N	R	Y	Z	S	R	H	B	U	C
E	H	I	K	U	T	E	D	P	O	I	O	M	H	I	A	A	G	N	J
R	I	H	S	C	E	M	D	R	T	A	N	V	T	I	S	V	G	U	G
N	O	E	N	N	I	S	M	H	S	R	E	G	E	Q	W	T	M	W	P
M	Z	S	R	Z	E	O	B	J	P	F	S	Q	V	M	Z	B	U	M	M
O	W	N	O	G	U	T	Q	W	C	D	N	X	I	K	O	F	Q	O	U
D	F	E	G	S	H	Y	X	A	I	Q	H	B	S	H	B	O	Z	M	R
I	Y	M	G	U	Y	O	E	E	A	M	P	K	S	E	O	V	M	B	Z
U	F	M	N	C	F	V	Z	R	P	Q	C	B	A	T	N	L	I	D	Y
W	D	I	T	G	T	H	Y	Y	U	X	D	P	M	S	V	P	Q	N	C
B	E	L	B	A	Z	I	S	T	R	E	M	E	N	D	O	U	S	P	V
W	Z	P	Q	H	L	B	T	O	W	E	R	I	N	G	Z	E	C	P	J

COLOSSAL
ENORMOUS
EXTENSIVE
GARGANTUAN
GIANT
GIGANTIC
HUGE
HUMONGOUS
IMMENSE
JUMBO
MASSIVE
MEGA
MIGHTY
MONUMENTAL
OUTSIZE
SIZABLE
TOWERING
TREMENDOUS
VAST
WHOPPING

CONDITIONS AND DISEASES

Puzzle #86

H	G	O	E	U	U	B	Q	W	M	N	S	M	F	B	J	S	Y	W	C
G	H	C	X	E	M	P	H	Y	S	E	M	A	E	T	R	J	H	E	P
E	E	V	A	A	B	O	T	D	F	T	R	C	L	A	Y	O	A	J	L
B	F	R	R	X	S	I	G	G	C	M	T	Y	E	K	S	I	M	Q	C
Z	V	C	H	N	N	X	Y	A	F	H	S	N	F	D	M	L	J	W	O
D	R	U	T	N	V	B	S	T	D	P	I	C	Z	E	F	D	E	G	W
J	Q	K	N	F	H	W	A	L	E	O	L	C	N	K	F	R	X	S	P
R	U	F	A	R	U	B	E	L	L	A	S	A	K	U	B	X	H	O	O
V	K	R	E	E	F	T	I	J	N	P	E	R	B	E	R	C	U	V	X
L	M	N	A	W	J	P	A	G	I	R	P	V	O	R	N	C	K	L	S
E	W	T	B	E	E	U	Q	N	O	E	R	H	T	W	R	P	L	V	I
U	U	G	L	Z	F	N	A	G	W	C	E	W	B	Q	G	E	O	N	T
K	S	I	U	C	X	B	O	P	T	N	H	L	T	T	C	C	F	X	I
E	F	U	C	R	I	I	U	U	A	A	K	F	F	E	L	L	J	M	R
M	R	U	P	F	Y	Y	X	O	U	C	P	R	L	E	U	C	E	T	H
I	N	Y	I	U	T	S	P	R	F	D	K	K	F	E	F	A	D	N	T
A	X	D	D	H	L	P	U	C	D	S	C	T	N	F	H	E	A	F	R
T	A	P	S	J	W	M	P	P	J	I	L	Z	L	S	K	Y	Y	R	A
B	L	F	V	Z	Q	U	R	K	S	I	A	U	X	E	H	C	I	C	Z
S	O	O	V	C	I	M	W	H	P	H	T	F	I	F	V	V	I	Y	S

ANEMIA
ANTHRAX
ARTHRITIS
CANCER
CHICKEN POX
CLEFT LIP
COWPOX
CROUP
EMPHYSEMA
EPILEPSY
FIFTH
HERPES
INFLUENZA
LEUKEMIA
LUPUS
MEASLES
MUMPS
RUBELLA
SICKLE CELL
SPINA BIFIDA

LIVES IN THE RAINFOREST

Puzzle #87

```
Q I O P D T O G N O B L O Y W A C A M K
G N A J A L O Y D S K U I I T X T F F L
P N A E L H E N C Y H F Z A E P Y X I N
D V J H M K L X O W T V Y T N A N S Y F
Y A W O N G I I B E O B U X I S O O X L
B N Q O F I D F C D L R D T I C E A O J
E A M W G R O D F Q S E N T D O T E Z M
W C E D Z X C S T R N W M L N B S N R R
Z O Z Z B Y O I R Y I C N A D R Y E Z T
B N C K S S R C A J R Q I X H A R A P C
M D Z K H Z C G U R M X O N T C V W O A
R A G R O O H C X S P Y T P J P E A O C
Z P Y K A R T T A U F U L B D O T A L K
V N T L Q R I I V P Y D Z F O I N M F Y
A J E V I O R W U H Y Y J T R T E Z X G
N A A I Q E J Y Y Q V B A X E E G O E Q
T B C L O A E O C R S K A A B R T C R O
P O H O A G M K U N C O T R M I K T D T
A I X S G L M I F O M E M M A O Z O U G
S I O V P E F K C U R H K G B A D R D B
```

ANACONDA
ANTEATER
APES
BONGO
BUTTERFLY
CAPYBARA
CHAMELEON
COATI
COBRA
COCKATOO
CROCODILE
DODO
EAGLE
GECKO
MACAW
MONKEY
MOSQUITO
SLOTH
TREE SNAIL
ZORRO

ANOTHER WORD FOR COLD

Puzzle #88

```
I Z Z A B N I P P Y T K Z O F R U U U D
S D O R R V S E B G K C B B T R P B T X
K Y N C T X V A X Q N I P P I H A L J L
C F L T F D I D W Y D I X O S T A L U P
R U O I O N N I Y Z O N B T I I T R O H
A R D C D P S L B K Y J F M V H R E V P
W M F R E I G E G J N G S D U B I C R J
U G L Y B N T G N Y E S P U Q N P G C T
F R H D M K L G I R Z T W L Z B N E L R
K U E C U W X B Z F O J Y L L T A U U F
P S H U N C G J E M R J U B A I L O O C
E I I B E H T M E B F H A H B C H Z T W
E M N R B D C C R F T J V S L T C C N F
O X O X B L E L F O C F A R E L H O C D
J Z J F J S A L T S H I G T A Y D O I V
A Q I W R M Z M L R K C K N K H D G G I
G S N R U O C T W I N U A E N H I H M O
U K M R N H S W E L H N J T Y R P U S N
P O B G S Z X T X W I C R M F S I G D U
E T V J X N X K Y I T Z B Y N E I C Y C
```

ARCTIC
BENUMBED
BITTER
BLEAK
BRISK
BRUMAL
CHILL
CHILLED
COOL
CRISP
FREEZING
FRIGID
FROSTY
FROZEN
GELID
ICY
NIPPY
NUMBING
POLAR
RAW

MADE IN...

Puzzle #89

G P C O L U M B I A P Z X R R U M W H O
Q H K B N J T V A K E A C M D T H V M T
S I Z H Y J Q C W P W S C V Z Q U Q F I
X L T A G Y R K H D O D Y N K R L Z J S
B I U T I Y D B G I Y R Y O Z G F N P M
T P R T E S R L Z Q N E T S M J O A Z E
U P K K W A Y D N X J A U U C W I Y C X
K I E K Z X O A F M J J K N G N V A R I
P N Y I P D U N L E U V Q F S A R Z A C
R E L D M N J B P A D F N I P G L C C O
K S N W Y A Q C S S M P N U E H I S K J
F D V O H L N A U Z L D L N H R M I A T
L A Y E C I E T P V I H T K F V Y N Y A
K Q M B E A P B E A Z I W A M L G G I Z
A S J E U H W T X I N J H A A D J A E M
Z J Q W R T V W F A V T C T K Q I P I R
G N X R F I E T W P U A I G B N I O I G
B Q C D X P C M E O U F R A N C E R R J
P Z B B G H S A S K L B U N K N B E O U
E E G T G D C A N A D A E Z Z B L I V G

AMERICA
ARGENTINA
BRAZIL
CANADA
CHINA
COLUMBIA
FRANCE
INDIA
ITALY
MACAU
MALAYSIA
MEXICO
PHILIPPINES
PORTUGAL
SINGAPORE
SOUTH AFRICA
SPAIN
THAILAND
TURKEY
VIETNAM

ON A SALAD

Puzzle #90

A P P V A S C C S T I B N O C A B Y A S
E V K W X Y I E N O M K N R O X E F U F
E Q L Z F M U F L Z N I V Y A K N E Z P
J G F V A D O R N C A R R O T S J H G E
V J U S K D S E O B J G M B I L E X Z G
I S L T Q A N N A A P Y V B L V Z A B B
I A W X M Q O C N B R B L A Y B G P C I
B Y X W C Y I H X S E O T A M O T C C F
X C N E P O N R L I O E V I L O G T A E
P H C N A R O P T O T Z A E E H R O S D
K O N O C W S G C U C U M B E R S E E H
R X P R J H P N M S H A W A G S E G Q N
A Z E P R V I L O Q M L A Z N E F H W G
D M P K Y W M C I T R C U L H A W N E B
I Z P P W S D X K R U J W C F R Y O S L
S W E V F U E P O E X O E N F L G I E U
H W R K N O E E D W N U R E M P J L E F
E X S A L I Y A D H L P Z C Y W Z A H L
S P X H U B D X H B W A G F K P F T C L
N J A Z J U C A E T T E R G I A N I V R

BACON BITS
BALSAMIC
BLUE CHEEESE
CAESAR
CARROTS
CHEESE
CHICKEN
CROUTONS
CUCUMBERS
EGG
FRENCH
ITALION
OLIVE OIL
ONIONS
PEPPERS
POPPY SEED
RADISHES
RANCH
TOMATOES
VINAIGRETTE

NURSERY RHYMES

Puzzle #91

```
B M J W U B Y O D U R L Z I D C F J F Y
W H O Y O C Z X A M E I N G F S K H I E
G C I N B U A I A L H P S O I V M E D E
Y P E U P Y A T R R T R X L O X P J D V
L K N B R L C C N K O U V J P M Q F L F
E S Z H H E N A A W M E F M A R P D E W
B Z T F W K I A A N R I B Y T Y W Z R P
T R E K O Q V F B B Y P L U M A K X D Z
W K B I G J L M E G T V Y D N E R A M Z
U M O N P L A L P N P I Y A G R A R U G
W S B G A L L N Y S F L C W A I T B W Z
Y F O W M S Y S C J E Z V V R C S P G F
H B A T C R P I G B N T X X D P A C P B
G T W L V O B N K K F H V I E E L E X T
E C D N L V N F I D D L E V N N Q Y N E
X M P H V F A F S Z A T P S Q Q S B C H
M T X K K M O D E F L P S B R H S E H Z
B I G Y H V P L H P J I C V O U E V S Z
V T G U C Y P E A G V B W E L L K L R I
F X V M D E G Y S Y T D A F F N J A M A
```

BONE
BUNS
CAT
COW
FALL
FIDDLE
FIDDLER
FLEECE
GARDEN
HEN
KING
LAMB
MOON
MOTHER
PIG
PLUM
SHOE
SILVER BELLS
STAR
WALL

HOCKEY

Puzzle #92

```
S R G Z K W X O B Y T L A N E P Z D R D
J B J J V K P E N A T L Y K I L L E R L
U N J O X G N I T H G I F G P D T A P C
J Z T Q Z U U R E D L I N E S N O O R L
Z Y A L P R E W O P C H E I E B R Y H V
Y D S T R C D Z Q N A A Q C E K W Y M D
G O T N Z Z T B J F F N S R H S Y X N S
C E I A P P P P P E R G O U A J Q G Q E
U S C M L I X Y I Q L C N R Y Q F F T D
L R K E E M B L D T S C E I J N K K N I
E Y N S X A A X I L R Z A G W O R G W S
N M R N I O X D D S E I T H K T O Y S F
I J P E G P U C K P B W P T F R F Y X F
L T L F L L J S K A T E S W C V M E B O
E S U E A R I R V A C B W I R E C O L G
U L N D S D Y C N N A H S N S E A W H G
L S N G F Q P L G S Z X S G I R L S N S
B N L F H O G S B Q C C L F D O S I E P
U E Z U U H L L Y V E U O S H F C L L L
O T H K H D L T E C C J S N Y I W J D N
```

BLUE LINE
BOARDS
CENTER
DEFENSEMAN
FIGHTING
GOALIE
ICING
LEFT WING
NET
OFFSIDES
PENALTY BOX
PENATLY KILL
POWER PLAY
PUCK
RED LINE
RIGHT WING
SCORE BOARD
SKATES
STICK

GRADUATION DAY

Puzzle #93

R	S	Y	S	V	I	U	J	T	I	U	L	N	K	U	B	G	B	U	U
E	S	G	Y	I	L	I	H	P	R	O	G	R	A	M	O	X	G	L	R
K	G	R	A	D	U	A	T	E	I	U	Y	R	Z	W	A	X	B	E	E
A	R	M	D	I	P	L	O	M	A	B	P	L	N	F	D	X	G	T	C
E	R	X	M	S	F	G	Z	X	Q	D	W	T	A	P	A	Z	J	P	E
P	H	S	V	S	S	K	B	Z	Y	Q	Y	F	A	D	M	I	E	W	P
S	T	I	I	N	Y	H	O	M	R	W	A	Y	C	X	H	L	F	V	T
Y	S	J	C	K	P	S	O	O	E	M	I	Q	T	E	A	R	S	G	I
X	D	X	S	U	C	E	H	N	I	B	S	W	I	N	X	W	Y	K	O
N	N	M	X	Z	I	R	H	L	O	T	L	R	P	Z	N	H	M	J	N
U	E	Q	E	J	S	U	Y	T	E	R	V	W	W	B	N	D	L	M	M
G	I	H	D	B	U	T	P	Y	G	U	S	K	D	R	A	W	A	U	A
A	R	M	V	O	M	C	Z	C	Y	K	E	N	X	C	N	Q	I	Y	K
G	F	T	A	H	P	I	W	E	B	K	U	X	J	R	U	D	T	R	B
P	H	V	A	R	Z	P	A	O	E	I	S	P	A	V	A	R	U	V	A
E	H	Z	U	S	C	D	J	W	D	R	O	H	Y	T	A	O	J	Q	U
N	P	A	C	I	S	H	U	S	C	R	G	M	S	P	P	T	F	Z	D
L	M	Y	N	O	M	E	R	E	C	C	C	E	X	K	S	C	J	Y	P
J	C	D	B	B	X	J	L	N	K	Z	Z	Q	D	P	Y	V	H	N	E
M	G	W	M	M	Q	T	W	S	H	B	M	I	I	P	E	Q	I	A	Z

AWARD
CAP
CEREMONY
DEGREE
DIPLOMA
FAMILY
FRIENDS
GOWN
GRADUATE
HONORS
MARCH
MUSIC
PARTY
PICTURES
PROGRAM
RECEPTION
SPEAKER
STADIUM
TASSEL
TEARS

SOME LIKE IT SPICEY

Puzzle #94

N	X	V	E	S	S	T	I	Y	D	C	A	L	M	S	O	Y	B	Z	Q
A	W	Q	S	A	O	B	A	H	A	P	E	D	S	O	M	L	K	A	B
A	U	T	L	S	C	M	R	P	N	O	A	K	A	O	L	E	O	C	U
A	P	S	T	A	S	K	U	O	S	C	R	X	N	L	T	E	W	G	R
I	A	A	Y	O	O	L	Z	N	C	O	H	A	K	C	I	W	V	D	R
R	D	W	R	D	A	I	I	E	I	J	Z	I	J	I	B	H	D	H	I
A	T	U	B	H	R	C	V	V	S	L	X	U	P	A	S	A	C	Q	T
C	G	Z	C	O	J	I	S	T	L	O	K	O	G	O	S	M	W	N	O
E	M	X	H	M	C	E	G	Y	A	R	Y	Y	X	W	T	H	M	W	E
S	N	C	N	H	Z	M	T	J	G	M	J	E	A	R	P	L	P	W	D
A	Q	S	E	H	I	L	M	E	E	T	A	A	K	I	B	I	E	E	C
L	U	R	A	P	B	M	L	W	B	M	W	L	R	M	W	C	B	I	I
L	E	R	P	L	A	Q	X	V	A	D	E	V	E	Z	R	R	F	C	K
I	S	M	H	T	A	D	O	I	C	H	I	M	I	C	H	A	N	G	A
T	A	O	C	A	T	D	R	A	H	D	Y	K	E	O	V	F	Q	K	Q
R	D	R	X	C	Y	S	A	I	P	S	W	P	V	D	A	P	Z	K	K
O	I	U	S	O	F	T	T	A	C	O	D	R	Q	J	I	I	D	J	E
T	L	C	H	E	E	S	E	D	I	P	X	B	I	U	O	A	K	D	R
M	L	Y	D	D	B	Q	X	J	X	J	Z	T	O	I	R	U	J	O	A
Y	A	O	D	C	K	F	E	L	O	M	A	C	A	U	G	H	O	I	Q

BURRITO
CEVICHE
CHALUPA
CHEESE DIP
CHIMICHANGA

CHIPOTLE
CHORIZO
ENCHILADA
ENSALADA
FAJITA

GUACAMOLE
HARD TACO
MOLE
QUESADILLA
RAJAS

SALSA
SOFT TACO
TAMALE
TORTILLAS
TOSTADA

HORSE BREEDS Puzzle #95

G	B	H	U	B	C	Z	W	S	X	R	W	Z	Y	L	J	A	R	D	V
J	W	E	A	E	C	Q	M	O	R	G	A	N	G	H	C	R	E	C	J
M	A	F	D	F	O	H	Q	F	B	O	R	X	I	H	L	T	R	O	P
O	M	P	W	R	L	X	L	X	M	Q	M	L	K	V	L	X	Q	L	U
O	T	T	Q	T	A	I	N	S	R	F	B	Q	X	L	A	J	U	D	B
T	C	R	P	Z	V	F	N	H	H	P	L	O	X	J	W	H	A	B	A
A	G	X	A	O	J	O	T	G	L	Y	O	M	G	T	L	W	R	L	R
P	B	K	M	K	Y	U	U	B	E	V	O	O	D	N	A	K	T	O	B
A	K	T	W	P	E	T	K	H	R	R	D	O	T	L	A	Y	E	O	F
L	I	X	H	Y	B	H	I	K	G	E	S	T	K	G	N	T	R	D	I
O	S	H	N	V	Z	F	N	A	O	O	E	A	E	O	P	V	S	S	Z
O	U	L	A	E	K	N	N	E	F	C	L	D	T	T	H	X	K	U	C
S	X	L	I	W	P	S	A	V	R	O	T	E	L	L	I	K	R	P	M
A	G	Q	B	H	G	Z	W	I	O	U	G	O	I	A	B	D	N	E	R
X	I	A	A	K	A	R	Q	S	S	U	H	C	K	N	Y	T	B	L	P
Y	Q	C	R	H	V	Y	A	K	A	E	V	L	P	D	S	J	G	I	J
X	M	K	A	A	W	E	R	Q	Q	N	I	W	T	O	H	K	N	V	J
W	D	E	E	R	B	Y	N	O	P	T	X	R	A	J	A	T	Y	U	U
Z	V	Z	A	I	X	Q	P	B	N	T	K	D	F	Z	O	P	Q	O	P
O	L	L	O	I	R	C	D	B	N	E	L	A	D	S	E	D	Y	L	C

APALOOSA	COLDBLOODS	HAFLINGER	PONY BREED
ARAB	CRIOLLO	MORGAN	QUARTER
ARABIAN	DRAFT BREED	MORGANS	TRAKEHNER
BARB	FRIESIAN	MUSTANG	WALKALOOSA
CLYDESDALE	GOTLAND	PINTO	WARMBLOODS

CONDIMENTS

Puzzle #96

P D M T T M C B V D L B N L Y B S T X B
K S L A U B B I M E P H E R D M H M O E
W A I Y R Q Q B M Y K L V L S C N V M C
S L T H S U T O G U O Z M U S T A R D U
L D D A N H N I K F Q B D O K Q G C H A
W Y U B S J S H O W P W N F H B H Y B S
Y C I D U Y E C Q J R K H Q W R I E J H
E F B I D G N P Q A S I D E M U X S C S
F P C Z Q C U J G H O T S A W J Q Y A I
O E U E N R J E Q C O I E S B C M O A F
E C P H Y K N B S G A R A A R E T T U B
X F S S C I R O W N T S S O K W Z C A K
E O Z A V T Y W N A L Z O E R S W T F I
G C D S B S E O S A S R J I R K A N R P
J H V W A A Y K S A I A V H O A S U E K
B G S U V A T R R M E M B Q L W D P C Z
R W C I M F M Y B T O R G I N P P I X E
Z E K F L R X V I J Y U H C J E C C S T
I Q G Y U E C I U J E M I L R I O L I H
U F R O U G R M H O N E Y O Q F J T T A

BBQ SAUCE
BUTTER
FISH SAUCE
HONEY
HORSERADISH
KETCHUP
LEMON JUICE
LIME JUICE
MAYONNAISE
MUSTARD
PEPPER
RELISH
SALSA
SALT
SOY SAUCE
STEAK SAUCE
SYRUP
TABASCO
VINEGAR
WASABI

ANOTHER WORD FOR HAPPY

Puzzle #97

I Q L U F Y O J E O F O V V Z T W W U D
X M O A U H B T G Z D Y G G L E E F U L
B S E E Y N N L O B P Z P A N Q Q D D Q
B F B E A A B L I Q L B U O Y A N T E C
P S H Y T X E Q K S B I O C A N G Y T Z
J C N L T X S C S Z S Z T P C E B I R J
T Z U H H F M W S P Y F C H V E F C A O
W X D L R L E C X T I O U T E R H I E L
E C V Q I U R O R J A W R L O F L F H L
T C J B L G R Q W N D T D J Y E T I T Y
R K N O L R Y E D E C B I R M R L T H Y
L W O Z E F J G L O W R E C T A V A G U
U V P Q D O A I T K E E C C O C B E I L
F H T P U M G R O R H S Q U Y Z Z B L O
R C I V S H Z P A C E F R A D I A N T X
E X J Q T D E L D V B W Q W R C D D X T
E K R E O F U B Y K X H O P K X P A T K
H X D H X C L Q U N T R O U B L E D U M
C P J Z O X K B B N H M R E H Z A Y Q D
H H R J C B D E T A R A L I H X E B G Y

BEATIFIC
BLISSFUL
BLITHE
BUOYANT
CAREFREE
CHEERFUL
CHEERY
DELIGHTED
ECSTATIC
EXHILARATED
EXULTANT
GLEEFUL
JOCULAR
JOLLY
JOYFUL
LIGHTHEARTED
MERRY
RADIANT
THRILLED
UNTROUBLED

CAR PARTS

Puzzle #98

Q	C	X	E	R	B	S	C	L	R	D	R	I	V	E	T	R	A	I	N
X	F	J	D	U	E	A	V	L	D	R	J	R	S	D	P	Q	Q	A	U
E	A	E	X	K	E	N	G	I	N	E	X	H	T	T	N	O	F	X	F
M	W	H	A	F	D	W	E	A	Q	C	B	W	I	K	R	D	R	X	Y
M	X	R	M	F	W	B	V	H	R	T	O	P	R	P	A	U	V	X	G
I	B	V	O	Q	T	L	M	M	N	H	M	N	E	X	G	C	T	G	J
S	B	U	M	P	E	R	A	A	G	E	B	M	S	I	V	U	O	S	F
S	W	Y	N	E	J	R	Z	G	C	D	V	G	W	O	R	U	V	X	M
I	W	K	H	Z	B	B	F	M	A	F	D	U	Z	V	L	X	V	A	K
O	L	W	Y	A	T	M	V	O	R	O	T	O	R	U	O	E	B	U	O
N	B	N	W	G	P	H	Y	R	E	T	T	A	B	I	T	V	T	X	K
B	V	O	V	P	R	T	H	I	D	K	Y	B	H	E	I	A	M	Q	F
W	T	G	K	Q	V	N	O	V	E	Y	C	G	K	Z	Y	E	P	I	R
S	X	X	Q	D	K	K	O	L	W	G	W	I	Y	V	R	U	L	O	I
S	X	H	T	S	G	Z	D	V	G	A	P	O	J	E	C	T	T	B	K
Q	H	S	K	D	J	B	D	Q	D	S	G	A	T	Q	E	A	P	B	P
K	A	O	R	R	H	U	E	Y	B	K	U	R	R	R	I	H	E	K	E
R	N	W	C	O	M	J	A	L	W	E	A	F	S	D	F	S	O	C	W
C	T	S	J	K	O	N	R	Q	T	T	Z	Z	A	S	Q	A	Z	Q	K
H	T	A	I	L	S	D	T	W	S	S	N	R	X	I	K	G	V	R	K

BATTERY
BELTS
BRAKES
BUMPER
CONSOLE
DOORS
DRIVETRAIN
EMMISSION
ENGINE
FILTERS
GASKETS
HOOD
RADIATOR
ROTOR
SHOCKS
STARTER
STRUTS
TIRE
WHEEL

DANCE FEVER

Puzzle #99

```
F W Y Q J H C T Y A U O E D L R A P Y P
V Z R I D D Q O Q J B H Q L W X K U D O
G C V T K D Q A N U I M I J F Z Z V B L
N E U L M Y P U J G I T U Q V F P N U K
Y Q K L G C H A C H A C T R B I U H B A
F R E A K A R V A N H Y K E X J L H N J
S R L C J E R I X F Z I L S R O A I S K
I Q A W J I W T V T S I W T T B C B Q B
N E Q Y D P Y U T V I L N Q U E U S V B
M H N X P E G M O R P E O Y X S P G I W
R L C W F J K H J E X B I Y X Y M H F D
L W T H J Q N A T X E T T E D K L H P C
Y I Z S A J E S U R T L O A V O D S A S
T M X H J R E T E V G D M L E X C U T O
G C M L T N L B C S O C O P O T S S U B
P O E I O E C E F E H J C T A V Z R Y M
O Y V Y H R G M S H E J O S M T Y G A T
H G K R D S F L M T I L L R D R O M B W
U O O E N B G B F H O A V V U B B K M S
W J R P J U J X H F S N W G V O A C S F
```

BUS STOP	**FREAK**	**ONE-STEP**	**SALSA**
CHA-CHA	**JITTERBUG**	**POGO**	**SHIMMY**
CHARLESTON	**JIVE**	**POLKA**	**SHUFFLE**
CONGA	**LOCOMOTION**	**QUICKSTEP**	**TWIST**
DISCO	**MAMBO**	**RUMBA**	

IN THE JUNGLE

Puzzle #100

```
J G Y V H E Q V N X C H L B K S U O S L
B O A X F L O I H G Q H H K T Q Z X R M
C B Q Q R C F W O A G R I I Z O V S A R
G S G O R I L L A P T O V M P L U X U D
F E K T N I Q Q H Z R E W R P P L C G O
M R P T G T L W M A R U E O E A O P A C
R U R X K C O E N L B C Z H Y G N V J N
Q T C N O L X G S F E A U J C X I Z I E
S L M A Y D U G R K J O T W Z E N T E D
I U V S Q T Y Y V D G I P E P O C F V E
P V Z P A M G O R I H C B A N L E B R Z
Y T W N W Z U S R U B R I T R A J D C B
J C A L L C K A D L A V B T X D K S O Q
A D L T A K F Q A P Y T H O N N C G K W
N K A W T F I C D K A V S M Q P P L A D
L R O M E E K H H J F B M M Y W B V P D
C U K J I B Q P Z E L E P H A N T I I N
W M X W E F O N I H R A G O R F L L U B
W E U A D M B Q J N Y D S H L O Z Z G V
L L R H P H Q C C H L M U R E Y R N H S
```

BLACK BEAR
BULLFROG
CHEETAH
CHIMPANZEE
ELEPHANT
GIRAFFE
GORILLA
HIPPO
JAGUARS
KOALA
LEMUR
LEOPARD
OKAPI
ORANGUTAN
PYTHON
RHINO
TIGER
TOUCAN
VULTURES
ZEBRA

MIDWEST COLLEGES

Puzzle #101

S	N	O	R	T	H	W	E	S	T	E	R	N	I	R	N	R	B	M	Z
Y	R	R	E	I	D	J	B	B	B	P	J	Z	K	M	W	O	N	X	I
B	T	E	A	T	T	O	L	E	P	J	D	S	P	E	A	R	F	L	W
Z	X	R	T	Y	A	A	Y	E	X	W	D	W	I	H	N	I	F	U	D
Y	O	R	A	A	C	T	J	X	L	J	M	F	S	M	V	T	M	N	E
M	F	O	T	K	L	V	S	A	U	E	Z	B	R	A	D	L	E	Y	Z
Z	G	E	B	Z	E	J	E	O	R	O	N	G	I	V	Y	F	Z	L	M
E	J	U	G	V	G	P	F	B	I	O	O	F	E	U	D	R	U	P	Y
L	R	P	V	S	N	Z	T	B	K	H	R	Z	T	F	K	F	C	H	Z
N	K	G	X	H	J	Z	G	Y	I	J	O	U	A	W	U	A	P	E	D
B	A	R	A	T	Q	O	S	V	G	Q	V	N	A	M	N	I	N	M	N
S	K	W	Q	Z	C	P	N	B	L	U	U	I	V	D	A	H	H	G	D
J	J	Z	J	N	S	Y	A	T	Z	U	H	A	N	J	I	L	L	F	C
W	D	U	B	M	L	L	V	R	F	N	M	N	J	L	F	Z	A	I	H
A	S	T	I	A	L	M	E	C	A	R	G	Q	L	B	V	O	C	K	T
B	P	B	M	S	K	P	C	R	K	W	Q	S	C	E	T	E	S	Z	V
A	T	O	T	T	X	E	W	R	G	D	D	J	T	T	N	D	B	S	T
S	G	A	O	Z	U	T	R	P	V	A	Y	K	A	H	H	Y	F	G	D
H	T	J	I	R	Q	T	R	N	L	U	N	W	W	E	S	J	S	W	A
E	G	N	I	R	E	T	T	E	K	P	A	U	M	L	A	I	S	S	L

AURORA
BAKER
BALL STATE
BARAT
BETHEL
BLACKBURN
BRADLEY
DEPAUW
GRACE
HILLSDALE
KALAMAZOO
KENT
KETTERING
MIAMI
NORTHWESTERN
OHIO STATE
OTTAWA
PURDUE
WABASH

COOKWARE AND BAKEWARE

Puzzle #102

V	M	T	W	L	W	E	B	R	V	M	M	I	T	T	J	Z	F	S	Q
X	I	C	O	O	K	I	E	S	H	E	E	T	F	E	R	Z	O	Q	X
M	R	S	M	G	Z	H	P	U	A	N	D	Q	E	Z	A	I	C	H	E
N	S	A	U	C	I	E	R	S	I	H	J	S	Q	Z	P	P	V	X	X
T	K	E	T	T	L	E	I	M	X	U	T	C	P	Y	Z	K	O	E	P
S	R	M	B	Q	H	U	W	B	N	E	A	V	S	A	B	G	M	T	T
P	P	U	E	A	J	P	S	Q	L	K	F	H	T	W	M	C	F	J	S
M	S	B	Z	P	Z	K	V	L	E	B	I	F	O	G	O	W	Z	F	H
U	K	N	C	Q	C	K	I	P	J	H	T	O	P	E	C	I	R	U	Q
N	L	C	W	A	S	K	A	O	P	Y	A	I	K	S	G	S	T	C	P
R	H	M	R	P	S	N	W	C	Q	W	K	H	C	O	N	Q	P	I	U
E	Q	T	T	I	O	J	C	P	I	G	B	Y	O	W	I	E	A	G	M
S	O	S	K	E	K	O	I	E	N	H	A	Q	T	P	C	S	F	W	U
P	A	Z	C	P	Q	R	E	L	I	O	R	B	S	M	I	V	W	S	O
G	O	U	K	A	S	N	E	H	L	G	K	S	A	I	D	C	T	O	B
L	S	A	C	N	C	H	X	Z	S	P	X	L	K	W	O	K	Q	U	P
I	X	S	C	E	Z	O	G	R	I	D	D	L	E	H	U	G	K	P	C
Q	H	A	M	H	P	C	N	W	Q	B	U	N	D	T	P	A	N	P	U
A	L	O	D	Y	E	A	K	Z	F	V	R	P	J	R	D	J	W	O	Y
G	L	Q	W	D	A	R	N	M	B	L	O	A	F	P	A	N	W	T	L

BROILER
BUNDT PAN
CAKE PAN
COOKIE SHEET
GRIDDLE
ICING COMB
KETTLE
LOAF PAN
PIE PAN
POACHER
POT RACKS
RICE POT
SAUCEPAN
SAUCIERS
SKILLETS
SOUP POT
STOCKPOTS
TEA POTS
TRIVET
WOK

BASKETBALL Puzzle #103

```
P R U T U Y R E T L F J D P W N N E G H
R R D K E X R U N X R N T I H E N Y V T
R C V S U W O L E E R P K E I D S S A P
Q H X T V E R D D R N E N B V S F F T X
X P S G M R D R T F E I T O Z K P O E I
P R Z I X K Z A D O F T L H E Q U R E Q
Y V T W F J D U G Y E I E L F Q O D F O
E M A G M I R G M O T C B M U I D D R M
X P J F A K A D W S T I N H I O V Z V D
M S N K E X W B C O K C O L C R F E G L
W E O W T W R V H X E F K N Y S E C M D
O N S G S X O S Q N E B Q L I A W P V A
K J T T P Z F H A L F T I M E H L E U E
O D L X N W N V D X H Y X R Y N C E V L
G F P M F E H A Y Z C U N T D G Q A D C
C J F K S T N I O P O W T S E Y C S E O
Z H L E Q N T O X A D T U D H K T E Y R
R K T R N Z A R P F V J D I O E S Q P H
K P U T E S V X F P P P T J O H K A R V
K U V R D Z E K Z Q O R A G P M D Q B J
```

BASKET
CLOCK
DELAY
FORWARD
FOUL LINE
GAME
GUARD
HALF TIME
HOOP
LEAD
OFFENSE
OPPONENTS
PASS
PERIMETER
REACH IN
SET UP
SHOT
TEAM
TIME OUT
TWO POINTS

ART PERIODS AND STYLES

Puzzle #104

H H K T U A R B M N I W M F M Z O T W M
F J N M C E V D C S H S C S L A K O C S
O S S P A F W X K B I O I W P Q Z R S I
L Z D L W H Y J B C M V L T I H Q O W R
K P I C G W R K I I I F U J F Z F R V U
W S O T S B M S C T J V B A M A Q T I T
M X O P C X S S I K N B U V F K N O N U
R V C P A A H M I E D I Y Z T O A G L F
E F C I L R I T B L M S I B U C U X C X
N R H C F R T R B V A X J A D A F B K X
A Q V E P W D H O I B E I T I F F A R G
I Z R D H Y H E H M J M R Q N F L T K L
S V T J I H B L G K A B M R B J D C Q U
S Y G Z X G G A Q Y N N D U U Y V A V G
A A I P B E I N R A P B T R K S A R J T
N R Q L D P V T C O P T O I A Y R T O L
C A L W H W R I A Y Q T I L C C M S X W
E B T C P O R H S L I U O A V I S B U E
L I R T G F T R K M O X E V N D S A E K
M C Y P A M S I L L I T N I O P Z M L D

ABSTRACT
AFRICAN
ARABIC
BAROQUE
CLASSICISM
COMICS
CUBISM
DIGITAL
EGYPTIAN
FAUVISM
FOLK
FUTURISM
GRAFFITI
POINTILLISM
POP ART
PRIMITIVISM
REALISM
RENAISSANCE
ROMANTICISM
SURREALISM

ANOTHER WORD FOR HOT

Puzzle #105

C	G	N	I	L	I	O	B	S	G	N	A	C	B	Z	Z	H	E	P	Y
G	N	I	P	I	P	T	B	L	E	T	G	D	L	B	H	E	E	X	T
J	U	S	K	Q	Q	G	U	N	N	N	G	D	A	K	I	A	A	M	R
P	A	J	Q	D	H	W	A	E	I	Q	S	F	Z	M	M	T	Q	J	P
F	U	Y	F	C	A	M	C	D	N	N	Y	T	I	U	W	E	Z	Z	H
E	A	X	F	R	T	S	L	G	I	Q	N	I	N	H	K	D	U	C	Q
V	U	O	M	A	E	A	E	M	S	G	T	C	G	A	W	N	E	X	F
E	S	A	C	L	C	R	O	G	G	N	I	H	C	R	O	C	S	Q	P
R	F	F	A	S	G	O	J	Y	R	S	V	D	Q	O	J	N	S	X	W
E	L	C	Q	B	U	T	W	H	S	S	H	K	F	L	H	A	F	P	W
D	I	B	Y	R	O	A	S	T	I	N	G	M	I	G	N	E	O	U	S
Y	K	R	J	J	Z	B	R	O	I	L	I	N	G	O	Z	A	V	R	Y
D	N	S	O	C	S	X	E	D	L	Q	S	M	R	I	Q	X	Y	B	H
I	C	A	I	B	P	A	R	C	H	I	N	G	D	S	P	O	H	S	S
R	W	U	R	Z	G	N	O	V	W	K	P	Q	X	N	B	K	I	M	N
R	A	T	U	D	Z	A	W	N	B	U	R	N	I	N	G	R	O	V	I
O	Z	D	I	Z	E	L	Y	R	T	L	E	W	S	U	E	K	X	R	Y
T	X	L	P	G	J	N	I	J	F	H	Q	U	S	V	I	V	F	O	S
Z	P	E	G	R	X	L	T	N	Z	Z	N	Z	E	N	M	H	J	M	Z
A	U	N	D	F	O	J	G	A	G	C	K	F	G	Q	M	Y	K	I	S

ARDENT
BLAZING
BOILING
BROILING
BURNING
CALESCENT
FEVERED
FEVERISH
HEATED
IGNEOUS
PARCHING
PIPING
ROASTING
SCALDING
SCORCHING
SIZZLING
SMOKING
SWELTRY
TORRID
WARM

GROWS IN THE RAINFOREST

Puzzle #106

A	W	N	K	P	G	N	T	E	S	E	L	P	P	A	E	N	I	P	D
C	N	O	A	O	W	O	I	L	S	A	C	D	E	V	Z	Z	K	Z	D
G	A	V	V	K	T	R	U	N	S	G	C	Q	J	B	M	F	P	O	V
N	I	D	A	T	Y	E	R	C	R	R	Q	C	D	U	A	V	O	G	T
A	R	O	S	G	Y	E	F	V	Z	F	O	O	Y	B	U	B	R	B	R
L	U	M	S	E	F	J	K	P	N	D	K	C	U	B	M	H	X	S	E
A	D	M	A	B	J	F	C	P	B	R	Q	O	O	A	W	J	P	U	S
U	C	E	C	U	J	O	A	U	E	O	B	N	B	C	C	W	S	A	K
T	S	U	R	J	R	B	J	X	S	P	A	U	Q	H	E	D	N	A	L
P	F	U	R	U	M	Z	H	V	Y	T	V	T	J	J	A	A	P	C	J
X	E	X	C	A	B	L	H	C	W	L	A	S	A	I	I	O	F	Z	C
D	O	B	U	S	R	B	J	J	L	M	U	E	L	L	K	N	O	M	H
C	H	B	K	H	I	E	E	D	O	F	G	E	N	T	V	N	K	S	X
E	K	H	U	C	F	B	M	R	S	Z	M	M	R	T	P	J	D	S	K
Z	N	R	O	U	T	I	I	W	T	O	E	E	P	U	R	I	S	O	N
X	S	R	B	U	X	X	N	H	R	R	E	L	G	E	H	T	T	I	J
D	Q	U	I	Z	O	A	D	B	L	B	E	E	U	C	D	B	E	A	A
E	A	G	M	L	A	P	E	E	R	A	W	E	R	I	B	K	M	L	U
S	A	N	A	N	A	B	N	O	L	X	F	O	P	G	U	B	Y	V	R
K	Q	S	U	G	A	R	C	A	N	E	D	P	K	O	U	U	T	Y	J

BAMBOO
BANANAS
BROMELIADS
CASSAVA
COCONUTS
CURARE
DURIAN
FERNS
GUAVA
HIBISCUS
JACKFRUIT
JAMBU
KAPOK TREE
LIANAS
ORCHIDS
PINEAPPLES
RUBBER TREE
SUGAR CANE
TUALANG
WAREE PALM

PRESIDENTS

Puzzle #107

W	W	K	T	S	A	M	C	J	K	W	V	R	C	I	T	Y	H	U	J
J	H	F	F	T	A	O	E	E	O	T	G	X	L	Q	Y	Y	H	L	S
O	W	R	Q	D	O	F	N	C	P	H	W	B	E	S	O	D	S	Y	P
C	R	R	I	L	F	N	U	K	H	M	N	L	A	R	T	H	U	R	N
S	F	S	I	E	E	Q	N	R	F	O	E	S	R	G	A	P	U	N	I
S	O	D	R	D	L	A	V	W	A	N	C	N	O	R	C	E	S	O	X
N	G	S	Y	T	F	A	T	P	C	R	C	L	R	N	H	H	Q	X	O
E	O	S	K	D	Y	H	B	L	N	O	L	I	E	C	C	R	U	D	N
N	D	H	A	F	R	T	S	E	C	E	S	Q	Q	V	S	M	S	D	M
Y	G	W	K	T	M	T	L	C	L	O	F	J	R	X	E	L	Z	D	T
M	N	Y	N	I	R	G	D	N	N	L	K	K	D	J	C	L	J	C	B
O	X	Y	E	A	F	D	A	W	Y	L	W	R	T	A	M	V	A	H	O
J	L	R	J	V	M	I	T	R	O	N	O	J	U	C	I	A	J	N	N
P	I	G	M	K	E	U	R	P	F	F	B	U	Q	K	O	D	B	Q	D
Z	N	C	R	T	Q	E	R	Q	E	I	T	P	K	S	C	A	K	N	J
P	C	H	A	O	V	O	C	T	O	A	E	H	S	O	O	M	S	H	A
Z	O	L	H	O	L	P	W	K	Y	G	D	L	B	N	W	S	B	I	D
Y	L	C	O	M	T	Y	Y	A	M	U	F	I	D	G	M	A	G	U	N
Q	N	H	S	T	V	B	A	P	B	I	R	J	Y	J	Q	Q	Z	Q	U
L	X	I	R	F	T	P	Y	T	N	K	A	V	U	H	R	D	F	H	F

ADAMS
ARTHUR
CLEVELAND
COOLIDGE
FORD
GARFIELD
HARRISON
HOOVER
JACKSON
JEFFERSON
JOHNSON
KENNEDY
LINCOLN
MADISON
MONROE
NIXON
POLK
TAFT
TAYLOR
TRUMAN

PERENNIALS

Puzzle #108

M	L	A	B	E	E	B	I	I	L	C	N	X	Q	T	X	T	N	N	X
E	D	I	A	N	T	H	U	S	C	D	Y	L	G	H	J	Q	K	M	O
W	X	P	H	K	A	L	U	N	A	P	M	A	C	E	F	H	U	R	P
X	X	S	L	R	Y	O	H	F	I	Q	L	X	E	L	W	N	Q	A	V
C	W	S	L	I	L	Y	S	Q	T	O	A	B	N	I	X	A	I	V	P
L	Q	J	W	F	A	P	I	L	U	T	L	X	C	O	N	S	C	X	K
T	W	H	E	R	U	H	A	M	T	I	C	T	B	P	Z	I	O	U	T
E	O	B	R	V	S	I	R	I	T	E	J	S	W	S	Y	R	M	D	N
U	S	O	Z	W	E	Y	V	S	I	Z	H	P	M	I	G	I	V	Q	V
W	W	O	W	A	V	R	A	P	A	K	Y	H	C	S	C	R	M	V	J
Z	O	D	R	C	I	V	O	V	U	S	L	N	P	U	J	B	M	Y	Y
K	K	J	G	M	F	N	I	N	C	V	I	H	U	X	D	P	K	F	J
S	Y	N	A	H	I	T	E	M	I	D	L	B	C	T	L	P	L	P	W
R	L	D	S	T	W	R	U	G	R	C	Y	Q	R	T	F	S	G	D	U
A	H	L	X	I	A	O	P	W	R	H	A	B	E	A	Y	I	U	V	P
I	N	Z	L	V	B	Z	I	E	H	E	D	N	T	P	X	P	R	E	F
B	L	V	I	L	A	A	X	O	F	B	B	A	T	P	X	N	O	H	C
I	J	O	O	Y	D	B	R	I	M	L	Q	J	U	G	Q	N	S	L	T
J	L	M	W	J	Q	P	X	A	I	Y	L	I	B	F	Y	W	G	H	J
A	R	A	D	O	N	I	S	M	I	O	G	E	W	G	V	D	O	V	F

ADONIS
ARABIS
ASTILBE
BEE BALM
BERGENIA
BUTTERCUP
CAMPANULA
DAYLILY
DIANTHUS
HELIOPSIS
IRIS
IRIS
LILY
PEONY
PRIMROSE
THRIFT
TULIP
VERONICA
VIOLA
YARROW

DESERTS

Puzzle #109

J	B	M	T	J	U	N	M	M	N	P	A	F	N	O	S	B	I	G	A
R	Q	Q	S	C	A	G	H	O	A	K	K	N	I	V	A	D	R	L	I
X	J	O	R	R	A	W	S	K	V	Y	W	Y	T	L	N	E	B	P	O
D	L	D	O	B	I	P	S	U	J	T	K	N	Z	A	M	X	Q	K	J
G	X	N	X	D	M	W	D	V	K	Y	A	H	Y	Y	R	Z	P	T	O
E	O	F	M	I	O	V	E	J	W	D	J	B	S	J	L	T	I	Q	I
S	F	U	S	D	N	E	I	P	N	Y	P	N	E	E	U	K	I	D	F
I	Z	A	E	J	T	G	B	V	B	P	C	J	R	R	L	F	U	C	F
I	A	L	P	U	T	E	T	N	A	M	I	B	P	Q	N	O	A	M	A
R	B	E	A	S	Q	N	L	B	A	M	A	C	A	T	A	A	E	M	I
J	Y	L	V	A	S	R	L	P	M	B	C	O	K	J	M	U	S	Q	V
Q	X	X	P	A	X	I	D	V	V	B	O	V	C	R	U	X	S	N	I
K	G	Y	H	U	C	R	R	Z	U	D	W	S	V	F	Z	L	P	H	B
Z	A	A	B	N	I	S	A	B	T	A	E	R	G	X	D	L	U	T	O
A	R	L	V	Z	E	J	P	A	T	I	N	I	B	Z	W	J	V	H	G
A	G	M	A	V	U	Q	V	J	T	B	Q	U	F	V	J	T	Y	Y	G
U	G	G	A	H	B	M	Z	M	U	K	A	R	A	K	O	R	D	O	S
O	P	J	M	H	A	E	K	H	F	N	N	X	T	B	R	E	C	S	R
R	O	I	A	B	X	R	X	C	H	I	H	U	A	H	U	A	N	A	A
M	J	W	F	K	L	B	I	R	I	A	O	P	T	A	N	A	M	I	P

ANTARTICA
ATACAMA
BLEDOWSKA
CHIHUAHUAN
GIBSON
GOBI
GREAT BASIN
KALAHARI
KARA KUM
KYZYL KUM
MOJAVE
NAMIB
NEGEV
OLESHKY
ORDOS
SAHARA
SIMPSON
SONORAN
TABERNAS
TANAMI

OFFICE SUPPLIES

Puzzle #110

C	M	P	O	A	Y	R	F	T	R	C	O	X	Q	I	Z	O	F	H	I
V	H	K	H	N	E	O	Y	L	D	D	W	O	L	N	Y	C	W	K	D
D	Z	M	T	L	L	B	I	N	D	E	R	C	L	I	P	S	Z	T	P
Q	A	W	P	D	B	A	R	Q	P	G	Z	R	Z	Z	Z	Z	P	Q	R
M	R	A	E	R	Z	L	E	L	X	D	Y	E	X	I	Q	W	X	D	Y
X	T	R	D	R	C	S	R	P	A	I	J	T	F	S	S	U	C	L	I
S	S	T	P	B	M	T	A	P	F	S	V	H	H	L	C	Y	H	T	N
R	N	Z	Z	C	I	A	S	A	H	K	J	G	F	I	I	J	L	B	M
G	K	E	D	C	S	P	E	H	U	S	J	I	L	C	S	N	L	I	Z
N	C	C	P	M	J	L	R	Z	F	C	U	L	A	N	S	H	P	N	F
A	O	A	Z	S	T	E	S	L	K	Q	H	H	B	E	O	J	I	D	E
F	F	T	L	B	E	S	J	S	E	U	I	G	E	P	R	Y	C	E	O
S	Y	W	E	C	C	P	P	C	P	L	S	I	L	D	S	Q	P	R	H
R	J	N	N	P	U	I	O	V	A	B	M	H	S	P	D	S	Y	S	D
V	D	R	L	U	A	L	U	L	T	A	J	A	A	S	R	E	L	U	R
E	O	M	G	F	O	D	A	G	E	V	C	P	R	L	H	W	R	Q	D
H	T	W	I	D	H	E	S	T	T	V	E	E	I	K	T	O	R	N	J
B	C	Q	C	B	P	Q	X	L	O	R	N	G	N	X	E	T	X	E	N
J	Z	M	G	R	W	Q	J	Q	G	R	Z	E	B	N	V	R	T	S	A
G	F	O	H	J	C	I	S	P	I	L	C	R	E	P	A	P	S	T	R

BINDER CLIPS
BINDERS
CALCULATOR
DISKS
ENVELOPES
ERASERS
FOLDERS
HIGHLIGHTER
LABELS
MARKERS
NOTEPADS
PAPER
PAPER CLIPS
PENCILS
PENS
RULERS
SCISSORS
STAPLER
STAPLES
TAPE

COOKBOOKS

Puzzle #111

F	L	U	K	X	X	Y	K	M	P	R	S	U	N	M	I	Z	S	F	T
V	W	R	P	P	Y	U	C	R	E	G	T	L	G	B	E	O	B	V	R
O	U	I	W	A	J	A	G	Z	G	A	W	B	J	I	U	R	S	P	X
L	E	A	T	K	M	V	I	E	V	Z	T	O	J	P	E	L	W	A	Z
S	T	Q	V	L	U	T	F	Z	C	J	E	Z	S	A	H	V	W	Z	K
E	K	L	N	D	E	J	L	D	A	V	C	Z	D	L	H	W	S	S	S
C	R	R	Q	P	V	E	V	L	K	Q	E	S	V	U	B	Y	P	E	G
U	O	E	P	D	N	I	H	P	E	Q	P	S	Y	K	K	L	G	L	O
A	A	A	S	G	S	T	R	E	S	S	E	D	W	L	F	A	E	B	P
S	Y	K	C	D	V	H	L	E	H	B	H	S	N	Y	R	N	N	A	Y
N	K	J	G	A	A	T	V	P	H	F	S	X	G	E	U	X	C	T	K
L	G	H	D	A	T	L	E	F	V	K	I	E	V	M	I	E	A	E	E
U	N	T	O	O	H	Y	A	S	Z	P	F	E	M	Y	T	M	Q	G	T
Z	I	V	V	X	K	A	O	S	E	K	B	F	W	G	S	W	L	E	H
P	L	B	L	A	J	M	F	W	N	I	H	I	Y	D	A	Z	B	V	N
T	L	C	O	O	K	I	E	S	Z	A	D	J	T	T	N	X	M	N	I
G	I	X	Y	Y	R	T	L	U	O	P	R	N	S	H	P	V	K	D	C
D	R	D	A	X	E	M	Z	L	U	D	U	A	A	C	W	C	P	L	L
T	G	W	K	P	I	B	N	O	Z	X	P	O	Q	C	B	W	L	D	L
O	E	U	G	X	E	B	W	A	Z	E	C	W	A	S	R	Q	Q	N	V

APPETIZER
BEVERAGES
BREADS
CAKES
CANDIES
COOKIES
DESSERTS
EGGS
ETHNIC
FISH
FRUITS
GRILLING
MEAT
PASTA
PIES
POULTRY
SALADS
SAUCES
SOUPS
VEGETABLES

ART TECHNIQUES

Puzzle #112

O	R	O	L	O	C	R	E	T	A	W	O	I	L	P	A	S	T	E	L
L	A	O	C	R	A	H	C	L	N	V	P	P	U	G	O	U	G	I	P
K	P	S	G	K	X	Z	Z	M	A	E	O	G	I	W	G	R	L	V	A
W	L	I	C	N	E	P	E	O	P	N	T	O	F	O	T	F	W	A	T
T	B	O	C	B	Q	G	S	L	P	W	T	U	R	O	E	F	J	G	N
D	J	B	Q	G	A	B	G	A	R	T	E	A	N	D	M	G	V	Z	C
B	P	G	E	L	Y	K	I	L	N	C	R	C	Y	C	P	L	L	V	L
S	L	U	L	F	W	N	L	E	U	K	Y	H	X	A	E	R	L	K	A
W	R	O	L	G	T	I	M	V	N	L	J	E	T	R	R	R	N	N	Y
M	C	A	P	G	U	G	M	O	J	M	N	O	E	V	A	I	U	R	L
A	A	G	N	Z	I	X	L	Q	C	V	D	X	G	I	D	C	A	I	I
X	P	R	H	P	L	Y	Q	I	B	V	E	Z	B	N	W	O	T	Z	Y
L	D	H	K	V	K	T	L	I	M	G	J	F	A	G	T	H	B	H	I
L	F	G	I	E	C	Y	P	J	L	J	Y	N	K	O	O	J	N	R	A
O	K	C	Z	W	R	K	L	A	W	T	E	L	H	G	O	Z	E	G	J
N	C	D	C	C	W	D	S	B	C	P	V	P	R	L	Y	N	P	E	W
L	C	S	A	H	S	S	M	I	T	C	F	A	T	Y	N	I	G	A	Y
M	C	W	E	S	E	R	I	G	R	A	P	H	Y	H	X	L	Z	Q	X
T	V	H	V	R	Q	G	E	E	A	H	G	R	A	L	F	O	O	O	V
B	G	B	W	N	F	N	T	V	Y	X	Q	T	A	X	X	F	V	B	B

ACRYLIC
CHARCOAL
CLAY
COLLAGE
FRESCO
GLASS
GOUACHE
LITHOGRAPHY
MARKER
OIL PASTEL
PAINT
PEN AND INK
PENCIL
PHOTO
PIGMENT
POTTERY
SERIGRAPHY
TEMPERA
WATERCOLOR
WOODCARVING

GYMNASTICS

Puzzle #113

M F C Z R T S I W T R D T B K E U U A V
P L K O O N J R M M D Q U U L S W L U X
R E Z P M L L V E L A Q B D M R Q R F L
Q E I R T X S I P J A E E O N B O X Q E
Y H B J M L L R Y C D H B T R O L P N O
A W F L I P J Y A E Y V D C L R B E A J
B T L F R Z S H A B N Y D F N I Y P C B
O R Z E Q P T T O W K G H J M H P N T I
F A M R M H H N N H U F W Z U A Q F O F
D C O U Z B P U R W V L K K R D N K B M
D N J Q L C F O X J E J H A H W G I I T
O E A C T D C M M A N B T X U X K E T L
B W D T H I V J P R B U L G W A C X K U
N S D U S O X O B A S O W S O S I X P A
F L V Y C D R T T H H A E N I T U O R V
L K F L W T N S U K W Y A E C S U D T Q
Q X N F M Y I A E R Y K T A R V U X Z H
R S M J X Z G O H M N N L A Z T S S T I
H A N D S P R I N G L D U R Q D C U F U
D V W X B Q B U R I N G S L S L G J F K

APPARATUS
BARS
BEAM
CARTWHEEL
DEDUCTION
FLIP
FLOOR
HANDSPRING
HANDSTAND
HORSE
JUDGE
JUMPS
LEAP
MOUNT
RINGS
ROUTINE
TUMBLE
TURN
TWIST
VAULT

ANOTHER WORD FOR MIRACULOUS

Puzzle #114

V	D	M	G	H	A	I	N	E	P	W	S	G	J	E	F	T	D	H	P
L	V	G	X	D	A	B	S	N	O	T	N	W	C	F	G	G	F	J	F
F	R	L	I	X	R	H	L	N	R	I	B	H	U	I	K	C	A	W	V
C	Z	T	T	U	W	N	D	A	R	N	M	U	E	T	X	J	B	I	R
U	Y	Z	B	J	O	R	N	E	L	K	F	I	L	L	T	E	U	M	J
U	V	L	K	N	O	G	G	Y	Y	S	N	B	B	A	O	M	L	J	R
M	S	X	H	U	E	G	J	D	B	C	M	X	A	E	O	O	O	C	S
J	M	U	S	T	A	D	B	L	R	S	T	L	V	R	M	S	U	K	K
D	A	I	O	T	R	G	V	E	B	W	V	V	E	N	U	E	S	I	S
P	G	C	S	L	P	A	D	F	P	N	J	G	I	U	C	W	Z	G	U
T	I	J	R	B	E	I	E	F	Z	H	M	C	L	R	H	A	Z	I	P
H	C	N	N	Q	B	V	P	N	R	U	G	K	E	Z	E	Y	W	Z	E
B	A	Q	A	L	H	W	R	C	U	E	B	A	B	Q	I	A	J	Z	R
N	L	B	E	R	E	W	L	A	O	Q	A	G	N	I	Z	A	M	A	I
H	F	A	R	O	U	T	F	M	M	L	N	K	U	Y	H	H	L	T	O
F	S	T	S	T	U	P	E	N	D	O	U	S	I	M	F	G	Q	J	R
E	L	B	A	C	I	L	P	X	E	N	I	G	K	S	Y	R	A	E	L
U	A	N	O	J	R	M	A	B	T	C	Z	B	D	Z	H	M	H	S	U
U	N	R	H	M	A	V	H	I	L	A	N	E	M	O	N	E	H	P	E
L	I	T	R	D	X	G	Q	B	O	M	S	A	T	N	A	F	W	K	F

AMAZING
AWESOME
FABULOUS
FANTASMO
FAR OUT
FREAKISH
INCREDIBLE
INEXPLICABLE
MAGICAL
MARVELOUS
PHENOMENAL
STAGGERING
STRANGE
STUPENDOUS
SUPERIOR
TOO MUCH
UNBELIEVABLE
UNEARTHLY
UNREAL
WONDROUS

PIRATES

Puzzle #115

```
V P W T U P P P H A Q R T B N E W W Y Y
Y V O R H L D C X W A V Z S P A M J U W
E I M D K Q V A O X D N E G S H G X P K
F F G W S I K N D Z M D M D M O O S T B
V A R B W C N N Q A Z A A P R V Q O D K
C F I S U C I O S O E R K D O A C Z K D
X A L S D R H N O S H J K B P H E Q P K
V I R D D J I S O N O B V O M X X B A S
L H C I N N B E S I A U M F A K R Q C H
L E T Z B O A B D N C E C R F L A G S I
C O J A T B S L T Y F P C B I K L M L P
E W F T K Y E A S Y B O K O A E M G B W
C O L T O Z G A Q I P B E T R G A Y O R
Q E R X A O O V N B C R Z U O T R N N E
S O K V S C L G O F U O A A T R N W E C
K X K I I L D T V S V L D N N D R A S K
V Y E E L U Z M A D J D R P F E U A O S
A W K U V T E E J M D T O U B I Q D P F
I N K W E E R K P Y E A W G V E F C H E
G S D S R T K K N P I H S L C A Z N J T
```

BEARD
BONES
BOTTLES
BURIED
CANNONS
CARIBBEAN
FLAGS
GOLD
HOOK
ISLANDS
MAPS
OCEAN
PARROT
SEA
SHIP
SHIPWRECKS
SILVER
SKULL
SWORD
TREASURE

WHAT'S IN YOUR PHOTO ALBUM?

Puzzle #116

Y	D	O	U	S	J	P	I	C	N	I	C	S	M	B	P	Q	O	Y	U
P	A	R	T	I	E	S	R	P	K	W	N	M	G	Z	A	M	R	O	B
C	Z	E	T	R	N	T	R	I	O	D	N	C	N	N	L	B	A	G	C
E	Y	L	S	W	G	N	V	Z	V	J	Q	R	R	K	I	C	I	C	Z
F	S	G	N	I	R	E	H	T	A	G	P	I	B	Q	U	D	U	E	R
D	O	Z	Y	W	V	A	M	N	O	O	M	Y	E	N	O	H	D	R	S
G	G	B	M	N	N	H	I	T	U	O	K	O	O	C	S	V	U	E	L
T	R	D	Y	D	C	E	Y	R	V	X	W	P	A	Q	H	Y	S	K	W
K	A	N	E	R	V	K	U	Y	L	I	M	A	F	G	E	C	N	Y	J
K	D	B	O	Y	A	P	L	A	Y	S	B	F	P	M	E	B	O	W	P
I	U	I	Y	I	C	S	H	V	L	B	S	K	Q	O	B	D	I	L	R
N	A	R	C	E	T	O	R	Z	E	R	D	H	X	N	W	U	N	R	O
W	T	T	U	R	L	A	F	E	K	I	Y	Z	E	T	K	J	U	E	M
Y	I	H	J	I	K	C	C	W	V	P	U	W	C	S	P	Q	E	C	K
S	O	D	D	H	T	W	E	A	S	I	H	P	U	U	F	C	R	I	T
P	N	A	U	Q	R	O	C	P	V	O	N	K	N	A	E	E	L	T	T
Q	Y	Y	X	G	T	V	O	J	U	B	V	N	C	H	J	A	K	A	N
S	A	S	Y	G	S	R	Y	S	G	M	U	P	A	S	W	H	D	L	I
S	J	M	O	I	T	O	E	V	F	Q	H	I	D	Y	A	Z	N	S	A
Q	A	B	O	S	R	E	W	L	J	N	E	Z	L	F	O	R	N	A	F

ANNIVERSARY
BABIES
BIRTHDAYS
CAMP
COOK-OUT
FAMILY
GATHERINGS
GRADUATION
HOLIDAYS
HONEYMOON
NEW HOUSE
PARTIES
PICNICS
PLAYS
PROM
RECITALS
REUNIONS
SPORTS
VACATION
WEDDINGS

WHAT'S ON THE GRILL?

Puzzle #117

```
U R O A I A W K S S H P X O S U J Y S M
X Q X K Z D J B H A C M O T S G P I R E
R U Q R E K I L S I E A A R R C E K V F
M Y I P U R U H R F S R L H K J A F F T
K Z L M T K B W K C B W C L I C J M K Y
A V F R Z R E M P E W W O M O M H R A Q
E P O J O H A M B U R G E R J P A O A S
T H O W H S G N I W T O H O D A S H P I
S Y N T H W S H Z F T E S U B F I I I S
A S A G A L B S U G A R A P S A I T L V
N K N Y Y T G S M K Z F E K G Y D S G I
U X E W Y D O N W Y L W A G V Q W S H G
T C M G S Q D E I M V B C M Z V D Y O K
U C G D L U G Y S P O H S E O T A M O T
S V B D R U T S Z B I Y C E I Y I L I Z
A H H O T D O G S C J Z S X P L A E L R
L E R C O R N L K H I H A D D U Z E I P
M C K I E A R E C T L D U W V F L B R L
O J Y P M Y N M Y P B V B Y B E S I T F
N G P H N P R T H U N M I W W C Y D B T
```

ASPARAGUS
BRATS
CHICKEN
CORN
HAMBURGER
HASH BROWNS
HOT DOGS
HOT WINGS
KABOBS
MAHI MAHI
PORK CHOPS
POTATOES
RIBS
SALMON
SCALLOPS
SHORT RIBS
SHRIMP
SWORDFISH
TOMATOES
TUNA STEAK

WHAT'S ON THE MENU?

Puzzle #118

Q	U	G	Y	T	D	H	P	R	C	N	A	G	W	R	J	G	C	M	D
Q	Q	T	R	Y	C	I	F	W	B	S	P	E	C	I	A	L	S	M	R
Q	A	Q	V	U	C	W	V	X	B	W	O	B	P	Q	V	X	O	W	I
T	S	A	F	K	A	E	R	B	J	E	B	Z	A	R	U	U	V	U	N
B	Q	Q	V	D	C	L	W	I	B	C	E	E	N	S	G	D	M	M	K
U	F	L	G	E	R	I	N	I	S	L	M	R	S	C	E	D	I	S	S
X	T	M	H	S	E	C	H	V	X	Z	P	Z	I	S	M	D	Y	Q	O
C	L	Q	L	C	S	D	M	C	N	T	I	N	S	L	T	E	I	T	P
X	F	P	U	R	D	N	B	F	L	E	C	E	S	F	Y	N	F	S	R
S	O	U	P	I	A	A	E	Z	N	P	R	V	L	I	L	X	P	A	E
E	L	S	I	P	L	I	D	T	B	T	B	E	I	J	K	S	H	F	Z
N	U	T	A	T	A	L	R	I	S	E	S	L	I	A	T	K	C	O	C
O	W	H	A	I	S	E	N	W	N	L	E	Z	P	A	K	W	M	H	T
H	B	P	R	O	E	L	S	W	I	N	M	U	C	J	G	D	O	H	S
P	H	F	F	N	T	L	N	D	K	F	E	A	M	J	W	U	B	S	P
U	J	A	P	P	E	T	I	Z	E	R	S	R	G	L	R	A	E	R	T
Y	C	W	L	P	H	W	S	E	W	R	U	D	U	S	P	R	I	R	E
W	V	T	Y	C	C	M	D	H	I	I	N	N	D	G	D	C	V	F	X
A	L	A	C	A	R	T	E	X	N	G	C	V	N	D	E	T	W	B	D
F	V	N	Z	L	D	R	P	N	E	H	J	A	A	S	Q	K	Z	L	M

A LA CARTE
ADDRESS
APPETIZERS
BEER
BREAKFAST
COCKTAILS
DESCRIPTION
DESSERTS
DINNER
DRINKS
ENTREE
HOURS
LUNCH
PHONE
PRICES
SALADS
SIDES
SOUP
SPECIALS
WINE

WHAT'S IN THE FRIDGE?

Puzzle #119

X	F	O	W	G	S	M	Y	L	E	F	T	O	V	E	R	S	W	B	K
T	C	O	N	Q	V	M	E	L	Y	Z	D	U	S	B	E	A	T	T	V
F	A	U	K	M	I	Y	I	U	Y	R	J	M	D	G	V	H	J	T	W
R	V	S	E	L	O	V	P	Y	E	F	S	X	A	K	Y	Q	K	U	N
D	U	Z	K	G	U	H	E	S	E	E	H	C	L	O	D	H	I	R	A
E	F	S	U	R	C	V	S	R	E	T	A	W	A	R	N	P	P	K	Y
G	B	R	O	L	V	I	D	Y	N	G	N	E	S	A	M	T	V	E	E
W	T	N	G	E	N	L	B	X	L	Y	X	Q	A	V	P	U	K	Y	E
O	Y	B	H	G	J	K	Q	Y	O	V	N	B	N	Z	K	M	C	N	W
B	H	O	T	D	O	G	S	Y	Y	H	Y	X	U	P	E	O	C	M	Y
A	J	L	A	J	S	S	E	L	H	Q	S	J	T	Y	L	C	S	D	J
X	H	V	Z	P	G	C	E	F	R	E	E	B	L	E	I	P	A	S	E
L	J	W	B	G	G	R	T	E	Z	P	E	L	S	U	U	L	M	S	C
S	N	Z	J	Q	E	M	F	M	Z	P	E	A	M	B	A	G	V	Y	U
K	I	U	S	A	L	A	M	I	W	J	L	P	F	S	Q	S	W	E	T
E	S	I	A	N	N	O	Y	A	M	W	D	H	T	B	M	M	P	C	T
C	Q	N	H	X	Y	X	Q	R	N	T	Q	I	J	J	S	O	M	I	E
S	P	H	G	X	Z	M	S	I	E	H	U	Q	Q	W	H	K	Z	U	L
C	A	H	B	R	A	T	S	H	H	R	A	A	P	W	M	A	K	J	J
L	Y	D	P	O	N	E	S	G	F	U	N	M	I	G	D	J	K	V	P

BEER
BRATS
CHEESE
COLE SALW
DRESSING
EGGS
FRUIT SALAD
HAM
HOT DOGS
JELLY
JUICE
LEFTOVERS
LETTUCE
MAYONNAISE
MILK
SALAMI
TUNA SALAD
TURKEY
WATER
YOGURT

STOCK MARKET Puzzle #120

D F U N V O U R D J F P S A B X H U I T
T Z I C Q V K J R N M Y O U L X N P T K
R V K L K W K J B S T N L R W G H R F Z
A E F M T I M R L U T L U Z T F O L L X
D T G Q K G F Y M D C I S Y W F A X P I
I T N E M T S E V N I N L Y B P O K H U
N H Q C F U C N X R K U U P U E G L U T
G U W E C I R Q A E K K S B S Y C K I G
V S S P E U D F N K M T L T Q D I I U O
P F C R T O M J Q O H I K R W M Q W R Y
M W A E J Y N R K R C U D U F A T R S P
N H R H T M I Z U B X N O P P R A W W J
S S X Q O S G T R C U B S P A E O S J D
W S G W K L R L S F C M G C B C C N N E
D O O N O I A G L T L O B M Y S L E R E
O N M L I O M A B H U B Q N N G D O J T
I Q E Y J N U Y B V A F I Z K I S C S M
J Q G S X T R N I J P A Y V V V Q P S E
X J X R U K T A B J G H R I Z X V T X X
E E T M I C B J E Z B R D I A K L O T Z

BEAR
BROKER
BULL
CLOSE
DIVIDEND
EARNINGS
GAIN
INVESTMENT
LOSS
MARGIN
MUTUAL FUND
PORTFOLIO
PRICE
PUBLIC
RETURN
RISK
SHARE
SPLITS
SYMBOL
TRADING

TEACHER OF...

Puzzle #121

V	V	J	B	L	F	N	R	F	B	V	R	D	E	I	V	Q	Y	N	J
H	P	C	D	L	T	P	V	K	G	F	Y	R	A	X	H	U	Y	O	C
L	I	G	D	D	H	J	D	X	A	E	F	D	D	P	S	B	G	N	M
L	B	E	S	Y	H	M	Z	N	P	H	O	I	N	H	O	W	O	V	S
S	K	Z	S	K	E	D	V	C	F	Q	I	M	Z	A	U	F	L	M	C
C	P	I	Y	Q	A	H	S	D	N	Z	G	S	E	T	E	B	O	S	S
Z	C	E	A	Z	L	T	P	K	P	E	W	E	T	T	N	I	I	C	W
S	F	N	E	W	T	A	Q	Y	R	F	D	N	Z	O	R	T	B	N	J
Z	R	H	W	C	H	M	M	M	M	E	J	G	T	Q	R	Y	B	D	A
G	O	G	M	G	H	E	A	Q	Q	C	B	L	X	G	D	Y	G	R	K
O	V	D	Y	B	Z	N	N	J	X	D	Y	I	E	G	D	N	B	Z	S
V	E	Z	C	W	F	R	E	N	C	H	K	S	Q	D	I	E	C	F	S
E	F	U	A	E	A	D	K	H	P	N	N	H	Z	T	G	R	K	D	E
R	R	C	R	P	A	G	S	A	M	U	X	L	E	L	S	X	N	H	N
N	M	I	T	E	G	I	R	S	Q	Q	L	K	A	T	B	C	W	C	I
M	G	S	U	H	N	G	N	Z	W	M	R	X	J	N	F	W	E	C	S
E	S	U	U	A	O	G	P	J	S	A	I	I	M	P	B	Y	N	F	U
N	H	M	P	E	N	N	P	L	M	C	N	K	P	K	V	B	B	S	B
T	U	S	G	S	C	I	M	O	N	O	C	E	N	A	F	K	W	X	F
V	Y	R	T	S	I	M	E	H	C	C	B	K	T	A	Z	R	U	K	K

ALGEBRA
ART
BIOLOGY
BUSINESS
CHEMISTRY
ECONOMICS
ENGLISH
FRENCH
GEOGRAPHY
GEOMETRY
GERMAN
GOVERNMENT
HEALTH
HISTORY
MARKETING
MATH
MUSIC
PHYSICS
SPANISH
SPEECH

THE SPICE OF LIFE

Puzzle #122

```
A W O O H E P U Z H D Y M Z O J F G S O
H N Y W H I M O K P B D D G U X E L N N
L G V T A K I R P A P L J E X I T D U A
S L N B L R L H J L M N F M Q T S J R G
M G I B D L J V T D G T I O E A Q D Y E
T X N D N C E Y N H C H T M G I H Z A R
O Q C R L E J H T A U O T E U S S T L O
B U P I A B A J Q T P Q I O R C G H M C
S B S D M H N U X O F O S A N E V O L C
T A C N C L I B F E H D I Q I C J D I Y
B N Q H H F S R N O P E C I L A N T R O
I M K A U Z E N R E P I N U J Z A O V M
P P O Y R K E C R C D R A T S U M V I P
N B I Q O L U P Y E L S R A P O N U H A
G A L T L A S Y R E L E C M O D U T J T
O I G A M P T V D J H V M I N T T P X C
J O N Q F F K F A E L Y A B I B M N B C
R R U G P H Q O H K I W R V O L E P O W
N B F F E Q J X T Q U P Z I N Z G D Z O
R J X M G R Q A J D T T I X S M Q X F S
```

AMCHUR
ANISE
BASIL
BAY LEAF
CELERY SALT
CILANTRO
CLOVE
CUMIN
DILL
FENNEL
GINGER
JUNIPER
MINT
MUSTARD
NUTMEG
ONION
OREGANO
PAPRIKA
PARSLEY
SAGE

SCENTED

Puzzle #123

S	Q	V	O	S	Z	C	C	T	N	A	R	O	D	O	E	D	K	G	O
F	U	X	R	E	N	O	I	T	I	D	N	O	C	A	P	U	Y	H	Z
R	R	D	I	A	T	X	E	I	P	F	I	Z	G	F	R	Z	B	S	K
M	L	A	B	P	I	L	G	W	W	O	W	R	R	P	U	V	Q	A	P
T	P	T	B	A	Z	H	S	O	A	P	O	T	R	N	A	P	R	W	D
D	I	S	H	S	O	A	P	B	H	N	D	P	Y	U	I	R	D	Y	P
L	F	E	V	Y	N	A	E	P	R	R	J	V	M	I	O	P	G	D	T
G	B	V	F	B	G	M	K	C	I	C	F	W	N	A	K	P	Y	O	S
M	M	O	G	L	J	H	A	U	J	C	N	C	X	R	H	N	T	B	M
R	A	O	D	I	C	N	B	Z	X	G	E	J	I	H	V	S	M	O	M
I	O	E	E	Y	D	X	W	T	K	N	D	R	T	G	L	H	P	L	P
D	Z	A	R	L	S	W	L	J	S	B	K	B	N	E	O	W	E	J	F
S	M	F	E	C	Y	P	Z	E	O	K	D	K	E	U	T	R	R	X	O
D	L	J	H	N	G	X	L	M	J	B	O	A	G	S	I	M	F	A	S
P	E	G	I	C	G	N	V	A	Y	I	F	P	R	P	O	T	U	X	O
S	Q	P	P	K	H	O	I	S	S	O	C	Z	E	P	N	J	M	O	A
P	Y	C	Y	R	S	F	L	V	U	H	U	T	T	H	A	V	E	I	O
L	Z	E	O	F	U	N	I	O	A	O	B	E	E	M	H	P	Q	A	V
K	Z	U	L	D	L	U	P	O	C	H	Q	A	D	U	Q	U	O	I	P
K	U	U	E	A	W	S	G	A	B	H	S	A	R	T	E	P	H	M	V

BODY SPLASH
BODY WASH
CANDLE
COLOGNE
CONDITIONER
DEODORANT
DETERGENT
DISH SOAP
INCENSE
LIP BALM
LOTION
PERFUME
POTPOURRI
SHAMPOO
SHAVING CREAM
SOAP
TRASH BAGS

MUSIC GENRES

Puzzle #124

H	Q	S	L	P	A	C	O	J	W	N	M	E	T	A	L	L	S	K	S
V	Q	L	O	I	B	E	S	O	O	B	X	R	H	M	W	M	C	T	J
J	C	P	Z	Y	K	E	G	N	K	N	A	G	J	B	Q	U	A	M	A
H	J	A	R	N	U	R	I	O	I	N	A	D	R	B	J	P	G	Q	Z
W	T	C	B	L	S	T	X	W	S	O	F	C	W	M	H	P	E	W	Z
N	W	Q	B	W	A	X	W	G	A	P	F	D	I	L	D	S	E	K	D
R	Y	Q	Y	L	W	C	D	S	H	L	E	A	Y	R	O	R	I	C	A
C	J	R	M	A	Y	M	A	B	J	V	T	L	Z	F	F	D	I	O	N
P	I	I	R	E	A	G	G	E	R	M	A	E	T	K	H	A	L	R	C
I	K	N	W	S	T	O	I	R	C	B	P	R	R	I	X	L	D	D	E
D	F	D	O	K	N	T	O	I	O	L	O	J	P	N	A	K	E	R	B
F	E	D	Z	R	Q	S	G	J	I	C	A	H	M	T	A	X	Y	A	B
Z	K	Y	O	D	T	N	H	W	K	Q	O	C	A	W	X	T	N	H	H
Y	R	T	N	U	O	C	G	Z	P	P	D	K	I	M	D	Y	I	C	Z
V	N	L	X	I	H	T	E	P	O	Y	S	C	A	S	K	I	H	V	P
K	I	T	S	L	Z	U	A	L	L	H	C	M	B	U	S	U	D	B	E
N	A	T	R	O	I	J	D	L	E	A	O	E	W	J	W	A	K	D	J
U	A	Y	R	H	O	N	P	Y	V	K	Z	R	D	A	X	D	L	H	G
F	L	W	E	R	Y	R	A	R	O	P	M	E	T	N	O	C	C	C	J
V	O	D	J	O	F	S	M	E	L	O	D	I	C	J	N	Q	T	K	F

AFRICAN	COUNTRY	HARD ROCK	METAL
ALTERNATIVE	DANCE	HIP HOP	POP
BLUES	ELECTRONIC	JAZZ	REGGAE
CLASSICAL	FUNK	LATINO	SKA
CONTEMPORARY	GOSPEL	MELODIC	SOFT ROCK

CIRCUS

Puzzle #125

S	X	Z	C	J	Q	P	A	U	S	N	R	Q	X	D	N	L	G	Q	H
X	N	Q	B	S	L	C	O	A	A	I	P	F	Q	Y	X	C	I	P	L
O	Y	X	H	J	R	I	P	Y	N	V	Q	Q	K	W	V	P	C	O	N
Y	C	O	H	O	A	I	V	G	P	Z	O	B	O	C	K	H	X	G	N
S	W	F	B	Q	P	C	M	E	Z	Y	B	Z	Z	H	M	Q	H	V	Q
S	C	A	O	H	S	A	P	X	D	T	V	C	J	Y	C	C	C	P	N
U	T	N	I	S	S	G	A	K	G	E	F	C	I	G	A	M	F	J	Z
S	S	P	S	T	U	N	T	S	R	N	R	G	T	L	E	Y	I	Z	E
Z	T	K	E	L	J	U	M	C	Z	J	I	A	M	Y	E	X	X	P	A
B	N	R	A	M	U	R	S	D	R	I	B	L	D	Q	J	E	O	M	P
G	A	U	F	U	W	S	O	V	U	V	O	W	E	T	Z	R	L	O	W
N	H	L	U	T	N	F	X	D	J	B	K	B	V	V	T	L	M	H	X
I	P	B	T	X	R	E	Y	I	I	K	B	S	G	H	A	Z	R	E	I
T	E	K	E	O	C	A	H	O	R	S	E	S	G	G	Z	R	B	V	X
A	L	B	N	C	R	L	P	M	Z	U	D	I	V	T	G	R	T	S	T
E	E	R	T	E	M	F	O	E	U	J	T	G	M	J	Q	Q	Z	F	D
E	I	V	N	E	F	R	J	W	Z	D	T	I	C	K	E	T	S	W	G
R	D	A	N	S	W	B	U	E	N	E	U	Q	H	B	C	V	I	J	P
I	V	K	C	L	D	A	W	S	C	S	G	B	N	L	A	W	B	D	G
F	E	F	C	A	N	N	O	N	B	A	L	L	F	L	Y	I	N	G	S

ACROBATS	**DAREDEVIL**	**LION**	**TENT**
ARENA	**ELEPHANTS**	**MAGIC**	**TICKETS**
BIRDS	**FIRE EATING**	**RINGMASTER**	**TIGHTROPE**
CANNONBALL	**FLYING**	**SHOWS**	**TRAPEZE**
CLOWNS	**HORSES**	**STUNTS**	**TRAVELING**

BIRDS

Puzzle #126

Y	Z	B	D	N	X	N	G	X	I	R	Q	Y	D	W	R	L	U	K	Q
V	C	U	O	I	S	M	O	V	W	N	B	F	S	Y	Y	X	F	F	D
Q	C	J	W	X	A	I	O	R	S	R	L	L	R	V	H	Q	L	W	O
K	I	G	W	G	K	G	I	E	E	X	E	V	U	V	O	L	I	A	E
I	N	A	P	S	N	F	S	N	M	H	F	N	X	E	K	U	S	P	I
J	K	I	T	M	G	M	B	T	X	O	H	C	S	B	B	R	K	O	O
Y	E	L	D	Z	F	F	N	A	C	U	O	T	K	S	Y	I	Q	T	D
S	L	T	Y	M	H	A	W	K	F	L	K	V	G	E	Q	H	R	C	W
R	H	O	W	O	H	L	W	Z	W	J	E	X	W	I	L	P	W	D	L
L	C	R	D	B	W	H	F	B	F	L	O	A	W	D	U	G	W	V	C
V	N	R	O	A	Q	Z	M	A	C	A	W	E	L	C	H	R	A	N	B
Q	I	A	G	A	R	P	Q	S	R	M	N	R	A	G	R	I	H	E	K
F	F	P	N	R	I	I	S	U	R	N	R	S	N	T	D	P	W	U	T
W	W	P	I	C	E	F	K	W	P	N	D	Q	I	Y	U	Y	Q	W	I
Q	F	R	M	R	T	H	O	F	V	J	D	R	D	Z	D	M	C	Q	O
D	K	A	A	O	O	R	O	X	A	K	S	B	R	A	G	R	N	Q	P
D	C	N	L	W	R	B	J	Y	O	L	T	F	A	L	C	O	N	G	Y
B	A	E	F	A	Z	N	I	A	H	P	C	Y	C	Z	X	S	F	Q	U
P	Z	J	P	Y	G	V	O	N	G	V	N	O	I	G	I	P	W	H	P
L	J	S	E	G	D	Q	L	I	G	I	N	V	N	E	S	E	E	G	V

BLUE BIRD
CARDINAL
CROW
DUCK
EAGLE
FALCON
FALCON
FINCH
FLAMINGO
GEESE
HAWK
HERON
MACAW
MAGPIES
PARROT
ROBIN
SPARROW
TOUCAN
WRENS

ACCESSORIZE

Puzzle #127

I	P	L	E	F	V	D	T	S	E	Q	T	D	K	U	X	Z	X	J	K
F	J	W	I	K	Y	C	D	T	S	E	V	F	C	M	R	D	H	V	Z
D	L	T	T	Q	N	M	B	N	L	G	P	P	R	F	G	A	C	B	U
N	I	N	R	Q	T	U	K	K	K	K	N	I	C	A	X	Y	A	C	U
A	B	S	I	T	T	K	N	P	B	I	I	I	L	B	C	D	W	U	W
B	Q	U	A	W	O	A	N	H	U	E	I	N	R	C	H	S	Q	K	T
D	A	N	H	M	B	L	E	S	C	O	O	E	E	R	R	V	Z	D	B
A	R	G	K	K	D	Z	D	M	G	O	C	U	D	C	A	I	A	Z	U
E	B	L	H	A	T	J	Q	A	G	M	O	J	W	Q	K	E	A	T	U
H	H	A	W	V	E	P	T	L	M	Z	D	R	E	N	B	L	J	H	Q
G	Y	S	A	N	C	D	N	E	E	J	C	A	B	Z	A	F	A	B	S
J	B	S	T	M	T	T	R	R	R	I	R	C	A	R	G	P	O	C	Z
C	M	E	C	J	D	G	B	N	V	E	H	K	O	T	U	R	Y	Y	E
N	N	S	H	H	X	N	Z	V	K	Q	B	T	E	R	B	K	G	Z	D
V	O	J	H	Q	A	I	X	S	P	Z	V	L	S	N	N	N	K	I	C
Y	A	B	E	U	H	R	V	L	H	D	E	E	L	G	I	C	P	W	U
F	C	E	B	W	H	F	V	T	F	C	W	A	X	R	L	U	M	Y	F
C	D	R	J	I	Y	A	L	E	A	Q	W	S	E	V	O	L	G	Y	I
N	L	Y	L	D	R	E	W	R	X	C	W	O	C	P	I	O	Z	V	Z
U	A	Y	K	O	B	V	B	L	H	V	T	K	B	X	A	E	V	H	W

ANKLET
BAG
BELT
BERET
BRACELET
BROOCH
EARRINGS
GLOVES
HAIR CLIP
HAIR TIE
HAT
HEADBAND
NECKLACE
PURSE
RIBBON
RING
SCARF
SUNGLASSES
TOE RING
WATCH

I'M FROM...

Puzzle
#128

J	N	P	F	R	U	F	W	Q	V	Q	T	L	Y	H	O	V	G	B	L
B	L	B	S	O	X	T	W	A	T	K	R	E	O	C	I	O	L	L	I
I	V	L	F	C	H	W	A	N	Q	S	W	D	N	D	E	D	I	R	R
A	N	C	Z	P	I	F	E	H	V	R	A	I	O	N	Q	M	F	H	F
K	A	N	S	A	S	Y	B	M	P	R	L	W	J	J	E	G	N	P	O
N	H	Z	S	Y	V	E	R	M	O	N	T	E	G	J	U	S	H	Z	E
N	Q	C	N	P	L	V	G	L	C	A	B	A	S	Q	A	Y	S	R	X
E	A	X	J	J	A	H	O	H	O	Z	A	N	A	I	D	N	I	E	E
W	D	R	U	K	V	C	I	F	G	H	D	E	L	A	W	A	R	E	E
Y	I	Y	J	D	Z	G	N	N	I	R	B	Q	A	Z	G	A	A	A	H
O	R	J	C	X	K	Q	Q	Q	R	V	H	C	I	Z	N	M	R	R	T
R	O	B	Z	N	V	I	B	V	N	M	C	K	V	I	A	I	Q	O	M
K	L	J	B	L	S	M	T	M	I	Q	I	T	S	B	Z	S	D	A	K
Z	F	Y	Z	Q	Z	V	Z	D	N	T	C	N	A	O	H	R	G	O	Y
F	T	O	K	L	A	H	O	M	A	V	O	L	N	T	V	N	M	K	S
B	Z	M	K	B	U	V	M	A	W	C	A	A	E	A	I	A	A	D	P
P	U	A	S	K	C	B	X	A	S	W	H	X	T	M	I	N	B	D	M
N	D	H	E	B	T	U	I	I	A	W	A	H	O	N	S	Z	G	W	U
A	C	M	L	T	V	M	W	C	B	S	N	Y	E	A	X	V	I	L	C
L	D	O	A	I	N	I	G	R	I	V	W	Q	S	J	W	D	B	C	W

ALABAMA
ARIZONA
COLORADO
DELAWARE
FLORIDA
HAWAII
INDIANA
KANSAS
KANSAS
MAINE
NEW YORK
OHIO
OKLAHOMA
TENNESSEE
TEXAS
UTAH
VERMONT
VIRGINIA
WISCONSIN
WYOMING

TREES 1

Puzzle
#129

L R I F F F F M N F D B Y J L E X K Q D
O K R Z Q P Z A D E Z S W R R D V I E W
R I H E A Z I S A Y E F G C O L H I H L
U S R P Q Q X N R N O R S A Y K L X L N
R W C U R M I R E A Z L G E L P C B F O
A U N N B Z E Z P L N C C R E Q R I O N
D W P W V H C P O J T Q M E E R R E H X
O U O B C O L U R W I L L O W V T R S K
E S Y D S E D A E S P L F I H S E H O S
D K L G F X L L F G I A Q P U T H V S E
X I I H B P P E I E Q K L T O B Z N Y A
W U K P Y N E H N C I B P M Z L B K K E
G H W T I P A Q O H N Y X L T T J A U V
E Y C J I U C M C K L K Y Z N R O Q D Y
H E W R A X H F Z A K S C K U R E O F K
B J R V I W A U C Y S L V Y J S O E W E
Y M H T O B W U A X C E M Q Q W O L L J
U G H O M P E B F A T E O J G V V P G I
Z O R K X U K O Z Y L H I O J U A M H F
N R S A B K G R A U K M D N U M D F O A

APPLE
ASH TREES
BIRCH
CONIFER
CYPRESS
DEODAR
DOGWOOD
EUCALYPTUS
EVERGREEN
FIR
GUM TREE
HICKORY
MAPLE
OAK
OLIVE
PALM TREE
PEACH
PINE
WILD CHERRY
WILLOW

TREES 2

Puzzle #130

C	A	Z	A	F	Y	P	F	S	Q	E	U	K	B	O	W	L	J	C	F
B	A	H	Z	H	G	N	I	R	E	W	O	L	F	U	M	X	H	T	H
F	F	E	L	C	R	A	B	A	P	P	L	E	B	K	C	L	X	S	T
Q	O	M	C	U	H	Q	Y	I	R	Y	A	F	Z	H	L	K	C	D	Q
J	O	L	F	C	E	A	D	O	G	A	P	X	J	U	S	F	E	B	Y
T	Y	O	W	Y	N	Z	U	Q	W	A	S	M	I	T	J	V	M	Y	U
Y	G	C	C	W	G	K	F	E	M	Q	H	H	H	K	W	T	H	G	E
D	W	K	N	D	L	W	B	U	V	V	P	F	K	V	V	E	C	V	A
A	F	K	Z	Q	I	H	R	E	P	O	F	R	R	I	V	E	R	I	L
M	H	E	A	R	S	G	B	M	E	M	D	I	O	D	M	G	N	O	S
G	H	L	X	U	H	I	S	J	V	C	G	N	Y	U	I	I	N	H	L
B	Y	L	L	O	H	D	S	J	I	N	H	G	G	F	H	G	A	V	X
L	Y	S	O	X	P	V	H	W	O	R	Q	E	W	U	S	W	J	Z	R
N	I	A	R	N	E	D	L	O	G	E	F	Q	A	T	T	A	M	B	T
F	M	D	Q	T	Q	T	Q	G	X	T	Z	B	A	H	P	I	I	O	Q
B	C	Z	R	I	Q	T	P	X	D	S	F	L	O	A	W	R	Q	L	B
L	D	E	D	L	K	L	L	I	K	E	K	R	N	U	S	Y	M	W	V
Q	O	I	D	H	Z	R	W	G	N	W	N	E	Z	N	Z	O	K	A	M
F	I	R	H	A	T	V	C	V	F	P	S	N	N	E	S	J	S	W	I
S	H	M	R	K	R	B	S	J	G	E	A	S	X	J	A	B	I	A	O

AMUR
BAUHINIA
BEECH
BUCKEYE
CEDAR
CRAB APPLE
DOVE
ENGLISH
FIG
FLOWERING
FRINGE
GOLDEN-RAIN
HAWTHORN
HEMLOCK
HOLLY
JAPANESE
LONGSTALK
PAGODA
RIVER
WESTERN

STRINGS, WINDS, AND BRASS

Puzzle #131

I	J	Z	B	J	S	E	P	I	P	G	A	B	G	V	C	F	W	W	U
B	J	N	Q	O	Z	S	G	M	K	D	E	N	H	I	N	E	U	H	A
Z	Y	K	X	A	K	R	N	L	N	H	E	E	R	M	B	V	L	K	K
O	B	R	N	H	Z	X	E	M	Y	L	R	F	L	O	C	K	O	L	Z
M	D	V	H	E	T	L	J	F	Y	F	I	A	U	Z	H	O	F	X	O
T	N	R	M	H	L	S	J	V	N	Q	E	V	L	J	Z	S	F	L	Z
K	B	M	E	N	O	B	M	O	R	T	J	C	Z	A	J	O	J	V	N
C	H	H	Z	P	N	R	Y	R	W	H	I	R	B	A	S	S	I	W	F
L	O	O	B	O	E	V	Y	R	G	R	M	U	W	N	O	O	G	S	S
A	Z	T	R	B	F	Y	Q	O	P	L	L	M	O	T	L	P	B	L	Y
R	C	Y	R	E	W	W	L	K	T	R	Z	H	A	I	K	F	X	S	A
I	O	R	A	U	B	I	V	U	P	G	Y	O	N	F	Y	Z	P	C	E
N	R	H	Z	D	M	E	S	I	U	N	W	R	S	F	L	U	T	E	G
E	N	T	M	G	Z	P	C	X	C	H	C	N	R	L	N	F	K	G	J
T	E	Q	G	G	D	C	E	Q	R	Y	L	V	W	L	D	J	T	U	R
V	T	E	W	W	O	K	F	T	B	O	Z	A	H	E	G	U	C	I	U
S	I	Q	E	L	E	Z	B	O	J	O	B	P	C	Z	B	G	R	T	D
I	X	O	O	B	J	T	T	M	M	N	H	N	N	A	F	D	O	A	E
E	N	T	L	T	F	J	M	A	O	J	N	O	O	S	S	A	B	R	U
N	A	H	S	A	X	O	P	H	O	N	E	I	E	N	T	J	X	S	A

BAGPIPES	CLARINET	HORN	TROMBONE
BASS	CORNET	OBOE	TRUMPET
BASSOON	CRUMHORN	PICCOLO	TUBA
BAZOOKA	FLUTE	REBEC	VIOLA
CELLO	GUITAR	SAXOPHONE	VIOLIN

PRO FOOTBALL Puzzle #132

T	B	S	M	U	I	D	A	T	S	L	D	N	D	G	V	B	P	W	I
D	F	T	N	C	A	S	R	M	C	I	O	B	Z	E	C	S	P	R	T
J	Y	W	K	J	N	S	R	P	N	A	O	S	O	C	A	A	E	J	L
X	R	R	W	Z	W	N	C	S	O	B	R	A	E	X	S	C	D	T	V
W	G	C	J	A	X	A	Z	E	J	S	P	T	R	H	O	B	X	L	S
S	Z	G	L	M	I	R	Y	O	M	R	I	E	N	R	C	S	Q	S	A
Y	P	E	E	E	N	E	Z	G	Q	H	N	T	D	O	O	A	R	Y	H
H	Z	V	A	M	H	T	I	Y	H	O	A	S	I	D	C	E	O	U	A
F	S	Y	G	E	F	E	L	N	I	K	X	O	C	O	Y	Y	J	C	B
A	M	D	U	M	A	V	M	S	E	H	V	K	K	A	N	U	D	I	K
X	R	A	E	J	D	S	S	W	K	U	R	N	L	E	P	S	J	J	D
U	J	C	S	I	S	I	A	L	V	F	C	P	J	F	C	R	I	L	C
W	N	J	S	C	M	R	V	M	S	E	L	U	R	O	O	K	I	E	S
N	F	I	T	M	O	V	E	I	L	U	A	S	M	A	E	T	X	R	O
U	E	B	O	W	V	T	R	G	S	T	N	G	G	M	T	V	Y	B	F
J	C	C	R	N	I	X	S	P	A	I	F	O	E	U	T	V	X	W	S
P	S	G	P	G	A	V	I	L	G	N	O	A	B	N	O	Q	Z	Y	W
C	U	E	M	P	L	C	T	I	L	C	A	N	R	U	T	K	Q	G	L
R	O	Q	U	B	K	J	U	E	Z	T	E	M	S	D	L	S	A	G	G
Y	R	H	J	S	D	P	Z	A	D	Z	X	J	Y	D	B	D	E	M	K

AGENTS
BONUS
COACHES
COMMISSIONER
CONTRACT
DIVISIONS
DRAFT
LEAGUES
MANAGERS
MASCOTS
PICKS
PLAYERS
POSITIONS
RECORDS
ROOKIES
RULES
STADIUMS
TEAMS
UNION
VETERANS

CATCH OF THE DAY

Puzzle #133

V T H U P D X O Z A D M C U I G T O L L
Y R V N O J N W T I V T A Z I X U W V G
B Y F C L U E K L P L U J R Q T O T C M
A Q P E Y F B H Y A G B D W L J R S S L
Z N S S A B A E S L W I M K R I T J I E
P T V Y T P V O H I B L L A I Q N T H G
D X H C R E P H D T Y A E E Y E L L A W
M T Q M K P R D O C J H Q Q K F B T B K
K H C P G Q K W Y J J B S L P M H D T S
Q F J P G X D Y M N M Q Q H Y B S Q C L
G V C A R P K J X W S N Q S A U C A I W
H T E U Z J T K O S O N Y Q N R T L Q T
G S W O R D F I S H L Y Q F C F K U D M
O R W R T B T D H T E X I I I X R E A A
R V O I F W N Q G E V S M S T W J A G H
F Q C U I S M V I H H G H E R I Y N A I
U W U V P V E B Q S S F I Q N I Q U N M
Y D D L X E F F L O U N D E R Z X T O A
V O U E F G R Q B G C J H S L I S X Z H
S W W N O M L A S B U X A B S Q U E E I

CARP
CATFISH
COD
FLOUNDER
GROUPER
HALIBUT
MAHI MAHI
MARLIN
ONAGA
PERCH
SALMON
SEA BASS
SHARK
SOLE
SUN FISH
SWORDFISH
TILAPIA
TROUT
TUNA
WALLEYE

ANOTHER WORD FOR SAD

Puzzle #134

P	S	W	F	L	T	Z	G	H	Q	J	K	L	Q	E	S	H	Z	V	B
W	U	S	Z	Z	Y	D	E	T	C	E	J	E	D	E	K	W	F	B	R
Q	D	O	X	E	U	A	Q	G	Z	I	H	I	F	M	W	O	X	I	D
M	E	R	Y	P	P	A	H	N	U	J	S	V	I	E	T	E	P	X	W
I	P	R	E	R	Y	G	T	V	I	C	D	I	S	L	X	B	S	S	H
S	R	O	T	S	A	C	N	W	O	D	C	S	Y	A	L	E	K	M	B
E	E	W	I	K	M	L	J	N	P	Y	E	C	M	N	A	G	C	V	L
R	S	F	O	M	A	G	S	D	B	H	M	I	O	C	M	O	Z	C	M
A	S	U	G	R	U	O	C	O	E	Z	H	B	O	H	S	N	W	J	N
B	E	L	U	T	L	L	D	F	D	H	D	X	L	O	I	E	Z	R	G
L	D	Y	P	A	T	T	G	O	G	F	J	M	G	L	D	M	O	Q	H
E	U	U	T	G	U	F	V	K	W	Y	H	L	K	Y	L	L	G	A	D
I	C	E	O	T	Q	B	B	F	M	N	W	W	M	X	R	G	F	O	C
I	N	U	D	E	H	C	T	E	R	W	K	Q	C	O	Z	K	L	Z	C
V	M	J	Q	L	U	F	N	R	U	O	M	T	F	O	Y	E	U	W	N
B	G	N	I	R	I	A	P	S	E	D	J	M	Y	I	F	M	S	T	U
T	K	P	Q	I	N	C	A	Q	I	P	C	B	I	U	X	I	Y	D	P
F	U	H	E	A	R	T	B	R	O	K	E	N	L	P	H	V	X	L	J
F	E	S	U	N	W	T	N	E	D	N	O	P	S	E	D	Z	G	Q	D
J	Q	B	L	C	Q	V	I	E	N	A	J	I	L	H	O	E	V	O	T

DEJECTED
DEPRESSED
DESPAIRING
DESPONDENT
DISCONSOLATE
DISMAL
DOLEFUL
DOWN
DOWNCAST
FORLORN
GLOOMY
GLUM
HEARTBROKEN
MELANCHOLY
MISERABLE
MOURNFUL
SORROWFUL
UNHAPPY
WOEBEGONE
WRETCHED

TYPES OF SALADS

Puzzle #135

```
W X H Z Q T B R C K N C K E E R G U X E
V C K S T I S S J G B U I D E S S O T G
K T Z G W U J J N P J T H N P D H D M G
U B U G J R S I P I A S V B A F V Q L S
Q B P Q B F R A I L W I I D G E P W H X
O O A C H P D J I K Q S Z T E O L B Z S
N C O N S R N O N P F X N W T P R I I Y
O P P E T U N C J A D J C A D Z P R H A
D A R W D I U M A S Y G T R E P X O U C
U E E G X C P O F T C O R G B U H Y H S
X Z W G U R O A Q A O F A M V G I J W C
F S V M B F Y C S M E T B K X E D I A U
P B B O C L R O J T Z A H W V U M C B O
W E X R W B O L K N O C N A I I A W A H
R R A S E A C E L M T R H C N E R F V D
P U U O Q C R S P U I N V I U J O P H Q
O F Y L W K B L L L G Y S D C C E A V E
U U I G G L D A J H N U G L S K N G Y M
N L Q R N A Q W T C Z X W M A U E K T X
V C K Y V Y T M W F E H C G T R I N P H
```

ANTIPASTO
CAESAR
CHEF
CHICKEN
CHILEAN
CHOPPED
COBB
COLESLAW
CUCUMBER
EGG
FRENCH
FRUIT
GREEK
HAWAIIAN
PASTA
POTATO
SPRING
TOSSED
TUNA

UNDER THE SEA 1

Puzzle #136

H	S	I	F	R	A	T	S	V	F	A	N	G	E	L	S	H	A	R	K
L	A	R	O	C	F	H	S	I	F	Y	L	L	E	J	C	N	A	K	Y
T	C	C	I	S	D	L	S	K	M	H	C	U	Z	B	X	K	D	W	W
O	V	N	R	W	B	N	U	M	L	W	Y	O	R	O	W	L	X	W	Z
Z	T	B	N	O	A	W	K	L	L	X	O	M	R	J	D	C	M	N	I
R	K	C	U	I	C	A	I	V	C	D	I	U	R	A	Z	E	P	S	W
B	B	P	L	W	B	R	M	M	X	C	C	R	A	B	L	E	E	X	G
L	T	V	D	C	K	Q	H	S	I	F	N	W	O	L	C	R	F	F	P
O	F	Y	R	O	D	N	H	O	J	G	B	K	J	E	W	T	E	W	G
W	D	A	K	Y	K	K	W	U	C	N	C	V	R	L	M	D	Y	E	P
F	V	D	C	V	E	I	G	F	H	L	S	V	T	A	Q	M	J	R	F
I	L	V	L	E	N	D	H	Q	K	G	Y	E	W	Y	H	S	I	Z	X
S	H	O	L	S	E	V	L	A	V	I	B	Q	F	X	K	S	D	R	H
H	D	Q	B	C	L	T	W	K	N	O	I	Q	L	S	D	F	G	C	O
Q	A	I	Z	B	H	W	G	D	X	O	X	O	U	W	G	V	N	N	B
Y	J	N	U	R	O	C	O	Z	N	Y	B	P	V	Y	M	O	K	K	M
Y	T	G	M	Q	T	C	S	O	N	S	O	X	F	J	C	L	T	J	H
Z	K	A	T	A	S	T	L	U	T	T	S	U	A	D	V	K	O	N	A
C	L	A	C	P	P	G	L	E	C	E	U	P	Q	K	U	F	Z	P	O
C	E	T	Y	D	T	E	R	O	L	R	H	J	G	K	B	K	K	O	Z

ANGEL SHARK
BIVALVES
BLOWFISH
CLAM
CLOWN FISH
CONCH
CORAL
CORAL REEF
CRAB
EEL
JELLYFISH
JOHN DORY
KRILL
LOBSTER
OCTOPUS
OYSTER
SHARK
SNAIL
SQUID
STARFISH

UNDER THE SEA 2

Puzzle #137

G U G X G A D T J F T B Z Z J B P M D G
K Q J L H U R P L O F P T Z E B O L S L
M K B O M W P O G W H E L K Y U U L E E
S G T P H U U L I V R U W Z F S U H A K
I J V A G N E L W T O I N O Y A D C H Q
E D L Y D U X A L Z O O P L A N K T O N
K E G E H I X C O F E L O G O F X K R V
Q D R H R B J S L X L H C B E S C G S D
H N I H C R U A E S T D S R T G C E E O
S H U P M L Q B G B R M E W I A N I C C
R S T S H R I M P Z U W A P G U M O P Y
G I G J V H E T N B T I W W E P U V P Q
M F T F Z L C P O O A M E S R R Z D A S
R D J T S D W U H T E X E X S W O O N K
N R L I R O Z I L M S G D T H N H L W B
H O I D C E J U R Z V B J U A G T P M G
C W T A D B M A R L I N O T R C U H R L
E S E T Y Y B E N I D R A S K N N I W Y
A S P T G N F Y Q S B Q K D S W A N G K
W W D B C T S U Q F S A P Q T K G L I Z

COD
DOLPHIN
FLOUNDER
KELP
MARLIN
SARDINE
SCALLOP
SEA COW
SEA HORSE
SEA TURTLE
SEA URCHIN
SEAWEED
SHRIMP
SPONGE
SWORDFISH
TIGER SHARK
TUNA
WHALE
WHELK
ZOOPLANKTON

WAYS TO KEEP IN SHAPE

Puzzle #138

W	P	F	N	E	S	G	Y	N	R	D	R	W	S	I	K	O	J	U	W
S	M	V	U	C	N	T	C	Y	A	Y	F	N	A	R	G	G	C	K	R
H	J	U	J	I	V	A	E	N	H	O	L	R	P	L	J	F	A	R	W
P	Q	B	N	J	J	O	C	N	G	P	O	B	Q	B	K	Q	S	P	Q
P	Y	N	Z	P	S	I	T	H	N	O	G	F	F	H	T	I	J	Q	V
A	U	G	I	B	N	N	E	J	I	I	R	X	Q	R	N	Z	N	S	G
R	U	B	H	G	G	R	Y	D	T	P	S	I	E	E	I	T	L	G	N
O	O	N	G	G	C	P	I	R	A	N	A	H	G	L	I	S	G	B	K
O	I	O	N	N	T	G	J	N	K	Y	O	A	X	N	A	W	B	P	U
N	I	Z	I	I	V	F	W	N	S	V	S	S	O	M	S	S	K	E	R
O	R	I	W	L	W	Q	B	P	V	P	J	T	G	H	M	K	R	Q	E
B	K	J	O	W	L	M	C	T	I	G	N	I	K	I	H	I	N	L	H
F	U	E	R	O	Y	R	E	N	I	I	G	L	L	M	G	I	M	V	H
W	F	Q	G	B	O	N	N	E	M	C	B	G	W	H	L	N	H	M	O
R	E	W	N	Q	T	I	O	D	D	E	N	M	G	M	Z	G	S	C	T
B	F	I	U	R	N	X	A	Z	P	I	J	O	G	G	I	N	G	G	D
Q	M	E	G	G	D	B	F	O	F	S	S	T	F	S	O	C	C	E	R
F	T	L	H	H	S	Q	F	R	D	I	V	I	N	G	Z	A	V	V	D
V	V	Y	P	D	T	V	U	D	O	B	Z	D	M	R	K	O	M	D	S
O	V	J	R	B	O	S	O	L	L	A	B	T	E	K	S	A	B	Y	Z

BADMINTON
BASKETBALL
BOWLING
CROQUET
DANCING
DIVING
FRISBEE
GOLF
HIKING
JOGGING
ROWING
RUNNING
SKATING
SKIING
SOCCER
SPINNING
SURFING
TENNIS
WALKING
WEIGHTS

TELEPHONE

Puzzle #139

Q	Y	W	K	B	S	P	C	O	D	E	S	S	O	A	Y	Y	O	C	N
X	T	M	U	A	W	R	E	D	I	A	L	X	R	E	E	J	A	C	A
D	T	A	Y	N	N	F	C	A	J	U	I	Z	N	E	Y	S	E	E	N
G	N	M	Y	D	U	T	A	L	K	G	C	I	L	Q	W	Q	L	I	X
E	J	G	B	E	B	G	L	F	K	K	L	B	V	Y	G	S	O	U	M
T	S	S	W	E	R	A	I	L	A	C	H	H	V	E	W	P	N	X	P
U	L	N	E	O	B	M	S	F	A	U	M	Y	X	B	E	J	L	A	B
X	U	P	O	K	X	T	T	N	B	S	W	O	B	U	U	A	X	Z	F
C	S	Y	I	I	B	A	E	V	W	E	U	U	T	Z	V	N	O	C	T
W	N	P	L	H	T	O	N	M	A	J	T	P	E	Z	X	N	A	U	D
Q	J	J	V	M	D	P	J	G	M	T	T	U	F	E	M	U	T	B	N
O	E	N	X	A	X	T	O	Y	O	X	M	T	F	S	E	M	T	U	I
D	P	O	E	K	K	D	C	N	G	R	S	U	T	R	S	B	C	S	H
A	H	E	Y	S	I	K	S	V	E	J	L	C	E	Y	S	E	W	Y	N
N	W	O	R	K	I	E	D	G	E	F	W	C	D	I	A	R	P	S	Q
L	U	K	X	A	R	O	N	I	R	T	O	J	P	R	G	S	M	I	O
E	M	G	K	W	T	I	N	H	Q	R	C	R	R	E	E	L	W	G	O
O	T	N	E	F	R	O	E	G	D	S	V	T	K	T	F	G	E	N	T
R	B	U	O	M	G	H	R	F	S	F	N	O	Z	S	N	E	J	A	U
P	H	D	M	M	X	P	X	J	Z	L	A	T	I	G	I	D	K	L	P

ANSWERS
BEEPS
BUSY SIGNAL
BUTTONS
BUZZES
CODES
DIGITAL
LINE
LISTEN
MESSAGE
MUTE
NOISE
NUMBERS
OPERATOR
OPTIONS
PULSE
RECORD
REDIAL
RINGER
TALK

RETIRED

Puzzle #140

H	K	U	X	S	N	O	I	T	A	C	A	V	P	J	Q	S	E	J	O
T	I	U	T	B	W	A	T	G	B	K	U	Q	U	Z	F	F	K	T	B
I	C	Q	G	S	D	I	K	D	N	A	R	G	Q	X	F	Q	O	D	M
T	B	H	G	N	I	N	E	D	R	A	G	Y	G	B	X	G	R	W	E
R	V	M	N	B	D	P	H	O	F	U	S	Q	K	J	W	S	B	X	D
X	C	M	E	Q	W	O	B	A	T	Z	U	U	T	N	W	W	Y	S	I
S	C	A	I	N	G	G	H	O	B	B	I	E	S	U	A	A	R	P	C
Y	D	R	W	N	H	G	N	P	E	P	R	S	C	L	U	B	S	F	I
O	E	N	L	P	V	E	J	K	Z	G	R	T	P	Q	V	K	Q	Y	N
W	Q	G	E	H	O	T	M	D	S	M	W	E	J	Z	X	B	S	P	E
M	G	N	I	D	A	E	R	B	L	J	E	J	E	J	X	A	L	E	R
B	P	W	B	F	I	F	M	W	I	D	Z	G	Y	T	K	B	Q	H	F
A	G	A	L	V	Z	V	B	O	V	K	K	D	S	G	N	I	V	A	S
R	D	S	I	K	Q	A	I	B	H	W	I	O	L	L	C	U	A	A	C
I	F	P	W	N	F	O	C	D	S	R	G	N	W	D	U	N	L	Q	D
C	F	A	H	L	T	R	Z	M	O	N	E	F	G	Z	T	D	E	O	R
X	Z	N	U	U	A	I	P	H	K	I	N	M	H	G	F	X	J	S	V
B	V	I	C	P	P	E	N	D	C	O	F	T	M	J	R	H	C	M	A
S	H	O	P	P	I	N	G	G	O	V	C	X	Z	U	P	W	P	T	T
G	I	K	M	F	G	M	P	E	N	S	I	O	N	S	S	Z	R	Y	I

AARP
BIKING
BROKE
CLUBS
DIVIDENDS
GARDENING
GRANDKIDS
HOBBIES
IRA
MEDICINE
NAPS
PAINTING
PENSIONS
READING
RELAX
SAVINGS
SHOPPING
SUMMER HOME
VACATIONS
VOLUNTEER

TRIP TO THE FAIR

Puzzle #141

Y	M	O	G	M	D	Q	W	E	J	P	I	R	G	D	R	A	C	E	S
I	D	D	Y	H	O	P	I	C	S	P	T	R	J	M	Y	I	C	H	W
V	Y	N	A	H	V	G	H	A	H	R	H	G	I	D	E	E	J	U	J
S	F	M	A	C	X	T	R	A	C	T	O	R	S	D	O	Z	J	E	Y
H	K	L	T	C	V	G	S	C	S	U	P	H	Y	S	E	O	G	K	J
E	T	Q	W	S	N	Y	B	R	E	D	Z	J	Q	R	J	S	R	J	N
E	T	R	F	Y	F	O	Q	N	S	W	V	V	M	V	K	V	A	M	T
P	A	F	C	R	A	A	T	M	F	E	R	R	I	S	W	H	E	E	L
J	S	D	R	A	W	A	S	T	Y	A	F	H	T	M	S	Z	Y	P	B
Y	F	I	X	Z	R	P	S	Y	O	D	Q	R	V	J	Q	E	X	X	G
N	R	K	G	Z	G	M	H	J	R	C	E	M	O	X	N	D	M	R	P
E	I	Y	O	M	G	T	F	M	P	C	R	T	C	E	X	M	A	A	D
V	E	S	C	R	A	F	T	S	N	X	R	K	F	Z	P	N	L	N	G
K	S	D	N	P	U	R	N	O	U	V	I	Z	R	R	D	G	E	Z	T
E	Z	W	A	R	T	F	C	K	T	D	U	A	D	S	T	P	V	P	B
X	M	I	E	N	A	Y	K	P	S	H	B	Z	T	K	L	M	C	N	P
W	Q	U	S	T	O	B	L	O	E	B	K	A	S	C	P	O	B	B	N
K	Z	P	D	Y	G	M	H	D	I	L	N	L	S	K	W	A	T	X	T
T	T	P	U	L	Q	M	E	T	R	D	L	T	X	I	W	L	D	B	T
H	T	G	K	O	D	R	O	L	Y	O	R	A	O	F	S	C	X	P	I

AWARDS
BARNS
CONCERT
COTTON CANDY
COW
CRAFTS
DERBY
FERRIS WHEEL
FRIES
GAMES
GOAT
GRANDSTAND
HORSE
KIDS
LEMONADE
RABBIT
RACES
RIDES
SHEEP
TRACTORS

BODIES OF WATER

Puzzle #142

L	E	X	T	F	O	C	E	A	N	K	U	R	S	X	Y	L	D	K	A
E	R	D	V	D	U	Y	Y	R	A	U	T	S	E	W	D	A	V	U	A
N	K	S	C	D	Y	B	R	V	L	V	R	F	T	A	A	B	I	O	H
M	E	A	U	E	N	S	P	V	Y	R	D	D	I	S	U	M	E	M	Y
A	L	H	L	Z	A	L	P	I	E	Q	O	D	D	X	Q	P	P	W	Q
Q	G	F	U	U	D	T	Y	N	D	X	A	Q	C	K	C	D	W	K	C
F	O	S	L	A	G	O	O	N	E	I	J	T	H	J	F	V	X	N	Y
X	U	R	O	K	S	Y	C	L	L	A	F	R	E	T	A	W	Y	R	J
G	G	C	K	I	L	K	R	W	T	X	G	X	Z	Z	A	R	R	N	A
E	Z	S	G	I	A	E	E	P	A	K	Q	H	R	E	A	F	P	V	Y
T	Y	V	I	Y	P	L	E	Z	X	I	M	E	F	T	V	J	A	U	Y
C	A	Q	F	D	O	H	K	V	V	C	C	H	U	A	D	O	M	Y	Y
Y	K	L	Y	R	D	D	M	F	U	I	U	B	B	K	F	R	D	L	G
J	D	C	O	F	I	N	K	X	N	Z	I	G	E	J	K	D	E	G	Y
L	O	M	A	R	S	H	U	W	U	R	V	Y	K	K	M	N	M	Q	R
K	T	V	T	F	D	D	G	O	T	L	C	T	V	P	N	J	H	I	N
Q	O	E	K	N	L	Z	K	S	S	O	G	A	Q	A	Z	W	V	B	E
I	Z	O	O	Y	B	U	R	G	V	Q	Q	C	H	K	A	E	A	I	W
W	N	P	R	J	N	C	G	E	S	O	V	C	S	I	R	Y	H	Z	J
N	T	W	F	B	J	E	X	I	Q	V	T	T	V	U	K	I	L	D	X

BAY
BROOK
CHANNEL
COVE
CREEK
DELTA
ESTUARY
FJORD
GULF
LAGOON
LAKE
MARSH
OCEAN
POND
RIVER
SEA
SOUND
SWAMP
TRIBUTARY
WATERFALL

TRIP TO THE GROCERY

Puzzle #143

G	P	Q	K	X	O	A	R	B	M	V	I	T	D	C	R	Z	K	S	V
G	W	Q	Y	H	T	H	Q	Q	M	X	E	O	V	L	H	Q	Q	Y	D
G	H	V	A	F	D	V	C	E	K	Q	V	G	K	K	A	I	P	H	M
E	T	S	E	A	F	O	O	D	Q	D	K	X	E	F	Q	E	P	J	W
B	I	C	E	J	Y	K	O	P	R	D	Y	I	U	T	T	Y	R	S	T
Z	K	R	H	O	X	I	I	U	C	C	N	C	Z	X	A	V	Q	E	J
B	B	Q	G	P	L	Y	X	O	K	E	L	E	Z	B	K	B	Q	I	C
M	S	U	U	O	S	J	Z	S	K	Y	N	C	M	A	V	Y	L	G	U
Q	R	O	R	Y	G	U	H	C	X	C	F	R	X	W	D	D	P	E	L
T	E	M	D	I	G	D	I	X	J	G	S	E	G	L	E	B	P	F	S
Z	K	M	Q	I	E	H	E	H	Y	F	D	A	B	L	F	D	T	K	U
V	C	N	K	M	C	P	S	F	P	W	B	M	I	V	H	M	L	O	X
L	A	D	Y	E	I	C	U	P	K	L	I	M	U	R	U	V	N	Z	D
J	R	O	I	J	T	V	D	Q	V	M	E	E	Y	S	E	E	X	U	P
Q	C	O	K	X	U	C	C	L	X	A	P	K	T	F	L	T	M	Q	C
D	S	F	F	R	K	C	H	T	T	M	A	A	R	F	V	H	T	H	W
M	A	T	X	N	D	K	T	U	E	Q	R	U	O	P	W	C	E	U	X
W	S	E	F	A	T	S	A	P	P	D	I	C	Z	O	I	E	X	E	B
A	T	P	G	M	N	J	H	T	Q	T	L	E	H	V	S	Q	P	M	I
K	X	S	D	P	M	R	Q	H	A	R	D	S	L	E	M	P	U	Y	E

BREAD
BUTTER
CEREAL
CHEESE
CHICKEN
CHIPS
CRACKERS
DELI MEAT
EGGS
FRUIT
ICE CREAM
KETCHUP
MILK
MUSTARD
PASTA
PET FOOD
SEAFOOD
SOUP
VEGETABLES
YOGURT

PROFESSIONS

Puzzle #144

L U R R T L N J R O T C A D O C T O R D
P C R O A S A K D M N R P A U I T G J E
C G L W P Y M P E X P C X W L E Z L Y E
V I Y S T Z S A S W M C H J V D V G G K
P E Y T P B E C I X T D V J T S I T R A
R G S T E I L T G A B U S P W A M O E L
I V H X X M A R N P R O A T H L E T E L
E F O P X P S E E A S M O N W Q T U P P
N P X T S H H S R G S I S I O O S A N S
G O N C E G L S P M N T N H R R B J H H
O Z H A L A H T N R S Y A G T U T O J K
Y A P J U R C R C I E D H F E V T S O J
S E D J W N A H T E B S B N P R E E A J
S V M U O T E N E Q T U I N U R S E N P
S U Z D S O E L F R D I O D W Q X M Z Z
B R P K A I W E U U D R H E E M L T E Z
X T C G C T Y D Z W M F B C H N N N B R
J O F S P O M O P G L N T J R R T K N X
R Q D W S B M M E Y U C H W M A X I P Z
P A N N M G P K O S F I R E M A N E B Y

ACTOR
ACTRESS
ARCHITECT
ARTIST
ASTRONAUT
DESIGNER
DOCTOR
FIREMAN
LAWYER
MODEL
NURSE
PILOT
PRESIDENT
PRO ATHLETE
ROCK STAR
SALESMAN
SCIENTIST
SINGER
TEACHER
VET

SHRUBS

Puzzle #145

Q	R	O	P	U	U	P	R	D	D	V	P	T	A	S	I	U	K	U	G
N	V	S	U	S	N	A	I	S	R	E	P	E	I	F	W	R	G	L	D
Y	B	U	M	V	S	H	N	S	K	O	V	L	E	N	Y	N	G	E	N
Z	J	M	E	M	I	Q	D	S	K	P	V	H	R	G	I	W	B	O	F
I	T	Y	I	R	D	A	Y	R	R	E	H	C	A	D	E	M	R	I	A
Z	I	N	D	T	P	N	Q	R	R	F	K	J	A	J	M	E	R	N	E
J	C	O	H	H	I	G	A	B	Y	P	X	E	A	K	I	N	G	Y	L
P	A	U	N	M	G	K	E	N	A	E	R	O	K	P	F	T	N	I	S
F	L	E	Y	P	W	R	I	E	K	P	E	F	D	T	J	O	I	D	D
C	I	Y	D	J	R	J	O	C	S	D	E	W	D	G	I	R	P	F	O
T	L	N	J	Y	W	U	U	V	B	Z	I	A	X	V	Z	R	E	D	O
T	A	T	A	R	I	A	N	R	L	I	M	S	G	N	B	O	E	F	W
L	I	C	Y	Q	T	X	O	I	A	B	A	I	K	A	A	W	R	N	G
T	T	D	H	X	W	O	R	R	O	M	F	G	C	N	J	T	C	R	O
U	W	W	Z	E	M	E	R	I	W	V	P	B	M	G	G	Y	S	B	D
H	J	U	Y	R	R	E	B	R	A	B	W	Y	M	Q	Y	F	P	Q	F
Y	A	I	H	T	Y	S	R	O	F	Y	J	W	O	P	Z	Q	Q	Q	K
U	B	T	B	E	K	I	P	S	F	C	U	Q	R	H	T	L	L	R	A
R	A	K	U	A	K	J	U	O	G	J	F	B	A	I	Z	T	U	E	D
B	O	R	D	E	R	O	I	Z	D	K	S	C	B	D	M	K	O	N	X

BARBERRY
BORDER
BROOM
CHERRY
CREEPING
DAPHNE
DEUTZIA
DOGWOOD
EUONYMUS
FORSYTHIA
KOREAN
LILAC
MENTOR
MORROW
PEEGEE
PERSIAN
SILVERBERRY
SPIKE
SPREADING
TATARIAN

AIRCRAFT PARTS

Puzzle #146

Y	W	R	D	X	I	J	S	Y	T	N	A	L	P	R	E	W	O	P	S
E	U	P	V	W	V	T	E	D	J	W	I	N	G	L	E	T	S	N	M
C	G	S	Q	F	A	E	C	A	N	A	R	D	S	F	M	Z	O	F	I
P	K	W	X	L	Q	J	B	K	D	C	P	T	N	A	X	R	A	O	Q
X	R	X	S	Y	H	Z	W	U	R	E	E	G	A	L	E	S	U	F	Y
P	L	N	U	Q	M	X	G	U	N	B	B	A	M	L	V	P	E	G	E
T	G	Q	I	N	Q	C	D	A	L	A	N	D	I	N	G	G	E	A	R
X	L	U	A	F	Z	D	L	W	T	R	U	A	P	N	A	C	W	S	S
N	V	L	S	M	E	P	T	E	Q	W	F	D	X	Q	L	E	D	R	Z
S	E	M	C	R	L	A	S	C	Z	V	L	X	S	H	B	O	E	H	I
G	K	H	E	I	A	B	A	B	F	F	H	P	A	S	R	N	S	A	V
N	C	J	A	Q	F	P	K	F	B	P	U	X	Y	E	N	P	K	S	D
I	R	T	I	F	E	N	S	G	H	H	G	Z	I	I	O	S	S	P	H
W	Z	J	W	N	R	R	A	C	C	B	E	T	P	I	C	Y	Z	A	E
Z	W	D	S	B	A	T	M	I	R	T	G	S	L	F	W	Z	L	L	U
F	I	P	A	J	H	P	Q	H	R	M	F	E	X	D	M	L	X	F	D
N	L	V	U	O	I	D	C	B	Z	Z	R	E	L	L	E	P	O	R	P
H	K	G	T	U	Y	C	F	U	B	S	I	R	V	R	L	S	A	T	O
P	V	A	I	R	B	R	A	K	E	S	G	W	R	Y	F	E	I	P	I
Q	T	S	R	O	T	A	V	E	L	E	B	I	C	L	B	A	B	O	B

AILERONS
AIR BRAKES
CANARDS
ELEVATORS
FIN
FLAPS
FUSELAGE
LANDING GEAR
POWERPLANT
PROPELLER
RUDDER
SLATS
SPARS
SPINNERS
SPOILERS
TAILPLANE
TIE RODS
TRIM TABS
WINGLETS
WINGS

SOCCER

Puzzle #147

T	R	K	C	G	O	A	L	K	I	C	K	D	R	A	C	D	E	R	F
J	L	W	Y	C	T	K	C	X	S	Q	C	E	K	E	N	B	L	Z	N
B	V	B	H	Y	A	N	U	T	W	D	I	T	H	R	O	W	I	N	P
O	F	F	S	I	D	E	Q	N	P	A	K	F	J	E	R	S	E	Y	U
F	O	U	N	Q	S	J	D	K	P	T	Y	L	N	L	Z	U	K	B	P
T	I	F	S	B	V	T	W	Q	U	K	T	A	P	U	S	Q	N	X	V
D	R	A	C	W	O	L	L	E	Y	J	L	J	L	H	D	I	D	O	F
W	R	Q	N	R	H	Z	I	E	G	W	A	P	A	T	F	K	X	A	F
B	E	W	N	Q	N	Z	B	P	E	N	N	E	Y	I	W	X	W	Z	O
A	M	K	U	S	M	N	P	R	E	B	E	C	E	T	W	S	C	D	K
C	D	R	O	P	B	A	L	L	E	P	P	L	R	O	A	O	P	M	C
N	I	H	L	M	X	K	D	V	R	P	Z	Y	S	C	R	J	K	U	I
G	S	M	L	Z	N	D	K	T	E	S	E	M	C	N	N	S	M	Z	K
H	O	N	Z	A	C	T	R	S	F	E	Z	E	E	D	E	U	F	X	L
S	I	A	I	I	W	K	T	M	E	U	B	R	K	L	N	K	L	V	I
A	N	C	L	G	I	R	S	H	R	I	K	D	B	L	O	M	V	R	X
T	U	A	O	X	I	X	B	P	P	I	R	B	H	I	A	P	A	S	S
J	X	P	Z	K	B	N	C	H	C	J	I	T	P	L	B	O	K	Q	N
M	I	Q	E	G	L	E	N	K	A	R	L	A	J	Y	R	N	G	O	O
P	S	R	J	H	X	T	H	D	D	Q	K	V	B	A	L	L	W	U	F

BALL
CORNER KICK
DRIBBLE
DROP BALL
GOAL
GOAL KEEPER
GOAL KICK
JERSEY
KICK OFF
NET
OFFSIDE
PASS
PENALTY KICK
PLAYERS
RED CARD
REFEREE
STRIKER
THROW IN
WHISTLE
YELLOW CARD

VEGTABLE GARDEN

Puzzle #148

R	S	T	E	E	B	X	A	L	A	A	L	R	R	A	V	A	S	L	F
R	E	B	T	G	Z	N	J	C	X	R	M	K	L	R	Z	B	R	E	O
T	R	A	N	H	E	A	I	C	F	L	T	S	Y	Z	R	T	U	T	Y
T	H	W	L	E	F	J	S	M	C	Z	E	I	E	O	V	Z	B	T	B
N	F	I	V	P	I	C	K	P	E	T	N	E	C	G	B	R	C	U	Z
A	K	O	H	L	R	A	B	I	A	H	L	C	K	H	A	Q	H	C	V
L	G	E	N	D	I	V	E	M	O	R	O	C	M	Y	O	B	K	E	J
P	W	U	E	L	A	K	H	R	T	L	A	T	B	W	K	K	B	W	N
G	D	O	T	K	G	F	S	D	I	F	E	G	Q	P	B	E	E	A	J
G	J	D	D	E	H	E	P	F	T	I	M	Y	U	X	A	Y	G	C	C
E	I	W	D	T	R	T	P	D	M	R	X	L	A	S	U	I	A	U	D
D	R	E	I	A	B	C	U	C	U	M	B	E	R	R	B	H	O	R	D
U	Q	X	D	F	R	Z	I	V	L	E	I	K	G	G	T	C	A	J	C
Q	Q	I	U	P	J	T	V	M	W	Y	Q	H	U	F	W	H	C	O	U
E	S	N	C	A	N	T	A	L	O	U	P	E	M	M	C	A	L	X	N
H	L	A	D	N	Y	R	E	L	E	C	L	A	K	S	R	L	C	N	V
Y	S	I	Y	G	V	X	R	A	B	B	C	K	S	R	A	A	R	X	Q
W	W	C	F	C	Q	O	U	S	X	P	F	I	O	R	V	O	R	I	D
Z	N	B	J	L	Z	S	N	A	E	B	W	T	D	G	C	G	Q	E	P
O	T	T	I	N	W	X	S	Y	Y	S	S	S	X	C	V	M	T	R	G

ARTICHOKE
ASPARAGUS
BEANS
BEETS
BROCCOLI
CABBAGE
CANTALOUPE
CARROTS
CELERY
COLLARDS
CORN
CUCUMBER
EGGPLANT
ENDIVE
HORSERADISH
KALE
KOHLRABI
LEEK
LETTUCE
SWISS CHARD

MY FAVORITE PIE

Puzzle #149

X	D	S	D	R	Y	J	S	T	R	A	W	B	E	R	R	Y	I	T	B
X	C	S	W	A	P	B	I	C	M	A	E	R	C	N	O	T	S	O	B
F	L	E	K	F	B	T	H	B	Y	O	D	K	I	P	F	P	H	O	T
L	F	M	F	T	T	O	U	R	L	R	P	P	E	B	E	R	Q	J	W
E	E	S	S	K	C	Z	R	E	C	U	R	U	D	Y	K	C	F	C	A
L	B	N	P	O	M	E	G	K	V	I	E	E	M	D	L	S	A	I	B
P	W	I	L	K	B	G	A	U	N	P	I	B	B	P	G	I	J	N	Q
P	P	A	L	K	R	D	A	H	C	A	E	P	E	P	K	I	M	V	T
A	T	N	C	L	B	L	K	B	U	W	L	C	E	R	S	I	K	E	Y
E	C	A	S	X	S	U	U	I	Q	U	Y	T	Z	B	R	A	N	O	R
B	L	E	L	P	P	A	H	C	T	U	D	Z	M	F	M	Y	R	S	R
B	J	J	T	Z	L	C	T	H	G	B	C	U	S	T	A	R	D	A	E
Y	R	X	I	W	T	E	S	O	M	Y	Z	Y	N	B	I	B	Q	M	H
N	G	A	S	L	D	E	M	P	C	V	A	O	P	A	C	V	O	T	C
V	Y	Y	B	U	N	S	J	O	P	I	G	M	P	N	E	K	O	N	T
M	A	G	G	U	A	H	M	Y	N	E	R	N	I	O	C	M	R	Z	J
L	V	T	O	L	H	O	I	P	D	S	A	P	Q	F	R	X	X	A	A
W	F	W	L	Z	R	R	N	F	J	M	S	P	A	F	E	X	E	B	R
N	A	T	F	O	E	L	C	X	K	A	B	W	L	E	A	O	P	W	S
D	E	K	L	G	K	M	E	D	Q	Y	Y	T	W	E	M	H	C	C	U

APPLE
APRICOT
BANOFFEE
BLACKBERRY
BLUEBERRY
BOSTON CREAM
CHERRY
CHOCOLATE
CUSTARD
DUTCH APPLE
ICE CREAM
KEY LIME
LEMON
MINCE
PEACH
PECAN
PUMPKIN
RASPBERRY
RHUBARB
STRAWBERRY

FRUIT BOWL

Puzzle #150

U	R	S	R	C	A	N	T	A	L	O	U	P	E	Z	F	W	E	B	R
S	F	L	S	J	R	S	F	J	W	E	D	Y	E	N	O	H	R	U	S
W	C	Y	M	X	T	V	V	N	O	L	E	M	G	H	W	V	C	E	H
O	F	X	U	Y	F	V	L	G	F	P	X	F	E	Z	F	N	P	T	C
Q	B	X	L	R	N	Y	W	P	H	I	L	H	Z	Q	A	A	X	E	E
I	F	W	P	R	O	E	B	O	A	N	G	O	X	P	R	E	J	D	F
O	W	B	J	E	M	Z	B	U	K	E	Y	I	N	G	T	P	R	C	L
N	D	D	Y	B	E	Y	E	C	E	A	N	Z	H	D	L	A	B	T	L
W	X	K	R	W	R	N	K	U	C	P	Q	W	A	X	R	D	A	T	N
Y	Y	M	R	A	G	X	L	Y	S	P	L	I	Y	A	A	N	X	D	E
E	R	C	E	R	Z	B	P	D	U	L	V	B	I	S	G	I	U	V	C
L	R	R	B	T	W	Y	P	D	H	E	D	S	L	E	X	O	Y	F	T
P	E	D	E	S	K	A	S	E	U	C	I	C	R	F	L	Z	A	R	A
P	B	N	U	B	Y	I	B	Y	A	N	O	I	F	H	K	B	M	A	R
A	P	L	L	J	K	F	W	F	S	R	N	X	G	B	H	Z	S	P	I
E	S	A	B	R	J	C	C	I	H	E	R	B	E	Z	F	D	B	R	N
N	A	A	H	I	J	U	A	A	K	F	U	P	N	E	T	P	J	I	E
I	R	K	F	A	A	C	D	L	S	E	L	P	P	A	I	X	B	C	T
P	G	F	J	I	F	K	M	B	B	X	T	L	K	J	D	L	L	O	T
Y	R	R	E	H	C	D	M	M	E	I	P	G	Y	A	W	X	W	T	U

APPLES
APRICOT
BLACKBERRY
BLUEBERRY
CANTALOUPE
CHERRY
GRAPES
HONEYDEW
KIWI
MELON
NECTARINE
PEAR
PINEAPPLE
PINEAPPLE
PLUMS
RAISINS
RASPBERRY
STRAWBERRY
TANGERINE

ROW YOUR BOAT

Puzzle #151

W	S	Z	B	R	Z	S	P	Y	S	Z	Q	U	R	X	R	L	Q	M	W
G	A	S	T	H	G	I	L	W	O	L	D	J	P	E	R	F	U	M	E
J	R	T	L	Z	V	L	E	V	A	I	F	W	A	J	I	F	F	M	F
R	Q	T	E	O	E	S	B	B	E	B	F	K	F	X	B	Y	J	U	J
C	S	N	R	R	N	H	E	N	A	P	Q	I	I	S	I	H	J	S	Z
K	A	O	S	E	N	U	X	R	W	Y	H	H	Z	U	D	T	L	I	N
R	N	Q	C	O	C	P	A	Q	W	G	J	U	A	B	O	F	U	C	V
L	A	N	R	I	O	L	S	N	W	D	O	C	T	W	V	N	T	N	Q
W	I	B	W	L	E	Y	T	G	J	E	B	H	E	X	E	J	J	O	T
M	Y	M	U	S	J	R	L	E	P	D	T	L	M	O	B	Q	S	N	R
I	F	P	A	R	B	U	A	L	Q	J	S	Y	P	V	L	F	Q	B	Z
A	G	L	N	N	C	S	S	S	M	C	R	J	E	Q	O	U	N	R	E
S	B	Q	U	U	Q	S	V	A	P	O	R	S	R	J	W	C	A	Q	C
N	E	T	A	O	D	C	E	C	N	A	R	G	A	R	F	D	H	J	I
Z	O	L	S	K	X	K	A	D	T	B	U	A	T	F	Z	C	M	H	L
B	T	I	D	W	F	K	N	K	Q	L	R	S	U	H	O	C	Y	U	K
S	M	M	B	N	C	O	G	C	Z	O	U	Z	R	V	L	A	T	K	Z
A	P	J	Z	I	A	D	T	R	M	R	O	B	E	S	Z	I	M	D	D
Z	F	A	Z	E	D	C	F	A	R	F	B	I	W	K	O	Z	S	O	D
L	A	R	W	I	Q	O	L	F	D	P	P	X	Y	E	P	L	G	R	Z

AROMA
CANDLES
FOAM
FRAGRANCE
GELS
INCENSE
LOW LIGHTS
MUSIC
OILS
PERFUME
ROBES
SALTS
SAUNA
SCRUB
SOAK
SPA
TEMPERATURE
TOWELS
VAPORS
WATER

COMMON WORDS

Puzzle #152

N Y A D R E T S E Y G K H B L O Q M P E

U L N V P W Z S R S P U K G E R C G O Q

V L D T D Y S C E E V H O E X F E Z C B

A K W D Y E P P O S A B E K C D O T F N

E Y B K R O Z K S U K D A J Q Q C R F R

R R D E H G A L N O E N Y S Y O V W E A

P E H K A Y T F S U M V A W V Q A M P N

B T V V U O T R E B L E R H W W P X M H

U F C E N E I E J Q S I T L T I J M C I

T O M I N N D V P C T V Y I B Z L R N D

O T G G J E F E E F O B L U M P M S I Z

I H T N L J H N D G M Y C O J E M B K W

T G I U C S G W V J O Z M J H U S N Z K

V L I F B Y U P W A R Y J B C T Z Y K W

O H Z R F Y B Q E V R T A W Y E A R O L

J L O E Y B D O O G O S W O X S B R O U

J N L F Z A H J G L W O U H J A M O Q O

U K D E D U N G N O W H E R E K H S R S

R O Y I H D S D C F U C I O R U K B J K

O P R X C K Y A D O T O S P F H F D V B

AFTER
AND
BEFORE
BUT
GOODBYE
HELLO
HOW
NEVER
NOWHERE
OKAY
READY
SOMETIMES
SORRY
THANKS
THERE
TODAY
TOMORROW
TONIGHT
WHENEVER
YESTERDAY

AT A PICNIC

Puzzle #153

S	D	N	E	I	R	F	E	G	E	H	Q	Q	O	M	S	D	P	V	J
K	E	Y	N	P	L	E	Z	U	N	E	T	G	C	Q	I	T	X	G	H
J	E	L	A	U	V	Y	C	B	I	B	U	E	Y	N	Y	R	N	A	E
K	G	R	P	K	H	L	W	J	H	E	A	Z	K	E	J	T	A	A	O
Z	S	F	K	I	C	I	P	Z	S	Q	H	S	S	S	N	R	K	U	J
S	H	G	I	J	P	M	Y	V	N	N	X	V	P	S	A	M	K	L	T
E	W	C	N	H	W	A	W	A	U	R	H	D	B	O	P	B	E	U	X
H	W	X	S	T	P	F	D	T	S	V	X	N	X	L	O	X	K	L	E
C	A	A	J	U	M	S	S	A	R	G	B	O	M	A	D	N	L	S	L
I	X	F	T	S	K	R	O	F	H	G	C	P	C	I	H	Y	S	B	G
W	E	I	Y	E	X	D	S	V	L	L	F	D	I	Y	Q	G	V	L	X
D	M	Q	K	H	R	C	O	W	T	D	E	S	S	E	R	T	L	E	J
N	D	W	Q	N	S	M	N	O	T	B	Q	D	A	J	V	N	F	M	Z
A	I	D	F	R	T	S	E	H	F	I	D	Q	J	L	T	X	H	O	Z
S	P	G	P	D	V	O	G	L	E	B	I	Y	F	E	U	A	P	N	L
Y	A	B	A	Y	H	X	Y	N	O	Z	P	X	K	U	T	E	O	A	T
T	E	B	R	R	E	A	S	L	V	N	D	N	K	A	B	N	G	D	Z
O	G	S	K	Z	R	S	E	E	P	Z	A	X	B	E	W	Z	K	E	Z
Y	G	M	F	Y	K	U	H	W	I	L	C	L	E	F	W	L	X	W	I
H	A	W	G	P	S	X	X	S	B	U	E	S	Y	J	U	A	W	Z	Y

ANTS
BASKET
BEES
BLANKET
DESSERT
FAMILY
FOOD
FORKS
FRIENDS
GRASS
LEMONADE
NAPKINS
PARK
POND
SANDWICHES
SPOONS
SUNSHINE
TABLE
TAG
WATERMELON

SUMMER TIME

Puzzle #154

M	G	V	P	L	A	Y	G	R	O	U	N	D	F	W	Z	V	S	A	O
J	L	E	Q	S	D	E	W	J	J	S	P	A	R	K	G	A	P	R	Z
Q	K	L	R	B	O	P	I	L	C	O	M	M	L	B	X	C	O	Y	W
U	C	G	A	I	O	N	F	I	X	B	R	A	C	W	C	A	L	R	L
C	Y	Z	G	B	Q	Q	N	F	V	I	L	E	Y	L	X	T	F	D	N
S	Z	R	U	S	E	C	E	H	Y	K	L	R	L	F	X	I	P	L	Z
A	G	F	S	B	I	S	M	I	G	E	D	C	Q	W	V	O	I	Y	S
N	Q	O	S	P	U	J	A	Y	E	R	Z	E	H	U	B	N	L	A	F
D	F	O	E	P	N	V	S	B	K	I	H	C	E	S	Q	V	F	Q	M
A	Y	G	L	N	D	O	E	M	J	D	V	I	E	P	A	W	I	O	S
L	W	Z	A	N	I	I	S	A	Z	E	P	S	C	N	V	K	C	U	T
S	V	V	T	H	A	H	D	C	N	S	S	C	A	H	L	P	N	C	Z
M	K	C	U	Y	J	J	S	V	H	A	L	T	H	S	X	S	J	M	K
T	A	N	K	T	O	P	S	N	L	O	N	B	G	Z	C	U	O	F	S
Y	R	V	U	I	M	V	X	G	U	U	O	Y	E	R	Q	D	M	T	T
G	I	F	Y	R	E	M	N	Z	S	S	H	L	E	J	T	T	R	L	W
V	S	W	I	M	S	U	I	T	S	H	D	E	I	E	H	O	F	Y	U
C	T	L	D	W	S	N	J	E	U	N	N	V	L	A	H	X	Q	R	O
A	C	T	I	V	I	T	I	E	S	Y	U	Y	A	S	J	K	D	U	Z
P	O	P	S	I	C	L	E	S	A	E	F	F	H	K	I	E	I	V	T

ACTIVITIES	**ICE CREAM**	**POPSICLES**	**SUNSHINE**
BASEBALL	**NO SCHOOL**	**SANDALS**	**SUNTAN**
BIKE RIDES	**PARK**	**SHORTS**	**SWIMSUITS**
FLIP FLOPS	**PICNICS**	**SUNGLASSES**	**TANK TOPS**
FUN	**PLAYGROUND**	**SUNSCREEN**	**VACATION**

WHEN IT'S COLD OUTSIDE

Puzzle #155

Y	I	S	B	V	U	Y	S	B	P	J	F	Q	F	V	A	S	Q	S	D
F	U	O	B	L	G	X	D	F	I	E	N	D	B	Q	S	T	A	S	U
E	F	N	E	M	W	O	N	S	C	Y	X	N	S	G	L	Q	Q	B	R
P	W	M	F	I	N	B	C	I	I	D	V	H	T	N	E	L	T	C	F
S	J	L	E	V	O	H	S	Q	C	X	W	F	A	I	G	C	V	U	U
Q	P	N	S	A	H	Y	Y	U	L	T	T	N	H	I	N	P	D	G	A
B	A	A	V	Q	J	D	S	J	E	S	U	Z	G	K	A	K	O	C	Q
C	E	K	K	V	B	B	N	F	S	N	E	W	B	S	W	Z	E	G	Z
B	Q	I	D	W	L	N	O	Q	H	O	Q	V	L	S	O	U	I	E	I
X	A	Y	K	R	A	T	W	B	B	A	E	P	O	C	N	E	Y	T	P
Z	O	S	A	Y	A	V	S	N	B	Q	L	U	B	L	S	F	D	Q	A
Y	C	E	E	D	Z	Z	T	T	U	S	E	G	M	J	G	B	K	W	A
E	O	P	F	D	W	F	Z	R	O	C	G	N	I	D	D	E	L	S	S
T	C	O	R	G	T	O	E	I	I	O	Q	B	Q	S	U	M	A	C	Z
Y	T	L	L	B	K	H	N	T	L	H	B	D	A	B	C	X	A	L	U
E	O	S	K	D	P	K	S	S	G	B	E	Z	E	L	Z	R	R	I	T
I	H	I	K	E	P	S	L	L	A	B	W	O	N	S	F	Y	B	R	P
N	T	K	Q	A	Q	V	Q	M	A	R	S	H	M	A	L	L	O	W	S
T	S	S	E	O	Y	Q	F	R	E	E	Z	I	N	G	N	P	B	R	B
Z	C	F	Q	V	A	J	S	K	H	S	N	E	T	T	I	M	X	T	R

BLIZZARD
BOOTS
FREEZING
GLOVES
HATS
HOT COCOA
ICE
ICICLES
MARSHMALLOW
MITTENS
SCARF
SHOVEL
SKI SLOPES
SKIING
SLEDDING
SNOW
SNOW ANGELS
SNOW DAY
SNOWBALLS
SNOWMEN

AUTUMN

Puzzle #156

Q C N Y T I E C D E Z A M Y A H Y I Q S
V A T B G E I P N I K P M U P F C C F T
Z K W R B P U M P K I N S K F S A D G Q
A V E I R H J X L X H N H T G E N L M L
O E Q P O C V E B O R K W Z E L D E V N
N M R H W P D K O X O K K G Y I Y X C Y
U Z J U N L U X P A I H S C W P C W A M
A Q H D X Q P R I U F C C Q I F O I N E
S E V A E L O I T A O C Y S K A R X L V
E L T P F H N A E G N A R O Z E N Q C L
D Q P S S E W G C X N S V I Q L E O M L
P C T A G N S O Q O J X Q D S P O B Z A
U R U V S R Y Z L U R G E Q D P P F Q B
Y Q A Y U Z H I Z L P N K N C I A C Z T
S E H K D N A G I B E M S Y H L W I O O
T O K K I R E A W V J Y P A D J D W R O
F P N R V N S E D I R Y A H K G F E H F
X M Z J U L G R Z Y H U X N R O C J O L
Z P X Q R T Q K L U S W E A T E R S V M
K Q U Q G N Y T F S I G G F I C O D C D

ACORNS
BROWN
CANDY CORN
CORN
CRISP AIR
FOOTBALL
GREEN
HAY MAZE
HAYRIDES
LEAF PILES
LEAVES
ORANGE
PUMPKIN PIE
PUMPKINS
RAKING
SCHOOL
SQUASH
SWEATERS
TURKEY
YELLOW

SPRING IS HERE

Puzzle #157

```
W Y L M W X J L P A P T H O J O T T K D
C S T O S T D S E M T G K R S M L Q O U
F D R E T R J V T A N E E Q T I P U G B
E M J W O A H Q H C V L O O C M D M C N
S Q L E O C M H B Q H E I E E S W D J D
J X T B B K I P E X U I S E S M S H O F
M Y B U N X N U S F B M U R N O I H A P
E G T M I C U D E L J G B T I S M E C T
A K V F A W O D A O R G G R R S Y P L B
M R A W R V V L S W G L R L E O W V X G
X H J H W J R E O E W T A V K L V X L R
B V M U D H Q S N R A F S W C B L L G O
M A L L S E I Y T O P U S R P Z W A V W
D Z S M L G V U C J Z L Q Y N J J I R T
H U Y E L F O N R A I N F Y V M M P B H
O C J X B Q I D Q N F V V K F R T I P Q
Z S O M H A C M R W F Z D E R X O K U G
U H Q N R Q L T J C T F W G U X L T Z P
Z Q S E H S O L A G T H K H P P Y N O Z
G H I M I J G O Y I C E D X G I B K I O
```

BASEBALL	GRASS	PUDDLES	TRACK
BLOSSOM	GROWTH	RAIN	TREE
BUD	INSECTS	RAIN BOOTS	UMBRELLA
FLOWER	LEAVES	RAINCOAT	WARM
GALOSHES	MUD	SEASON	WORMS

COMPUTER WHIZ

Puzzle #158

Q	I	X	L	L	J	Y	J	Z	B	B	Q	R	W	G	H	B	P	M	Q
G	P	Z	X	M	I	E	B	E	R	P	O	T	K	S	E	D	J	C	M
T	V	E	E	E	G	Z	V	F	W	E	G	I	G	A	B	Y	T	E	S
Z	J	D	K	N	O	I	K	I	A	L	G	S	V	J	D	U	K	P	R
Q	O	R	M	D	R	B	C	O	M	M	U	N	I	C	A	T	I	O	N
M	D	C	Q	D	X	E	E	V	I	M	I	M	E	A	T	X	X	O	B
B	P	N	D	X	O	V	O	K	F	Y	D	R	K	S	F	C	D	R	A
V	F	R	B	H	D	I	E	R	G	F	R	M	C	K	S	P	T	E	C
P	A	C	H	S	L	R	R	R	N	B	A	S	L	M	R	E	I	Q	K
H	Z	H	R	L	I	D	A	O	I	J	O	X	T	R	E	K	M	Y	S
L	K	D	J	S	A	C	B	T	P	G	B	Y	Z	X	K	Q	B	H	P
K	B	A	O	G	M	B	E	I	Y	V	Y	C	D	Y	A	E	S	Z	A
C	V	B	Y	N	E	S	C	N	T	O	E	I	E	L	E	S	U	V	C
I	A	D	H	O	V	A	A	O	H	E	K	K	Z	P	P	U	T	L	E
R	C	P	T	C	Q	Z	P	M	U	D	N	B	G	S	S	O	E	B	T
S	S	G	S	I	P	P	S	P	R	O	G	R	A	M	S	M	I	A	W
Q	A	O	C	L	N	W	Z	E	K	A	H	G	E	S	W	S	K	T	V
U	E	F	B	M	O	F	B	Y	U	M	C	V	K	T	G	I	N	J	O
Y	I	G	D	U	K	C	F	U	J	G	M	F	T	H	N	A	T	Z	F
N	O	S	Z	S	Y	Y	K	K	P	E	B	Z	H	D	I	I	V	Y	S

BACKSPACE
C DRIVE
CAPS LOCK
COMMUNICATION
DESKTOP
EMAIL
GIGABYTES
HARD DRIVE
ICON
INTERNET
KEYBOARD
MESSENGER
MODEM
MONITOR
MOUSE
PROGRAMS
SPACEBAR
SPEAKERS
TAB
TYPING

IN THE POOL

Puzzle #159

V	J	V	J	H	P	O	D	S	T	R	E	A	M	L	I	N	E	G	T
R	F	W	Z	A	J	R	V	E	H	R	E	Y	W	B	X	U	V	V	B
E	Z	U	J	P	A	P	J	H	M	K	R	E	Z	T	B	G	N	S	U
T	R	C	F	G	I	I	C	D	O	I	I	L	K	Z	V	P	Q	C	T
A	B	M	S	Q	Q	T	G	R	R	Z	T	Y	F	W	Z	Y	R	V	T
W	O	U	E	N	A	R	T	X	T	G	N	T	S	K	E	M	R	Z	E
E	I	L	L	W	S	S	K	F	R	Y	M	S	S	J	G	E	G	B	R
T	H	T	P	N	T	E	L	R	E	Q	D	E	T	E	W	D	K	D	F
C	Z	O	M	S	D	S	N	S	V	U	W	E	I	X	B	L	R	L	L
D	T	L	A	Y	M	A	M	A	I	T	M	R	M	M	K	R	O	A	Y
S	R	E	H	R	X	A	T	I	L	D	D	F	E	E	Q	P	B	S	Z
U	R	M	E	I	W	E	E	Q	Q	F	X	T	S	T	R	F	V	W	P
B	F	S	G	U	L	P	U	T	K	C	E	D	L	O	O	P	V	I	T
R	X	J	Z	B	W	J	O	L	M	C	N	L	O	H	R	E	G	M	Z
C	D	R	E	L	A	Y	S	O	E	I	S	A	F	G	N	C	O	S	Z
L	B	P	A	C	M	I	W	S	L	L	W	N	Y	C	Q	M	G	U	C
S	T	K	V	J	I	H	O	G	E	U	S	S	G	R	K	P	G	I	N
B	W	S	V	K	D	A	W	W	A	N	L	F	H	Y	Z	N	L	T	U
N	Z	J	W	O	N	C	O	A	K	S	E	C	A	R	G	E	E	Z	Y
M	K	W	A	I	X	T	E	K	O	R	T	S	K	C	A	B	S	L	K

BACKSTROKE
BEST TIME
BREASTSTROKE
BUTTERFLY
DRAG SUIT
FREESTYLE
GOGGLES
LANES
POOL
POOL DECK
RACES
RELAYS
STOPWATCH
STREAMLINE
SWIM CAP
SWIM TEAM
SWIMSUIT
TIMES
TOWELS
WATER

HOME RUN!

Puzzle #160

B A E L B U O D Q H E F O H C B O T S H
U A O K V E L X L E F T F I E L D I E H
T D S F C E F Y D L E I F R E T N E C F
H S O E I M C C T S O D U R H W T J O U
I Y Y F H P X L L E L A T N R S W Q N F
R R N H L I L V D E A H O W F Y J I D H
D I M O R A T X I G W M W O Y F Z F B K
B W C M B N K F B D A I I O J Z T O A X
A Z Y E M Q T H R O D Z J E L G N I S O
S Z S P C U H E H D P F N L U L R A E N
E A N L O G K L T R I P L E L Z W I U M
B G H A P F O E F N Q F U K C L J R F D
N W E T U W Z S R U S H Q P I E E V N T
T Y L E W G A A A G K B P Q G M Y U N C
O E D D U D M B D D G E F L O M O S N H
J A M V T W C T F B A E O H J M E B N C
S M K L A M U S W A B V N O D N T O P H
E G W P E B I R G T E Q P C H U K A T Y
T X Q Y T H W I U P Z B G Q Z B J A P B
Y Q A B K C K F E R I G H T F I E L D S

BASE HIT
BASEBALL
BAT
CENTER FIELD
DOUBLE
FIRST BASE
GLOVE
HELMET
HOME PLATE
HOMERUN
INFIELD
LEFT FIELD
MOUND
OUTFIELD
RIGHT FIELD
SECOND BASE
SINGLE
TEAM
THIRD BASE
TRIPLE

HOOP IT UP

Puzzle #161

B	N	Q	K	V	M	R	I	H	S	R	E	T	R	A	U	Q	X	V	H
P	E	X	P	J	E	C	T	U	A	F	Z	C	O	Y	V	O	H	S	C
Q	W	T	Q	F	C	O	H	J	M	L	Q	U	S	D	F	V	R	K	V
P	O	O	E	N	H	M	H	I	K	H	F	N	S	A	S	I	Y	Q	K
K	J	R	S	S	A	P	Y	F	A	N	C	C	L	Z	S	M	E	A	N
H	E	R	P	N	E	D	B	U	D	O	A	M	O	V	Q	S	A	C	U
E	D	M	B	X	G	M	G	X	U	Y	P	T	Q	U	O	Y	I	E	B
V	U	Q	M	F	R	V	G	R	L	W	O	F	Y	G	R	H	I	S	T
J	B	S	W	D	K	U	T	A	Q	H	I	W	F	O	E	T	E	S	T
B	R	W	L	Q	C	U	C	E	U	I	N	A	Y	D	T	U	U	E	T
E	J	X	Y	E	Z	I	S	P	Q	S	T	T	Z	I	G	P	P	O	D
T	C	G	N	P	N	F	L	Z	E	T	G	L	C	O	K	E	H	R	J
P	I	T	Z	H	R	R	K	T	M	L	U	F	G	R	Z	S	A	Y	H
L	E	M	C	N	B	E	O	E	I	E	A	Q	X	D	L	O	H	B	Y
R	D	E	E	V	A	W	S	K	T	P	R	I	G	U	B	F	J	S	H
H	T	V	Y	O	Z	M	I	S	F	C	D	N	O	E	A	N	N	W	O
O	J	U	S	L	U	X	U	A	L	Y	D	F	R	W	E	I	T	V	A
O	A	D	L	A	Q	T	V	B	A	G	P	O	J	L	E	N	M	M	Y
P	Q	B	D	S	H	O	T	E	H	X	C	X	H	A	N	R	E	B	S
M	U	H	G	O	W	M	O	C	B	S	U	B	N	H	P	M	C	J	L

ASSIST
BASKET
CENTER
COURT
FOUL SHOT
HALF COURT
HALFTIME
HOOP
JUMP SHOT
PASS
POINT GUARD
PRESS
QUARTERS
REFEREE
SCOREBOARD
SHOT
TEAMS
TECHNICAL
TIMEOUT
WHISTLE

TOUCHDOWN!

Puzzle #162

B E X T R A P O I N T I T H S X C Q I V

K U U N A M E N I L X G I Q D E C A E N

S R D B I C Y B H N W Z V U M T K G I C

C H E E R L E A D E R S P A A H T I J M

W H D F E N I L D R A Y K R O W N B P N

S H D G E Q H H W B M L D T F O Y A Q S

G I P T N R X Y M X P C S E K R H M D B

S T W J E B E Z O G I D Q R Q D Q L N J

L G U X D Q T E U C A R W B O F L W B D

T H L P Q B S U T P L C Q A B Q Q E V F

D O A H P J M Y H M Q J L C Q E H M I G

K R U L Y L W Q G P T L I K L J S E G F

F S A C F U A W U J I R R K H I H K U X

C P A O H T O P A K G W C U D G O I G A

K S C M B D I U R P H A E E C T F C I C

C B M S E E O M D B T T L W E N H K U Z

P T K H R C R W E Z E I K M F Z W E M C

O Z H S Q V A O N K N P L S V Z D R F C

D J A P A P W F C E D E U T R A E D F O

H W E L W Y R Y S S H F I E L D G O A L

CHEERLEADERS
EXTRA POINT
FACEMASK
FIELD
FIELD GOAL
HALFTIME
HELMET
KICKER
LINEMAN
MOUTH GUARD
PADS
QUARTERBACK
REFEREE
SCOREBOARD
SIDELINES
SPIKES
TACKLE
TIGHT END
TOUCHDOWN
YARD LINE

ON THE ICE

Puzzle #163

K	O	S	V	T	T	O	B	P	T	C	E	D	O	S	K	I	N	M	K
U	A	S	H	F	V	Q	L	T	M	O	P	A	Z	E	O	X	E	R	X
X	H	A	T	P	N	H	E	L	M	E	T	V	M	Q	O	E	A	T	Q
W	Q	P	G	O	A	L	C	A	G	E	R	O	S	B	E	C	S	N	M
R	P	D	L	H	F	Y	A	N	X	R	I	L	Y	H	Y	V	H	O	N
Y	R	N	M	I	Z	K	B	N	Q	O	A	T	F	I	L	R	N	U	O
K	D	I	E	Q	O	C	B	M	T	I	L	G	U	N	V	T	Y	B	I
Q	H	L	R	G	D	U	W	O	C	A	G	O	N	J	A	A	Y	O	S
S	D	B	O	Q	A	P	M	I	N	S	F	Z	I	I	W	S	Z	Y	S
I	D	A	L	R	Q	J	F	E	H	H	C	L	H	T	D	P	W	E	I
V	L	A	M	C	C	F	P	T	B	P	U	O	L	O	W	L	I	G	M
G	W	H	P	S	O	Y	U	P	O	U	J	T	R	D	R	L	O	M	R
G	Q	S	K	K	N	O	L	I	D	R	X	S	M	E	L	Y	X	H	E
K	J	U	K	M	E	C	L	A	Y	Z	Q	A	D	I	B	T	I	K	T
I	C	T	Z	M	Z	I	W	J	C	T	L	M	T	Z	R	O	F	R	N
E	K	I	I	H	P	A	I	M	H	T	W	F	T	H	F	K	A	E	I
T	U	T	T	N	F	B	S	L	E	T	A	L	W	W	O	I	T	R	V
M	P	C	C	S	Z	G	P	J	C	B	O	A	R	D	W	A	L	L	D
G	E	I	L	A	O	G	T	O	K	M	B	A	C	K	C	H	E	C	K
J	H	S	E	B	E	I	S	G	E	C	I	J	U	E	P	H	K	P	U

BACKCHECK
BLIND PASS
BOARD WALL
BODY CHECK
FIELD
GOAL
GOAL CAGE
GOALIE
HELMET
HOLDING
ICE
INTERMISSION
NET
OFFICIALS
PADS
PENALTY BOX
PUCK
SCOREBOARD
STICK
TIMEOUT

KICKIN' IT

Puzzle #164

W	Q	D	M	L	J	D	F	G	B	F	Z	K	Y	J	W	E	I	H	M
D	T	J	O	S	V	Z	M	T	R	L	O	E	E	E	G	G	Z	A	I
N	F	K	C	I	K	E	E	R	F	E	Q	R	G	D	D	R	K	L	X
U	E	Q	M	A	T	C	F	P	W	S	K	P	W	T	I	A	W	F	I
Q	Q	T	F	M	C	S	C	D	B	F	D	C	F	A	Y	H	T	T	E
I	V	T	I	L	P	C	B	I	Y	Y	W	N	A	F	R	C	D	I	X
A	Y	C	E	U	J	C	I	N	K	X	M	I	U	T	O	D	E	M	X
S	F	A	D	Q	W	E	Y	V	I	W	Y	Y	O	O	T	K	N	E	F
V	T	I	K	G	L	U	H	C	R	F	H	Q	S	K	B	A	C	D	F
S	D	B	O	B	A	M	T	P	T	G	X	Y	R	U	Q	N	W	I	P
Z	I	E	B	T	N	B	K	C	I	K	P	O	R	D	L	Z	I	E	K
L	N	I	A	S	S	I	S	T	L	E	N	U	K	A	W	J	Y	C	R
K	R	X	H	Y	L	B	F	C	S	U	O	Q	K	H	M	Z	A	C	E
D	C	C	L	A	D	Z	Y	X	D	A	O	T	U	U	G	T	W	G	D
I	I	A	O	U	P	G	Z	V	H	A	L	F	B	A	C	K	A	Q	N
R	F	G	B	D	L	E	I	F	X	G	R	B	C	Y	C	I	K	V	E
D	K	X	Q	L	F	Z	C	U	D	G	O	A	L	I	E	M	A	D	F
K	F	O	G	Z	L	A	Z	T	P	V	N	K	E	A	R	A	E	E	E
U	I	L	D	I	N	U	Q	H	X	Y	C	E	P	B	M	Y	R	U	D
D	M	O	L	Z	Y	K	F	E	E	L	D	X	P	O	S	N	B	C	F

ASSIST
ATTACKER
BREAKAWAY
CHARGE
CLEATS
DEFENDER
DRIBBLE
DROP KICK
FIELD
FORWARD
FOUL
FREE KICK
FULL BACK
GOAL
GOALIE
HALFBACK
HALFTIME
IN BOUNDS
KICK OFF
NET

BACK TO SCHOOL

Puzzle #165

G	H	R	H	Y	M	N	U	J	O	L	G	U	O	W	R	E	R	W	G
L	E	B	R	F	M	M	V	M	S	N	Z	Z	R	K	B	T	H	U	E
U	K	O	B	X	E	Q	O	J	I	G	N	I	L	L	E	P	S	Q	K
E	S	O	E	C	J	T	J	D	S	L	T	E	K	A	I	J	S	L	L
P	S	K	T	P	Z	B	A	L	L	I	F	N	Y	N	S	P	B	F	I
L	C	S	N	R	C	E	B	L	N	C	F	Z	S	G	Y	W	B	V	Y
U	O	O	N	O	R	P	X	G	K	N	Q	V	F	U	X	B	E	M	E
J	M	E	B	T	O	C	B	L	B	E	H	U	V	A	K	B	R	Z	X
Y	P	A	C	R	X	O	X	N	U	P	V	K	J	G	L	L	B	H	J
A	A	R	I	A	R	M	D	Q	B	X	F	R	S	E	R	F	D	P	W
N	S	V	B	C	B	P	J	D	R	T	E	S	C	A	X	E	F	U	Z
C	S	I	M	T	U	U	Z	O	D	C	Q	W	I	R	V	B	L	C	I
L	L	B	L	O	K	T	F	L	E	Q	P	I	E	T	C	A	U	U	H
B	F	A	O	R	Z	E	P	S	X	K	P	C	N	S	R	F	Y	Z	R
O	E	R	S	O	F	R	S	R	A	Q	W	B	C	D	Q	V	H	I	Q
I	V	B	I	S	K	S	X	Q	U	R	R	J	E	N	D	Z	K	R	M
M	A	T	H	E	R	B	M	Y	D	F	I	N	J	U	E	E	P	J	G
Q	B	W	O	Q	N	O	A	P	W	Q	F	Q	S	R	Q	Z	S	B	S
N	H	I	O	M	K	D	O	G	T	E	A	C	H	E	R	S	J	K	Q
U	A	I	Q	K	R	V	S	M	T	G	Y	M	J	B	H	V	C	H	S

BOOK BAG
BOOKS
CLASSROOM
COMPASS
COMPUTERS
DESKS
FRIENDS
GYM
LANGUAGE ARTS
MATH
PEN
PENCIL
PROTRACTOR
READING
RECESS
RULER
SCIENCE
SPELLING
TEACHERS
WRITING

YUMMY!

Puzzle #166

```
Z B T E S E K A C P U C Z R G O T E M W
C Q V T K T P H M I C A N D Y D F O Z M
I U Q U X A C W F B L P G S Y L X J T X
F S D S Z O C E V R J N N E D I I S E E
H K D D O P L D S T A O E L N Z D U C G
Z E R K R P K E N G H I L K A U S C L D
J D I L H A I C U U K R C N C E W K L U
Z E G U I N T Q P F O E I I K E G E X F
S E V V W R M S Z I I P S R C R K R Z K
L K I O K K N D U P T C P P O N D S G O
G Q R N A Z P K T C L S O S R M K L P J
N B N B E V B I B N V B P D F Z X B P V
I Z F Y L B U J P C H O C O L A T E P M
T M I S N R E C C T V P N S I E A U A B
S S E L F F U R T D J M L M U E D E Z P
O R Y J M F H W R Q D E O Z G D R M Q V
R T C A N D Y B A R S F E K I C T L C D
F W M C R E A M P I E A I N E Z O S A Q
W L S A C G F Y Z S P X G C H N H P K X
U P S Y V C P F D T S R I U E S F T E V
```

BROWNIES
CAKE
CANDY
CANDY BARS
CHOCOLATE
COOKIES
CREAM PIE
CUPCAKES
CUSTARD
FROSTING
FRUIT PIE
FUDGE
ICE CREAM
POPSICLE
POUND CAKE
PUDDING
ROCK CANDY
SPRINKLES
SUCKERS
TRUFFLES

WELCOME TO THE DESERT

Puzzle #167

D	S	C	D	B	Z	K	F	S	F	D	N	I	W	Z	O	O	V	D	J
R	G	U	U	H	U	T	A	J	T	E	T	X	S	P	O	T	W	N	A
T	S	R	N	Q	U	N	K	W	K	Q	R	N	J	W	Y	V	V	K	K
D	Y	E	L	O	D	N	D	Q	V	H	O	U	F	M	L	A	G	E	J
X	A	W	W	S	K	R	J	Z	A	B	H	T	T	S	T	L	T	O	D
W	V	O	T	V	Y	C	Q	O	V	W	F	C	R	L	D	K	M	Y	N
R	L	O	C	L	O	C	F	K	A	A	T	H	A	E	U	I	E	O	A
B	R	V	P	Y	C	G	I	E	F	O	S	K	W	C	S	V	J	R	S
M	O	M	U	S	Q	C	P	E	I	R	K	E	Q	U	T	E	E	R	T
H	X	O	T	H	C	Q	Q	T	P	S	Q	P	M	A	M	U	D	A	A
C	T	Z	N	O	I	P	R	O	C	S	R	T	K	A	G	H	S	B	L
I	I	W	W	L	X	X	S	Y	H	L	T	E	G	B	I	F	K	M	U
S	E	N	U	D	B	R	M	O	W	N	Q	O	D	S	N	A	K	E	T
Z	V	Q	J	N	L	B	T	C	D	C	X	R	H	I	J	Z	X	W	N
E	F	H	U	I	A	G	Y	Y	A	Z	K	P	H	A	P	K	O	K	A
W	D	O	I	U	Z	X	A	I	X	H	V	O	R	Z	E	S	K	S	R
K	E	U	Q	M	I	C	R	W	X	O	I	C	Y	O	C	L	Y	P	A
Y	I	N	N	O	N	L	T	J	R	I	Y	V	S	M	A	C	L	W	T
I	F	K	G	E	G	M	Y	T	M	N	I	A	T	N	U	O	M	D	F
O	S	U	J	D	S	F	U	C	X	D	S	O	E	S	Y	I	O	P	M

ARROYO
BLAZING
BLOWOUT
CACTUS
COYOTE
DESERT
DRY
DUNES
DUNES
HOT
MESA
MOUNTAIN
SAND
SAND STORM
SCORPION
SNAKE
SPIDER
TARANTULA
VULTURE
WIND

WATER WORLD

Puzzle #168

V	B	R	E	J	G	O	O	N	V	Y	J	P	T	W	B	E	J	Q	N
I	D	A	A	K	T	Z	J	H	S	K	R	G	C	I	P	Y	K	L	K
S	B	Z	M	I	P	T	H	L	S	E	E	O	T	I	W	H	I	A	C
W	G	C	C	G	N	U	D	T	C	S	N	Z	O	R	Y	V	A	Y	L
C	G	K	F	S	K	P	D	I	Q	D	J	Q	S	R	D	R	R	I	A
J	R	T	T	R	P	H	P	D	E	N	D	S	F	I	Y	E	R	I	L
Y	J	W	Y	W	O	I	R	N	L	Y	P	J	D	G	X	Y	R	D	G
D	X	M	N	Z	T	S	S	S	E	E	G	B	Z	A	C	D	A	M	P
I	D	Y	T	A	X	A	T	R	C	M	H	F	V	T	H	V	U	T	Y
B	Q	N	T	T	T	J	O	X	Q	B	Z	R	Q	I	P	Z	Z	B	J
W	H	I	L	I	H	S	W	Z	O	U	I	D	V	O	X	G	S	I	F
H	O	I	O	U	I	N	S	R	Y	E	U	W	S	N	G	T	L	X	D
N	U	N	C	O	V	O	T	T	Q	G	L	A	C	I	E	R	F	N	R
O	R	R	N	W	V	P	W	R	R	L	P	F	U	X	E	Y	R	P	T
B	H	Y	R	U	Y	X	O	J	R	E	V	S	V	Y	H	E	T	S	Q
A	B	Q	O	I	R	X	N	O	Y	N	A	R	Q	Y	S	B	N	P	D
N	U	L	A	T	C	Q	S	A	L	B	I	M	E	Y	J	O	R	O	W
G	L	T	W	P	W	A	K	R	E	I	J	V	E	P	W	A	O	E	C
I	F	Z	B	M	D	L	N	C	C	C	C	G	J	I	P	L	D	H	C
S	L	E	E	T	N	G	C	E	N	V	O	A	A	I	F	X	L	S	Q

CONDENSATION
DAMP
DEW
EROSION
FLOOD
FROST
GEYSER
GLACIER
HAIL
HURRICANE
IRRIGATION
LAKE
OCEAN
POOL
PRECIPITATION
PUDDLE
RAIN
SLEET
SNOW
STREAM

VACATION

Puzzle #169

J X S A N D C A S T L E T L N F R I C W
S L K Z J T A L B X Y Y W E X B O L X A
I Q K T R X L I H Y C P R G D U C T N P
D H X I P E X A L D H E L F A I E E J U
G Z Z U H C G I O U E S H N L M T P S I
O K F S V A M B H U A S I O E E F J R K
D I A M L A X J Q O S S T C V P U E I L
J E X I F S N A E C O H F K O H S L A Z
S K P W E R E V W M Q M H H H B N L H J
Y O S S Y T F B U D G I C I S M M Y C G
A I O L N C O M Z S H T B L U V N F N S
A G F C E K G Z X T S A N D A L S I W U
Y P D C R W E Q H F L Z Z A U I U S A N
B P N Y Z D O I K A B N H G O G V H L G
T X Y V W M N T I R A N M P W C N K T L
S R N I N Y R S M N E E R C S N U S M A
L E T U B U C K E T N Y G Q A Z V K X S
K V V V S I B Z A Y W A X D N A S W W S
C X K A R M H S A N D D O L L A R S T E
J M H Z W G M T J S W I M M I N G B L S

BUCKET
FAMILY
JELLY FISH
LAWN CHAIRS
OCEAN
RAFTS
SAND
SAND CASTLE
SAND DOLLARS
SANDALS
SEASHELLS
SHOVEL
SUN
SUNGLASSES
SUNSCREEN
SWIMMING
SWIMSUIT
TIDE
TOWELS
WAVES

IN A CLASSROOM

Puzzle #170

Y	R	G	E	Y	W	E	G	Z	P	C	W	P	Y	R	S	E	L	U	R
V	H	L	X	F	R	G	L	E	W	D	A	J	A	T	K	P	D	M	H
K	O	A	R	A	L	N	U	W	S	R	U	L	M	H	M	S	V	B	W
I	X	B	S	I	X	X	E	T	E	R	N	S	E	D	Z	S	E	T	H
F	I	E	C	F	F	T	U	Z	E	E	A	J	G	N	K	B	S	D	V
S	R	N	D	Q	F	D	I	H	P	T	U	P	P	Q	D	E	P	R	N
R	E	A	T	J	E	N	C	N	S	C	D	V	X	B	S	A	E	A	E
P	J	Y	B	N	A	A	R	U	L	E	R	V	D	M	A	T	R	J	C
K	K	M	T	G	E	K	S	P	J	C	E	A	O	Z	S	G	R	Q	H
G	G	S	R	T	H	O	A	P	X	K	L	M	U	O	T	C	G	H	A
B	V	O	B	X	J	O	B	W	Q	C	N	A	R	R	M	H	H	M	L
W	U	W	R	A	Q	B	Y	U	T	H	V	G	S	H	M	S	T	P	K
M	F	U	X	L	A	T	F	E	L	A	B	C	G	S	J	A	Y	O	B
D	C	K	O	O	B	E	T	O	N	L	W	Z	Z	C	M	R	O	S	P
R	Y	O	S	D	I	U	Y	U	M	K	E	F	G	N	P	A	B	H	O
E	E	G	L	O	B	E	O	F	W	B	H	T	L	F	F	R	T	F	L
G	N	P	E	L	W	C	D	I	X	O	C	D	I	R	Z	R	J	E	L
Q	E	O	A	B	U	A	I	Z	H	A	R	E	M	N	X	X	J	I	S
J	C	O	M	P	U	T	E	R	Q	R	D	I	U	N	S	I	M	J	C
D	W	D	D	A	N	J	E	D	R	D	P	L	R	G	O	V	U	J	A

BOOK
BULLETINS
CALENDAR
CHALK
CHALKBOARD
CLASSMATES
COMPUTER
DESK
ERASER
GLOBE
NOTEBOOK
ORGANIZER
PAPER
PEN
PENCIL
ROSTER
RULER
RULES
STUDENTS
TEACHER

TRAFFIC SAFETY

Puzzle #171

R K H O L D H A N D S K K H S D R B A L
J L G Y R B L N A M E C I L O P H E S Y
X A D I R U C E S T O P L I G H T T D U
N W X N F P D U I W K Q S Z P N V N T E
W T G N V I J C Q Y C N U S F N C Y H I
V X K M K E M M R S I G N A L S U F E D
S V W O L L E Y I O K G L Z K Q M N A G
I C E L T S I H W X S G T M T Z B K T Y
K T H R E D O N K U E S D W E G D I R B
V C I O O J J L O R M Y W O H F H X I Z
M B V M O E I N L I O M U A F P O T S Q
G X T N I L D W L I T C X I L B L Q A H
A G N F F L Z W J B S C A W I K D X R L
D E G D D F D O B D Y T U P Z H T A O O
E U H Z T W E E N H F H E R K M I O O A
S I N K V G W M E E S L V N T L K J A X
N E D E H N S Q X P Q S X K R S G U G Y
M W N A E A I G E P S O Z O W G N Y C A
T S F O R R V F P G G X A D A W N O X A
K Q O C C B G G N I M D T U M H D S C V

BRIDGE
CONES
CONSTRUCTION
CROSS WALK
GREEN
HOLD HANDS
LISTEN
LOOK
POLICEMAN
RAILROAD
RED
SCHOOL ZONE
SIGNALS
SPEED LIMIT
STOP
STOP LIGHT
WALK
WHISTLE
YELLOW
YIELD

BUMP, SET, SPIKE

Puzzle #172

```
A W E V I D S M X O Y D G U U I O H Y Y
V Q X F U S E T I H E L B U O D N W N M
K B Q L W A H W J S P D I A Q P C N W E
R R U T N A O K B H W R E K C O L B J R
V L I L J R O Z Z P O H P T L K E G I O
D Q T I T X T B N I O M N V V J R R T C
I S W N A K W E T L J I C B P C Q O O S
G F O B R Q C E O A O O E V X T E S W D
V R V T A E V P J P F A N L W O I S X Y
F A N A L I R G E S K C O L B E B M E B
R D W R L J I M W W B N Q S N J U L U U
M X Y G Y R A G T L U A F T O O F M O Q
I M O E K G O T K U A Z K T S X P B D H
C R E T L Z J T H W U Z O A Q N A S B N
M I S J Q W I B A K M X G D P S E G A K
F B W Y V V W S F T L X K O E T S S I I
J Y U U V I Z P P L E Q U L T H S H I E
Y D Q T E V R E S I U B I E B I K J Z C
Z A C A S E Q L M K K N R W S I I K M B
P H V F Y H C T Q N E E V T P I A S E A
```

ASSIST
BACK ROW
BASELINE
BLOCK
BLOCKER
BUMP
DIG
DIVE
DOUBLE HIT
FOOT FAULT
FRONT ROW
GAME POINT
RALLY
ROTATE
SCORE
SERVE
SET
SETTER
SPIKE
TARGET

PLAYTIME!

Puzzle #173

F	Q	R	P	W	E	O	P	F	K	F	T	N	K	Y	N	B	Q	F	H
P	S	I	N	P	D	I	T	F	C	R	E	N	I	L	E	A	J	J	L
N	W	U	G	X	O	S	O	L	X	Z	K	T	O	N	V	S	W	K	L
S	I	F	Y	W	T	F	A	V	S	U	F	E	H	R	E	K	T	D	A
N	N	U	T	C	U	S	O	S	E	R	E	U	D	O	L	E	D	W	B
M	G	O	A	I	S	T	N	Q	T	G	A	I	Q	S	K	T	U	R	E
U	S	T	Z	M	T	X	E	H	V	U	V	B	J	K	J	B	N	S	G
O	C	P	A	W	I	R	N	R	C	U	E	P	Y	B	E	A	K	G	D
H	H	T	I	V	J	W	U	N	A	T	S	O	W	E	Y	L	M	N	O
J	E	I	G	T	H	R	Z	N	L	U	O	T	U	H	K	L	R	I	D
S	T	W	J	A	M	R	K	W	G	L	Q	C	C	B	A	N	J	R	Y
Y	E	G	K	A	D	R	O	P	R	Q	B	S	S	W	Q	O	O	E	F
W	A	M	A	T	E	S	G	N	I	W	S	I	R	P	Y	C	R	M	E
Z	C	E	O	B	R	Q	X	H	N	T	N	H	R	U	O	T	Z	H	D
F	H	L	X	T	S	Y	X	D	J	Q	Y	G	Y	U	O	H	K	A	I
X	E	T	I	O	K	M	P	Y	V	O	V	U	L	E	K	F	S	L	L
K	R	S	F	R	I	E	N	D	S	I	L	A	A	Q	Y	X	A	Q	S
D	G	I	Q	H	C	Q	V	S	T	G	S	L	F	D	T	O	J	T	M
X	L	H	W	H	I	F	F	L	E	B	A	L	L	A	O	D	C	Y	C
U	P	W	A	B	I	U	I	M	Y	G	E	L	G	N	U	J	Y	M	G

BASKETBALL
CATCH
CLASSMATES
DODGE BALL
FOURSQUARE
FRIENDS
HOPSCOTCH
JUNGLE GYM
LAUGH
LINE
MONKEY BARS
RINGS
RUN
SLIDE
SWING SET
SWINGS
TAG
TEACHER
WHIFFLE BALL
WHISTLE

WEATHER

Puzzle #174

Z	M	U	H	G	D	U	Q	M	N	Q	K	J	Q	R	O	O	T	S	O
N	D	C	N	E	Q	X	J	M	R	H	J	Z	E	B	D	L	X	Z	B
Z	W	I	Q	V	T	P	S	E	H	O	L	Y	K	B	E	I	V	S	Q
E	A	E	A	Q	M	K	W	X	U	P	T	M	V	V	B	G	L	C	V
R	D	O	D	A	N	R	O	T	V	H	K	S	O	G	M	H	U	B	Y
A	M	W	L	Y	N	Q	A	C	X	D	E	L	R	C	J	T	W	N	D
L	W	Y	W	A	J	V	D	I	C	E	V	N	L	E	G	N	D	B	U
D	I	R	R	H	G	Y	E	A	U	K	U	S	I	L	D	I	R	G	O
W	E	Y	O	E	R	O	H	A	I	L	L	I	Y	H	G	N	P	E	L
R	N	X	G	T	H	L	Y	G	R	E	B	G	D	B	S	G	U	B	C
F	A	C	G	O	M	T	G	B	E	C	G	Z	A	N	M	N	L	H	F
R	C	U	T	T	L	K	A	T	W	O	T	G	K	O	A	I	U	C	T
J	I	X	U	M	H	O	K	E	F	X	L	Q	Y	D	Z	S	R	S	H
U	R	P	N	J	B	N	R	Z	W	M	K	U	E	Z	R	N	J	U	W
B	R	N	G	W	W	U	H	O	F	Q	M	W	A	P	S	J	B	O	U
L	U	O	O	G	G	O	O	P	E	N	Y	R	Z	T	R	E	N	H	P
J	H	Y	P	D	V	U	Y	T	B	T	D	S	G	O	S	S	P	D	Q
Z	D	E	V	A	W	T	A	E	H	A	E	F	F	V	W	U	Y	N	M
X	A	O	O	B	Z	V	J	B	T	F	M	M	C	P	E	S	D	I	T
I	K	S	M	V	T	J	T	R	U	X	O	C	C	O	D	E	S	W	I

BLIZZARD
CLOUDY
DEWY
DUST
FOGGY
HAIL
HEAT WAVE
HURRICANE
ICE
LIGHTNING
METEOROLOGY
RAIN
SAND
SLEET
SNOW
SUNSHINE
THUNDERSTORM
TORNADO
WEATHER
WIND

PETS

Puzzle #175

W	F	A	W	I	B	B	D	M	V	G	M	C	L	M	Q	F	P	P	U
B	P	H	L	V	W	O	P	U	H	T	W	M	P	S	Q	Q	E	I	W
U	A	K	O	R	D	I	G	F	V	P	S	O	F	M	A	Y	Z	I	E
N	N	T	L	H	W	V	R	C	B	X	S	E	J	M	S	P	D	Z	K
F	L	T	H	E	G	J	E	N	Q	M	C	A	G	E	O	E	P	G	Z
O	U	T	R	I	R	S	N	A	K	E	I	G	I	K	E	U	Z	V	S
C	Q	H	C	X	N	R	O	S	K	R	S	A	C	Q	R	R	S	H	X
L	Y	D	X	F	I	G	I	B	H	E	R	Z	X	C	P	B	A	E	L
Q	V	G	Q	E	J	K	S	U	L	I	T	T	E	R	K	M	L	H	D
I	C	Z	V	J	B	C	V	L	Q	C	K	P	E	W	P	A	C	O	R
H	D	E	E	Z	U	G	A	K	T	S	U	T	K	O	T	N	L	Y	A
K	R	E	T	S	M	A	H	H	H	I	V	Q	O	K	D	A	I	R	Z
U	R	D	O	O	F	T	E	P	S	C	B	E	Y	T	I	U	P	A	I
B	P	D	K	S	H	H	N	B	A	Q	K	B	W	W	T	G	P	N	L
N	Y	C	D	L	J	M	H	G	E	H	Y	E	A	E	W	I	I	I	W
T	A	C	B	T	R	E	E	L	L	R	G	B	R	R	P	E	N	R	C
O	C	V	Z	T	J	P	Z	C	Q	G	X	R	Y	H	G	X	G	E	J
G	O	R	F	L	O	C	Z	J	Q	R	E	D	M	O	R	J	R	T	D
K	G	R	O	O	M	I	N	G	M	F	Y	W	D	S	M	J	M	E	R
N	S	I	T	O	C	X	E	D	A	K	U	D	U	Z	U	D	X	V	U

BATHING
CAGE
CAT
CLIPPING
DOG
FERRET
FROG
GROOMING
HAMSTER
IGUANA
LEASH
LITTER
LIZARD
MOUSE
PET FOOD
RABBIT
SHAMPOO
SNAKE
SQUIRREL
VETERINARY

KEEP IT CLEAN

Puzzle #176

U V K F F D C R K S X R E F W A R B W K
R W V D T R J T N E R Y H M K O V M B C
B P S J Y L E B Y S X E V P T Y S O Z D
S L F W A P L Q D W I W P C K K Z C K E
C O N D I T I O N E R N O P E Q O V B O
Q W B E J X F X I D A D S J I P Q V C D
B J L B Z K L H I C H Y K H E L Q M J E
W H V R T S I F O D S P S V A M C B D R
O O C U E T A B X O W I L H Z M H P T A
A L V V G F N V U I J K K S Q P P F M N
C D O T M M F K E T H S U R B H T O O T
R L T O O T H P A S T E O K K P Q M O B
G U W P T S I T N E D Z L J Z Z O P P G
P J B A O Y C Z Q I A M M K N U N P N B
L L U U S G E M K R O Z Y O T W A I U E
S S O L F H E F U X I C G H L X H R V A
L G B T F K I N H S A W W W T T C J Z S
N Y T P U T K N L F D A S D A S G T O X
A P A L I A V B G T S C U B T E T A L C
Q I F U S P W Q B H L E K X L S P K K V

BATHING
CLIPPERS
COMB
CONDITIONER
DENTIST
DEODERANT
DOCTOR
FLOSS
GLOVES
MOUTHWASH
NAIL FILE
RAZOR
SCRUB
SHAMPOO
SOAP
TOOTHBRUSH
TOOTHPASTE
WASH
WASHING

AN APPLE A DAY

Puzzle #177

U Y S I R C W A F N T T X H M X A U V Q
U D H C S A P N B O O I I E T N P O L G
H Z Z G T O P W S A E L U U A O X I M O
D M U Q R P E A C H N N E R R V G M Q V
R F A C A M W Y E C F A I M F F S N B B
X V B C W V I M J F Q I N R R E R P A K
R V P N B N I X M U J Q G A A E P A T M
X I E G E L Q D G M U L P U P T T A T A
N M A Z R R K J E Z J L J F Z N C A R S
O W R Z R C I V I S T O C I R P A E W G
S J Z E Y K H L K O Z C Y K T R O K N K
E P A P A Y A X M G N X R I M V V H O B
W H L T E R T A O A Z H X P H U M Z C Q
I P A Q I U T R Y O K B E H K R N U T R
Y Q W P K O A T G O E P M M S N L R Y A
T K D B J N Q L C T F O Z D E W U O P K
U J Y C G C E F H A U L N Y K B C P I H
H U C E N M D W M M Y I J X I Q L C S H
B E U L O P T S Z O F V F H H E L L F C
N Y V N D X R I U T X E Z W F S M K M Q

APPLE
APRICOT
BANANA
FIG
GRAPEFRUIT
LEMON
LIME
MANGO
NECTARINE
OLIVE
ORANGE
PAPAYA
PEACH
PEAR
PLUM
STAR FRUIT
STRAWBERRY
TOMATO
TOMATO
WATERMELON

VEGGIES

Puzzle #178

E	K	J	W	T	Z	Z	D	R	E	R	N	R	E	C	Z	A	B	T	G
A	C	H	Y	A	M	N	R	E	N	T	O	V	A	Q	N	C	O	Y	M
Q	X	H	I	T	C	A	B	B	A	G	E	R	D	H	K	M	F	S	B
D	H	W	O	C	O	B	E	N	K	C	R	P	E	D	A	G	P	B	W
Z	O	U	E	W	N	R	O	C	T	O	Y	O	K	T	I	W	I	A	Q
R	B	O	X	N	X	O	U	A	T	V	I	V	O	M	G	C	L	R	U
Z	A	R	I	X	I	T	N	U	N	U	E	W	I	P	R	Z	E	T	S
M	J	D	F	N	U	R	H	I	E	Q	L	P	L	Z	R	O	T	I	A
Z	A	H	I	F	S	E	D	M	O	B	K	A	E	F	E	O	T	C	E
A	G	E	O	S	A	W	C	L	A	N	C	Z	G	P	D	I	U	H	B
Z	N	T	P	S	H	O	X	I	X	Q	I	E	G	Y	P	L	C	O	B
G	I	O	J	I	K	L	U	Y	H	T	P	N	P	G	E	O	E	K	S
C	I	Q	W	Z	K	F	B	R	Q	S	M	Q	L	F	P	C	S	E	S
U	A	I	M	U	Y	I	L	E	D	I	U	A	A	N	P	C	V	O	Q
C	O	O	E	C	I	L	B	L	P	S	S	H	N	W	E	O	N	B	U
U	V	S	X	C	J	U	V	E	Z	K	H	A	T	O	R	R	Z	C	A
M	M	W	J	H	N	A	R	C	H	G	R	H	G	D	D	B	V	N	S
B	Z	C	L	I	C	C	B	S	O	K	O	M	M	D	Z	B	H	P	H
E	E	Y	L	N	U	C	C	J	C	Y	O	J	M	G	G	I	E	W	U
R	B	E	L	I	K	J	E	W	E	D	M	P	Q	C	Z	R	W	L	D

ARTICHOKE
BROCCOLI
CABBAGE
CARROT
CAULIFLOWER
CELERY
CORN
CUCUMBER
EGGPLANT
LETTUCE
MUSHROOM
ONION
PEA
PICKLE
RADISH
RED PEPPER
SQUASH
TOMATO
YAM
ZUCCHINI

MANNERS

Puzzle #179

V	Z	E	V	K	V	B	R	O	L	E	M	O	D	E	L	E	X	C	H
Q	D	Y	T	I	L	I	B	I	S	N	O	P	S	E	R	X	S	Y	S
U	C	V	I	I	P	I	Q	Q	O	V	E	D	Y	F	S	S	S	Q	B
M	S	E	N	G	Z	G	N	O	U	E	B	P	B	M	X	M	E	D	O
K	X	H	T	H	G	Q	L	G	Q	Y	U	Y	R	N	W	T	I	P	O
V	I	A	R	T	Y	U	L	W	T	S	Z	L	K	Q	I	Z	U	L	W
G	T	N	O	Z	E	X	K	M	C	R	E	Y	U	Q	Z	A	F	D	E
P	H	D	D	K	V	S	Y	W	Z	X	R	Y	U	O	F	P	S	M	V
Z	H	S	U	N	Y	D	U	S	B	B	N	E	W	W	A	W	G	T	T
R	C	H	C	I	E	N	O	A	E	B	T	T	I	B	F	Q	C	S	Z
K	K	A	T	P	S	S	X	G	L	T	E	S	O	L	Q	A	S	O	Q
N	Q	K	I	G	Y	V	S	L	E	P	R	Y	V	R	T	E	L	L	T
Q	Y	E	O	V	O	M	V	G	L	W	P	U	Z	N	N	Y	I	H	E
F	F	D	N	T	C	E	P	S	E	R	F	A	O	E	G	S	A	S	O
V	F	P	X	Z	L	X	H	F	W	O	O	C	L	C	T	N	A	U	E
D	W	O	B	D	D	J	V	A	A	R	E	T	K	E	K	E	D	T	F
M	A	K	H	Y	U	V	E	D	D	Y	N	I	N	Y	L	F	I	R	R
N	Y	S	T	R	U	C	P	X	E	E	Y	I	O	P	X	L	W	B	W
H	S	V	X	I	D	B	B	P	G	R	N	U	W	O	O	L	C	V	I
S	D	M	D	C	Q	E	P	F	W	G	A	Z	S	P	Z	E	H	O	A

APPLAUSE
BOW
COURTESY
CURTSY
ETIQUETTE
EYE CONTACT
GENTLENESS
HANDSHAKE
INTRODUCTION
KINDNESS
LISTENING
NO
PLEASE
POLITE
RESPECT
RESPONSIBILITY
ROLE MODEL
SMILE
THANK YOU
YES

DANCE FEVER

Puzzle #180

D	P	Z	V	X	P	P	P	J	B	W	U	A	A	X	G	C	W	P	U
Z	E	L	L	R	I	O	M	Y	P	T	M	N	L	Q	I	N	E	X	I
V	X	G	A	W	H	R	E	O	M	S	E	Y	P	U	F	E	I	R	J
A	Q	X	B	P	E	S	D	D	A	L	V	L	M	D	H	W	F	W	P
M	H	A	I	J	D	Y	A	R	S	F	Y	O	L	M	X	T	S	L	S
X	J	H	A	G	W	A	N	U	Z	A	O	A	W	A	F	L	O	Y	W
F	N	Z	N	X	A	A	E	S	K	A	L	X	H	N	B	P	N	N	U
T	Z	O	H	X	L	K	M	Y	G	Z	Q	S	T	C	X	T	Q	K	V
Q	F	A	Z	F	T	U	O	Z	K	K	B	S	A	R	A	Y	S	P	Z
C	U	R	M	D	Z	Z	R	E	M	Z	B	K	Q	N	O	H	W	X	S
B	O	H	O	Z	O	C	P	O	O	E	S	R	W	J	A	T	C	E	F
L	S	N	A	N	S	C	O	T	G	C	B	H	Q	D	W	I	M	Z	A
N	A	P	G	C	X	R	W	U	M	Q	Z	Y	N	Z	S	L	Z	Y	N
F	E	H	R	A	L	C	B	J	P	L	C	T	M	A	B	X	Y	W	D
A	X	U	F	L	O	R	Y	B	O	M	G	Q	T	M	T	G	Y	Y	A
O	F	A	A	W	E	O	C	N	E	M	A	L	F	S	E	C	D	K	N
T	Y	B	E	T	E	I	G	O	O	B	H	V	C	X	L	S	L	E	G
A	I	W	T	G	T	J	L	X	C	S	S	L	Y	B	S	B	R	K	O
J	E	I	H	C	F	K	R	Y	Z	M	L	N	A	C	N	A	C	Q	X
V	J	G	Y	A	B	U	N	N	Y	H	O	P	J	D	O	B	M	A	M

BALLET
BALLROOM
BOOGIE
BUNNY HOP
CAN CAN
CHA CHA
CONGA
FANDANGO
FLAMENCO
FOX TROT
HIP HOP
HULA
JAZZ
JITTERBUG
MAMBO
PROMENADE
SALSA
SHAG
SWING
WALTZ

MUSIC EVERYWHERE

Puzzle #181

X	Y	A	X	U	W	W	R	R	R	T	X	W	R	H	U	F	X	S	W
C	H	B	J	T	I	H	B	U	O	B	N	J	H	P	A	T	O	X	S
O	D	K	D	S	H	K	U	Z	E	C	D	X	C	F	C	U	T	L	I
U	W	L	G	M	N	D	L	J	T	E	K	K	O	H	F	W	E	G	K
N	M	I	J	O	G	B	X	V	E	K	Z	L	Y	O	A	M	H	B	P
T	S	U	H	D	A	N	C	E	U	X	I	P	F	O	I	M	I	P	H
R	E	V	I	T	A	N	R	E	T	L	A	V	W	T	R	G	B	O	E
Y	W	W	M	W	N	Y	K	D	S	Z	A	B	G	Q	B	B	C	E	C
F	M	P	Z	I	Q	Z	N	W	S	S	H	A	D	A	N	I	N	L	R
F	N	F	C	T	K	F	I	N	Q	O	R	U	N	F	N	T	A	Z	J
D	D	O	Y	R	V	N	R	V	H	N	H	D	L	O	S	S	M	P	B
T	U	R	X	Q	G	F	P	V	T	E	F	Q	R	S	S	G	O	A	A
I	N	O	X	Q	W	Z	H	O	A	L	R	T	D	I	A	N	J	R	R
S	Z	A	A	Q	Q	I	A	V	X	Q	C	D	C	K	R	M	C	K	B
W	R	Z	C	V	P	L	Y	I	K	E	Z	A	A	V	G	T	O	Y	E
J	O	V	A	H	H	M	E	U	L	N	L	M	K	Q	E	E	E	A	R
U	T	P	O	J	E	Q	P	E	R	C	U	U	Q	H	U	I	Y	Y	S
O	L	P	G	T	E	K	F	Z	C	V	R	P	S	A	L	V	Q	H	H
X	Q	L	A	R	O	H	C	C	P	J	N	C	V	B	B	L	O	Z	O
K	B	L	U	E	S	G	V	L	L	W	U	C	Z	B	E	K	Y	A	P

ALTERNATIVE
BARBERSHOP
BIG BAND
BLUEGRASS
BLUES
CHAMBER
CHORAL
CLASSICAL
COUNTRY
DANCE
ELECTRONIC
FOLK
HEAVY METAL
HIP HOP
JAZZ
PUNK
RAGTIME
RAP
ROCK
SWING

A HORSE OF COURSE

Puzzle #182

A	G	N	I	N	G	I	E	R	B	D	M	B	C	P	J	V	O	Y	I
A	B	N	N	Z	A	P	N	G	R	P	L	X	L	B	R	Z	G	S	N
Z	S	D	G	B	E	A	N	O	W	O	H	P	T	M	L	Y	R	M	Z
B	M	B	Q	G	E	I	D	R	A	L	P	N	A	N	I	V	Y	S	L
W	S	Z	G	G	P	E	W	T	E	O	A	Z	O	C	I	U	K	J	Z
U	Y	I	K	M	O	D	S	H	D	T	O	O	G	Z	L	A	B	M	F
E	N	D	U	C	G	R	G	T	X	D	R	J	A	I	C	R	P	P	L
G	S	J	L	B	C	V	D	Y	Z	N	H	A	M	U	S	T	A	N	G
R	B	U	D	N	C	H	L	M	P	Y	C	K	U	U	L	L	L	Z	H
J	U	P	A	L	O	M	I	N	O	S	G	N	R	Q	A	I	E	O	E
K	C	V	J	W	I	L	D	E	C	Y	Y	T	C	U	N	F	R	J	G
D	K	B	G	R	F	I	F	N	C	P	R	Z	X	S	T	S	R	M	A
N	S	R	G	O	L	T	W	V	N	N	H	H	P	J	E	Q	A	X	S
Z	K	I	N	I	I	L	C	V	P	V	A	V	H	B	J	D	B	I	S
Z	I	J	I	I	M	M	Y	J	H	R	A	R	A	T	R	A	I	L	E
O	N	P	T	F	A	R	D	J	G	D	N	L	U	V	G	B	Y	A	R
M	E	G	L	J	A	L	J	R	O	O	L	Y	K	D	C	U	Y	Z	D
E	I	B	U	Q	E	Q	F	A	N	G	S	S	D	P	N	N	J	C	K
X	K	F	A	S	G	V	T	O	M	D	J	R	S	V	O	E	B	L	C
V	C	S	V	L	N	X	Q	P	O	N	X	S	O	P	V	I	W	F	N

BARREL
BUCKSKIN
DRAFT
DRESSAGE
ENDURANCE
GYPSY
HORSE BALL
JUMPING
MUSTANG
PAINT
PALOMINO
PEGGING
POLO
PONY
QUARTER
REIGNING
RODEO
TRAIL
VAULTING
WILD

BAKING COOKIES

Puzzle #183

H	D	Q	G	N	I	Z	M	N	K	A	D	O	S	G	N	I	K	A	B
N	V	A	N	N	H	N	D	I	B	N	G	A	E	H	A	Q	R	N	E
C	I	E	I	R	U	C	G	C	T	M	E	U	I	I	K	C	O	C	R
V	V	B	A	M	M	N	J	R	O	M	G	B	K	N	P	D	H	W	U
O	S	G	J	R	C	D	A	N	E	E	P	W	E	Y	Y	M	V	A	T
V	U	Q	F	A	P	I	T	Q	M	D	S	G	G	E	F	O	Q	L	A
S	N	Z	T	G	R	F	A	T	C	P	I	F	Q	O	J	R	F	G	R
M	E	Q	R	U	E	K	U	A	K	N	Q	E	V	D	A	I	E	T	E
C	J	N	K	S	H	N	G	Z	O	T	T	I	N	L	M	F	U	G	P
U	M	U	A	N	E	H	O	O	B	O	W	L	L	T	W	D	G	R	M
E	V	Z	Z	W	A	N	P	F	P	V	C	I	T	W	S	W	E	S	E
S	N	I	E	O	T	S	S	T	I	R	N	Z	A	X	X	M	S	M	T
Z	N	N	W	R	A	F	E	S	Y	A	J	S	L	L	I	G	I	V	J
M	Z	G	O	B	C	W	R	J	V	Y	H	Q	U	T	K	X	V	U	Y
B	E	X	E	X	J	E	N	F	M	E	T	F	T	U	Z	V	I	P	Q
C	G	T	G	Z	X	M	P	I	E	I	K	R	A	N	W	U	P	G	E
Y	L	F	C	I	A	U	I	T	E	O	D	U	P	Z	S	S	O	C	D
H	R	T	M	R	Q	A	S	E	F	G	N	O	S	K	W	L	Q	H	Y
M	X	N	T	T	I	M	N	E	V	O	F	L	X	G	R	E	Y	S	D
T	Q	L	N	A	Q	J	L	J	P	V	H	F	R	N	L	H	D	W	M

BAKING SODA
BOWL
BROWN SUGAR
EGGS
FLOUR
INGREDIENTS
MIX
MIXER
NUTMEG
OVEN
OVEN MITT
PREHEAT
SHEET
SPATULA
SPOON
STIR
SUGAR
TEMPERATURE
TIMER
VANILLA

RIDING BIKES

Puzzle #184

Q	R	S	R	A	B	E	L	D	N	A	H	V	P	T	H	O	R	N	V
C	S	L	A	N	G	I	S	N	R	U	T	Z	C	S	E	N	Y	C	M
C	O	G	D	R	E	T	E	M	O	D	E	E	P	S	U	K	T	F	A
J	R	T	Q	B	F	K	N	E	E	P	A	D	S	Q	U	H	S	H	O
L	W	T	J	R	L	O	U	P	E	A	W	Z	S	H	E	N	V	A	A
H	F	V	S	B	R	S	M	M	W	K	E	M	Q	L	C	I	P	B	B
C	B	N	E	E	L	X	F	A	O	Q	N	G	M	Y	Q	O	L	X	H
J	A	F	H	A	Q	R	S	R	F	U	R	E	Y	J	O	G	E	E	A
O	F	H	D	E	Q	L	S	B	F	P	T	Q	Z	S	T	W	K	W	R
T	H	E	F	A	I	W	T	P	O	M	O	N	C	G	H	I	P	T	P
G	P	J	I	A	J	Q	H	R	L	L	B	C	E	E	C	P	P	L	E
K	Z	G	R	S	L	E	S	S	A	T	L	Z	E	K	P	O	R	R	C
S	W	T	B	B	K	W	T	C	M	M	V	L	S	B	D	Q	R	K	M
E	M	X	Y	M	U	N	S	Q	E	W	I	T	R	O	M	D	R	T	Q
K	I	T	M	C	I	I	P	N	P	E	A	A	M	C	S	R	M	M	I
O	X	N	I	I	H	L	M	N	O	N	K	E	Y	H	E	I	S	C	P
P	O	V	K	R	R	A	U	V	D	E	T	R	B	J	A	L	Y	I	V
S	V	T	Z	P	E	R	I	M	S	E	L	N	M	R	T	K	Z	F	D
I	Q	H	E	S	J	Z	O	N	R	S	K	R	V	C	W	W	Z	O	Y
K	F	P	S	M	Y	V	A	R	Z	O	W	J	Q	Z	V	E	I	M	O

BASKET
BRAKES
CHAIN
HANDLEBARS
HELMET
HORN
KICKSTAND
KNEE PADS
MIRROR
ODOMETER
PEDALS
RAMP
SEAT
SPEEDOMETER
SPOKES
TASSELS
TIRE
TRAILS
TURN SIGNALS
WHEELIE

UNIVERSE

Puzzle #185

I M C Z J V U N I V E R S E M L J U D J
D E B R L B P Q K O E P S T A R S M K I
F T M F Y I M R G A L A X Y X C T I E A
Z S S N F E G L E T C T D E B J P S C R
U Y U K I L S H F P V O N M O O N L A J
R S A Z E O P A T G O C S U V O I S P L
O R W T N H A V D Y S C A M U E F Z S P
U A I E E K C A W P E L S Y I W O A G Y
E L P N R C E S E N Y A I E H C K T O S
F O M A G A S T E S S T R E L I A Y V G
E S X L Y L H R O J H L X S V E W C Q T
Z R N P Q B I O W V U O Q V G T T Y B U
Z C E O O W P N K C T C E B S P T W C O
N O W H R A W A M L T M G L R I N Q B O
W X O I P T Z U S C L C U O V Z L T V W
R M Q W Z S U T A B E Y T A N U S Y X J
E X I G K W O E V B J O R D O K Y V P C
N D Q E Z D W M N C N G N Q C O C L E B
V X N F R I G A T S S J C G E T V N B D
A I V N U F O K D A N C W A D M B J P A

ASTRONAUT
ATMOSPHERE
BLACK HOLE
COSMIC
ENERGY
GALAXY
GRAVITY
LIGHT YEARS
MOON
NEUTRONS
PLANET
PROTONS
SHUTTLE
SOLAR SYSTEM
SPACE
SPACESHIP
STARS
SUN
TELESCOPE
UNIVERSE

COLORS

Puzzle #186

G	U	P	V	G	D	Z	N	U	L	M	F	N	D	C	S	E	Y	R	B
Z	F	D	F	L	L	N	M	O	E	S	J	A	P	F	Q	B	K	P	N
T	R	T	O	F	W	E	A	J	Y	R	V	J	P	E	A	C	H	U	S
D	B	G	C	O	B	O	Y	E	S	J	N	X	S	B	M	Z	U	C	Y
F	J	R	R	L	C	V	V	E	J	O	E	J	N	D	N	H	C	I	H
F	W	B	P	A	O	P	P	I	J	M	I	N	Y	U	K	A	M	B	Q
C	U	L	U	D	F	I	A	C	O	H	O	Q	A	G	V	Q	D	N	W
Y	X	M	R	X	N	B	K	E	R	L	I	B	W	T	X	U	Y	H	C
K	B	S	P	K	T	N	S	B	W	C	E	T	F	F	Y	A	I	R	D
K	P	Z	L	I	E	G	N	A	R	O	N	T	H	H	R	T	R	E	D
W	Z	V	E	W	O	Y	J	Q	N	M	R	D	Z	G	E	O	I	V	G
I	N	D	I	G	O	V	P	V	Y	X	C	N	Q	T	E	V	L	K	Z
J	G	Z	N	E	U	V	B	M	E	Y	V	N	W	T	V	W	V	B	I
H	Z	Q	U	P	N	U	E	D	T	U	L	A	O	Z	T	B	L	U	E
N	E	E	R	G	J	C	W	N	Q	H	W	V	L	K	Y	A	R	X	M
E	B	U	B	V	A	K	C	O	L	I	F	Y	L	Q	A	E	C	V	M
R	A	U	R	L	Z	K	P	O	O	I	I	B	E	T	V	Z	T	X	Z
H	K	C	A	L	B	K	P	R	D	K	M	F	Y	L	J	B	V	N	J
C	Q	T	E	S	A	X	T	A	V	F	A	N	I	N	R	G	I	Z	S
F	N	N	E	W	M	X	O	M	M	Y	Z	S	C	P	J	M	O	U	O

AQUA
BLACK
BLUE
BROWN
GOLD
GRAY
GREEN
INDIGO
MAROON
NAVY
ORANGE
PEACH
PINK
PURPLE
RED
SILVER
TAN
VIOLET
WHITE
YELLOW

NATURE CALLS

Puzzle #187

H B O P B D G S Y C G C I N C I P N N E
Y W H D A N E B I Z B D C U F Y M R M T
Q R O M O V G B S I G S F C H F L O K Q
Q B F O A K F C R B N D G L W O R C D Z
Y W Y C D R Q D S R I C X D U G G K A S
J T C P V S S L I A K G V P P O U S T G
T R E E S J I J H S I G Y C A K M N N V
C E R U T A N M O W H Y H P M S A U W Z
E J T P R A B N B I M A F O N L N E O U
V U W T B B L D V M E C W V P K A W L K
W C A M P F I R E M A T L E Y I W X L A
K A W P F M F G L I I I A U C W H R A V
U L T S S A R G U N B V P T L O P Z M Z
S J E E D T H X U G K I T E K Z J X H I
S L J Y R W H Y B M Z T N N Q C S K S X
U D A S K F F X N T F I D T J K X F R D
R M N M C W A S X L A E V S C E G H A E
U N E U I P K L J Y S S C I G R L I M O
Y L C F O N J E L C W Q T Z K C P K J W
X Z K J N S A B T S A S U V S R R X O F

ACTIVITIES
ANIMALS
BIRDS
CAMPFIRE
CAVES
GRASS
HIKING
MARSHMALLOW
NATURE
PICNIC
PLANTS
ROCKS
SOUNDS
STICKS
SWIMMING
TENTS
TRAILS
TREES
WATERFALLS
WOODS

RESPONSIBILTY

Puzzle
#188

```
S T G D Q K L K U J A M U K C N P U D R
B A C T I O N S T C K O L P Z H E U D O
E E J H E Z D D C R K A Y P O K A E A A
S K D V T R U O B E D B T L N R J R D R
L N Q E A T U E V J C D W Z N O H J G P
M N S W Y N V G B X F R K E L W U C L E
W H E W T E V I T A R E P M I R G H J J
H R P A T I E N C E U Y J E P J C O R O
W B B N V C Y P Y Q G Q D J K T O R N B
X L D G O O D R B H A G H D R Z N E U G
E G O P T M N V R T X T A U S T S S B D
Q A E H A M J X X X Y Y S L V D E J L N
B E U K R I L V X P R T A D D Y Q Z N I
B L J Z K T Z L R R J O J J T A U V V A
N U Q V A M U F D G G Y N W C G E G C I
E E R Q H E L B I S N O P S E R N Z T A
Y M B D D N V T Z K C P M Z K W C I O J
E B V T E T W V A P F G T I M E E T X X
N G N I D N A T S R E D N U C I S Q V Y
A G B O B L I G A T I O N L G S L Z O V
```

ACCOUNTABLE
ACTIONS
BURDEN
CHARGE
CHORES
COMMITMENT
CONSEQUENCES
DUTY
GOALS
IMPERATIVE
JOB
NEED
OBLIGATION
PATIENCE
RESPONSIBLE
REWARDS
TIME
TRUST
UNDERSTANDING
WORK

FAMILY

Puzzle #189

X E E X B C G B J T Z Q K E E G B Y K A
Q N X G S B E E O Y A E Y H S A O B I Z
T A S W U R B G L N C I C U O J O P N Z
V I B N T B E I G U P X Y K A M A P D T
N J N R A T M H K E P V L T T R E S N Y
Y B O J H A D M T R X W L U N E C W E U
X L B E F W Y T E O L K Z R U H V G S B
O B R H O L H G C L M R M E A T I R S Z
Y A W F G P D W A O I V S T B A S A O O
A N D N I S U O C V V W J S L F T N C R
N V G I I E F R U E A P V I G D D D Y B
H F D F U B V U K L E N Y S G N U M I T
E F F N Y R M Q N G L B T U Z A P O E R
N A B W G C F I X T C A M B S R X T E T
U T Y F Z U P K X C N J D O R G D H J L
P H Y S K E W W X D U A T O R K T E T D
F E A I T G A T H E R I N G M O D R J G
I R F S Q B A D E D N E L B R D J T Q I
V P M W H I S I B L I N G B L W Y M W Z
O C V A D O D T R O P P U S D U U F A A

AUNT
BLENDED
BROTHER
COUSIN
FAMILY
FATHER
GATHERING
GRANDFATHER
GRANDMOTHER
HOME
IN LAWS
KINDNESS
LOVE
MOTHER
PETS
SIBLING
SISTER
SUPPORT
TOGETHER
UNCLE

FRIENDS UNTIL THE END

Puzzle #190

Z U N E B W Y F Z I B J S E Y E N L U S
U N N N C A T D Y S S B N T V H I F A E
X O U I C N A H U I V V Z B E O G V L I
P I F K S F E P O P C O R N M R L J X V
K T T L N K P I Y T S E N O H L C I D O
W A A U P O I W T Q M Y I U Z Z T E D M
F C Q F R I W W L A O U L T R U S T S Y
U I F T C I H U T C P P G R O U P S I L
L N Q F D Q V S C O M M I T M E N T U D
Q U W O E L S H D M N W Z D P X O T U E
L M M Z W M W J K N H N E R P R Y A R X
Z M R E O T N P W H E M W Q Q T M E U I
S O A I O S F P R W M I R S C Y V D I N
A C R E T H G U A L X Y R Z C O Q C V V
Y D F O R G I V E N E S S F P C W J G C
W B O N D I N G B S U P O E L H O G J X
M F E R Z Q H I I B Y S E H L K F V J N
A V F P C A P X F Z H L F B E I H F I M
G Y T S Z Q F Z Q L S Q I S Y U M C R X
C G N I D N A T S R E D N U P D Y S V D

BONDING
COMMITMENT
COMMUNICATION
FORGIVENESS
FRIENDSHIP
FUN
GROUPS
HONESTY
JOKES
LAUGHTER
LOVE
MOVIES
PATIENCE
POPCORN
SECRETS
SLEEPOVER
SMILES
SUPPORT
TRUST
UNDERSTANDING

ANIMALS

Puzzle #191

R	U	T	L	L	N	P	Y	B	M	D	D	H	C	H	E	E	T	A	H
T	H	O	R	S	E	B	G	P	R	J	A	C	O	U	G	A	R	T	K
C	I	H	C	A	T	N	T	A	P	P	Z	B	H	T	P	E	K	J	B
J	O	C	W	I	T	M	Y	R	Z	A	E	Z	L	G	M	G	B	H	X
P	K	D	O	G	G	C	U	T	S	E	N	P	B	Y	I	I	J	B	S
S	J	N	X	X	K	S	Y	N	A	B	L	T	R	G	C	Z	R	E	E
D	D	A	H	Q	A	S	L	M	R	G	Q	L	H	T	K	S	I	A	A
V	H	D	E	A	Q	N	C	G	A	C	D	Z	E	E	N	A	T	R	L
J	K	U	A	J	V	A	T	A	P	S	W	N	W	T	R	R	S	U	W
A	O	V	B	A	G	I	M	P	O	Y	L	M	U	S	C	E	Z	R	W
R	A	X	Y	N	R	P	K	B	N	Q	D	T	G	O	J	C	E	O	A
W	L	V	Z	E	Y	A	P	I	P	Y	I	H	P	S	F	G	C	F	E
Z	A	M	O	Y	X	V	E	G	O	R	I	L	L	A	I	A	U	D	Q
E	B	R	I	H	U	D	Z	B	A	Y	C	F	Q	T	P	X	Q	A	D
R	E	D	T	P	O	M	B	S	R	O	D	L	C	J	L	M	N	R	B
U	A	J	E	E	H	J	O	V	R	A	Z	Y	I	H	V	U	I	X	L
K	R	G	G	T	Z	N	W	N	P	J	L	T	B	O	Q	B	S	G	N
S	L	J	M	C	K	H	S	Y	K	V	P	O	O	L	N	I	J	I	N
P	E	N	G	U	I	N	U	O	V	E	V	A	P	Z	Q	K	Q	P	D
I	I	F	V	I	D	M	B	Y	V	G	Y	P	R	O	J	L	W	G	V

BEAR
BIRD
CAT
CHEETAH
COUGAR
COW
DOG
GAZELLE
GORILLA
HORSE
HYENA
KOALA BEAR
LION
MONKEY
PANTHER
PENGUIN
PIG
POLAR BEAR
SEAL
TIGER

WINGS

Puzzle #192

D I P G A K B K Q R Y X W Y M N Q F K G

W Y E G L O G P A D X W U N D E U R R C

B G A O C H E E H G Y W A J Y D P L A F

W Q C R O W Z U F V E A L E O R O S L O

K D O Z H E V C M U L T B W P I A L O L

M Y C N S V O V D I O Y A O Y B S N U K

E H K O E T N A R B I Y T L X G C L A Y

S K O I O R B E I U R F R L S N Q K P C

D G Y R E W W Z B S O H O A K I Y G G U

A E R F K Y P N E T Y X S W R M Z I T Q

U A L K A D Q S U Z U T S S G M R Y B N

P N I G K L Y V L B S C P F H U U Q U M

J Q G C A H C W B R J G J M N H H W J Y

C L U C S E Z O Z D X Q Q N Z D I J A A

D D N V A O D N N B W O R R A P S U H J

M O C Z Y J E L M O C K I N G B I R D E

Z Q V G A D E X A K E W T D I M Y V S U

H V P E S T K F U B Z O L M Y U P R M L

X J F R E K C E P D O O W U P V M E F B

Y N Z Z Z J V N K L A F Y I F I W X L A

ALBATROSS
BALD EAGLE
BLUE JAY
BLUEBIRD
CANARY
CROW
DOVE
DUCK
FALCON
GOOSE
HUMMINGBIRD
LARK
MOCKINGBIRD
ORIOLE
PARROT
PEACOCK
SPARROW
SWALLOW
WOODPECKER
WREN

ON THE FARM

Puzzle #193

V	K	J	W	W	L	I	H	D	E	O	I	Z	C	X	G	L	P	S	Q
M	X	T	Y	U	K	R	O	F	H	C	T	I	P	L	Y	O	K	N	K
T	T	U	Z	L	V	H	M	B	X	S	L	Q	A	D	M	U	A	T	Q
E	P	R	B	M	M	N	C	J	H	B	D	K	G	C	M	N	S	T	H
N	P	X	U	O	G	X	P	A	U	V	C	N	D	X	P	I	G	T	W
G	R	V	V	C	D	E	Y	F	Y	U	A	L	B	G	D	R	H	W	J
Z	S	U	O	A	K	F	E	X	D	I	E	U	W	H	E	P	S	T	D
N	H	Y	V	Q	I	C	K	A	J	I	B	H	J	W	U	J	R	H	B
Z	E	I	X	E	T	R	F	V	F	G	B	A	M	O	D	A	B	U	N
I	E	S	L	N	R	N	E	T	C	B	E	Y	P	C	C	H	V	L	D
Z	P	D	G	W	R	D	A	Z	I	H	A	W	C	T	V	Y	R	R	J
E	P	P	A	A	Y	E	I	S	I	D	N	B	O	B	R	E	R	M	D
C	P	W	B	F	H	K	S	V	L	L	F	R	O	P	M	R	Z	Q	I
O	W	G	J	W	M	M	O	E	J	E	I	P	W	R	O	L	S	D	H
M	Y	J	Z	T	A	D	I	W	L	W	E	T	A	X	Q	C	F	F	Z
B	R	Y	Y	J	T	F	D	B	M	G	L	F	R	D	G	O	K	M	Z
I	D	P	R	Q	N	S	J	N	X	I	D	O	J	E	L	E	U	Q	I
N	Y	T	E	R	K	Q	D	Z	O	Z	X	Q	V	C	F	S	X	T	Y
E	A	L	O	P	O	I	I	O	S	P	F	Q	S	C	V	Q	L	A	W
T	O	C	Y	T	G	V	B	Z	G	I	X	M	E	M	J	J	T	C	D

BARN
BEAN FIELD
CAT
COMBINE
CORNFIELD
COW
DOG
DUCK
FARMER
FERTILIZER
GOAT
HAY
HAYFIELD
PIG
PITCHFORK
POND
SHEEP
TRACTOR
TRUCK
WHEAT FIELD

WELCOME TO THE JUNGLE

Puzzle #194

J Q J P R Q B O V F F P T P E X G U T A
A Q U O G B D W C J L T H E N N R X X R
L W D K B W K L I A O H R X A Z G A E J
L E D E U N I P N P L A Z B A X O H T X
I S C O P F O T C F A T M A P M T J T N
G T U E F L S I X H V E E L V N J G I E
A G S S S J G E P G L E Q D A C W W F Y
T S E E R T O P H Y Y H H P G K B H C N
O J L J A Y R Y Y E N C A R B P E Y D W
R Z I L E Q I T R K C V E J Y F Y S F B
S C D T B O L H Y N U E W X G E L F S N
Q Z O B N K L O F O N C M H L L B W I N
T G C A F S A N Q M K V P W A E E A Y B
P J O F B E S S C A U O J F G H R B G N
L A R J X C X G A U Z V R H I S X H S S
N I C C S O F I P Y C E S K C G W R R J
G G O J A Y P E V B T K X S O S Q E O X
E E L N A V Q M T A V G R J S S V G B J
S P F W S W E N W N A T U R E I N Z P J
I W J C X R J S Y D X C W K R L N O S L

ALLIGATORS
BEARS
CAVES
CHEETAH
CLIFFS
CROCODILES
GORILLAS
GREEN
LAKES
LIONS
MONKEY
NATURE
PANTHER
PLANTS
PYTHONS
RAIN
RIVERS
TREES
WATERFALLS

ZOO TIME!

Puzzle #195

J	A	R	I	T	I	G	E	R	U	Q	C	Q	J	B	E	A	R	N	U
R	L	A	F	S	Y	N	J	R	G	M	D	X	F	H	F	N	Z	K	L
N	L	D	M	A	Y	H	E	G	I	H	O	B	Y	I	C	K	D	R	I
P	I	F	U	N	N	L	Y	Q	J	R	G	N	B	L	N	S	X	A	O
I	R	U	I	F	U	Y	K	H	A	F	B	F	K	V	F	D	C	H	N
A	O	H	R	Z	G	U	V	J	T	T	Q	T	A	E	O	H	J	S	V
J	G	G	A	M	X	G	O	X	Z	E	K	E	N	T	Y	I	V	R	J
K	Y	J	U	O	K	N	L	E	I	P	Z	U	K	A	B	Y	L	T	B
N	W	J	Q	M	R	N	A	Y	P	G	N	K	N	A	H	Z	I	M	B
G	Y	A	A	O	L	E	X	D	Q	H	T	M	I	F	N	P	G	F	Q
C	I	K	L	M	W	P	E	A	C	O	C	K	O	S	W	S	E	B	D
U	M	R	R	R	A	J	H	A	T	E	E	H	C	J	P	A	I	L	V
S	M	T	A	D	U	Z	O	O	K	E	E	P	E	R	N	F	C	M	E
L	W	T	X	F	F	S	F	Z	X	J	R	E	Y	Q	T	J	M	C	D
M	D	O	G	V	F	M	S	D	K	E	G	A	C	H	G	E	O	O	Z
H	Y	T	H	C	A	E	Q	O	P	D	X	I	I	Q	D	Y	L	G	A
C	I	U	P	S	J	R	H	P	D	I	X	P	J	L	B	P	C	D	M
Y	F	C	W	B	X	J	L	N	G	P	P	J	I	N	H	A	N	I	R
W	W	G	L	J	Z	F	R	N	B	O	O	E	O	I	S	A	N	I	U
K	R	O	A	Z	D	P	U	F	X	G	L	T	N	H	P	K	M	X	F

AQUARIUM
BEAR
CAGE
CHEETAH
DOLPHIN
ELEPHANT
GIRAFFE
GORILLA
HIPPO
LION
MINK
MONKEY
PANDA
PEACOCK
SHARK
SHOWS
SNAKE
TIGER
WALRUS
ZOO KEEPER

IN THE KITCHEN

Puzzle #196

T	C	E	S	S	S	M	B	M	J	C	R	B	B	S	S	E	E	K	R
P	J	S	E	J	N	D	I	L	V	E	G	V	L	O	R	K	Y	N	I
R	G	Y	V	G	O	J	F	X	F	M	V	C	Q	N	C	I	R	P	N
E	X	V	I	S	O	J	D	R	E	K	U	E	U	H	N	X	A	O	X
D	F	D	N	A	P	Y	I	H	T	R	F	M	D	O	O	F	I	H	F
N	Y	S	K	O	S	G	W	U	W	I	R	J	P	B	G	G	G	E	C
E	T	N	V	N	E	K	H	F	R	E	E	Z	E	R	M	Y	K	Y	Y
L	U	E	M	R	U	G	M	Z	M	Y	Z	S	X	E	M	T	M	T	W
B	N	B	A	T	V	K	P	I	W	J	F	X	X	V	M	G	Z	M	U
P	I	T	M	T	B	H	T	O	V	C	M	N	I	O	L	R	S	G	P
V	O	R	L	D	C	N	A	C	K	I	I	M	I	T	E	U	I	N	N
R	D	C	F	E	Z	S	Y	C	C	H	C	B	X	S	K	G	N	E	X
E	Q	H	L	N	N	E	B	R	T	E	L	L	I	K	S	A	V	C	F
G	K	X	J	O	K	K	O	V	D	S	Y	Z	N	F	T	U	O	V	W
S	F	S	R	E	C	W	P	V	D	T	D	R	K	S	L	P	L	P	C
W	D	H	V	J	A	K	O	D	W	N	N	M	Q	D	D	G	O	Z	D
A	H	D	X	V	P	C	A	B	C	E	F	S	S	K	N	I	R	D	K
J	U	M	E	O	J	O	M	P	E	D	N	V	Z	W	S	I	N	K	K
A	M	M	P	N	Y	I	T	Q	A	A	Q	R	J	R	O	U	Y	L	X
V	T	A	B	L	E	S	Y	S	P	I	E	D	H	R	F	C	J	Q	X

BLENDER
CHAIRS
CLOCK
DRINKS
FOOD
FORKS
FREEZER
KNIVES
MICROWAVE
MIXER
OVEN
PANS
POTS
REFRIGERATOR
SINK
SKILLET
SPOONS
STOVE
TABLE
TIMER

IN THE BATHROOM

Puzzle #197

I	X	P	K	M	B	N	P	R	B	A	T	H	T	U	B	C	A	R	N
C	K	V	E	J	E	D	X	E	L	H	X	K	P	A	D	I	F	E	K
W	V	F	B	M	O	C	W	W	N	G	U	X	Q	O	G	W	D	Y	J
A	D	L	W	Z	F	T	S	O	N	T	Q	N	L	M	N	W	U	R	N
S	L	D	T	K	R	C	F	H	I	D	N	F	S	M	Y	K	P	D	Q
T	D	W	H	L	O	I	V	S	J	F	F	E	W	M	N	N	N	R	C
E	E	N	R	O	Z	A	R	X	T	Y	D	P	V	Q	B	A	K	I	V
B	N	M	P	A	C	R	E	W	O	H	S	R	L	X	F	J	G	A	E
A	R	K	S	T	O	I	L	E	T	G	C	J	F	Z	K	W	L	H	L
S	O	W	F	O	Z	X	I	R	E	N	O	I	T	I	D	N	O	C	U
K	R	R	Y	F	J	R	Y	K	M	F	X	O	E	S	K	Y	H	N	P
E	R	C	U	R	L	I	N	G	I	R	O	N	P	O	T	E	Y	B	E
T	I	R	B	Z	X	H	C	M	Y	T	Z	A	O	G	M	F	B	B	L
S	M	G	E	O	M	O	A	Z	H	U	F	P	K	B	G	D	I	M	J
L	U	H	U	K	N	X	L	B	V	D	M	O	G	H	E	H	Q	Q	Y
E	U	A	X	R	Y	Z	R	C	E	A	Y	Y	P	M	S	M	B	I	H
W	H	M	L	N	G	U	X	T	H	H	S	B	O	O	U	C	B	S	O
O	Y	P	R	O	S	M	H	S	L	A	I	A	A	Y	A	C	U	U	D
T	K	E	H	H	K	Y	F	I	A	B	N	P	E	P	V	R	X	Y	U
C	W	R	A	X	D	A	C	K	U	V	K	N	S	C	B	H	E	Y	E

BATHTUB
BRUSH
COMB
CONDITIONER
CURLING IRON
HAIR DRYER
HAMPER
MIRROR
RAZOR
RUG
SHAMPOO
SHOWER
SHOWER CAP
SINK
SOAP
TOILET
TOOTHBRUSH
TOWELS
VENT
WASTE BASKET

CHEMISTRY

Puzzle
#198

P	U	K	P	T	O	N	G	S	X	J	E	F	Q	S	J	K	B	L	G
C	F	S	E	V	O	L	G	R	W	P	Y	Z	W	N	X	V	I	W	D
E	X	P	L	O	S	I	O	N	S	S	E	K	G	O	P	D	I	W	X
S	M	U	U	B	U	O	Z	J	T	J	W	H	O	R	M	Z	M	D	O
I	F	A	H	B	T	G	G	S	R	R	A	X	G	T	Z	U	V	J	W
S	K	O	N	A	Z	N	C	O	A	U	S	Q	G	U	T	Y	S	N	F
T	N	E	R	X	H	X	E	O	H	J	H	F	L	E	M	B	M	Z	B
E	B	O	C	M	O	K	G	M	C	S	C	U	E	N	K	V	G	W	Q
W	T	L	I	S	U	A	C	H	I	T	N	Y	S	T	R	W	S	R	J
O	E	E	D	T	E	L	P	H	X	R	F	A	V	D	B	B	H	D	V
N	G	Y	S	O	A	R	A	I	E	D	E	J	X	U	K	Q	P	A	C
U	W	I	O	T	O	U	S	S	O	M	S	P	R	E	G	S	A	I	X
I	S	E	H	T	T	H	Q	C	P	N	I	N	X	A	A	E	R	U	R
S	S	M	O	A	T	U	D	E	O	J	E	C	O	E	X	S	G	S	S
D	J	N	O	Y	N	Q	B	R	R	R	Z	W	A	A	K	I	H	L	L
E	S	T	S	T	L	D	T	E	S	V	Q	E	Z	L	P	M	L	X	Y
E	R	H	V	X	A	C	W	G	S	H	F	Z	V	P	S	P	E	I	C
J	I	I	V	W	E	J	P	A	N	T	D	D	I	G	F	I	W	S	T
Q	T	T	F	L	T	V	Y	Z	S	Q	R	D	P	O	V	C	A	S	N
I	P	Q	E	W	J	U	K	S	K	H	A	N	B	P	Y	G	S	X	D

ATOMS
BURNERS
CHARTS
CHEMICALS
ELECTRONS
EQUATIONS
EXPERIMENT
EXPLOSION
EYE WASH
FIRE
FORMULAS
GAS
GLOVES
GOGGLES
GRAPHS
HAND WASH
NEUTRONS
PROTONS
TEST TUBES
TONGS

BIOLOGY

Puzzle #199

K	S	M	S	I	N	A	G	R	O	G	Q	U	T	F	O	B	D	S	H
L	S	F	L	T	G	M	K	L	G	U	N	T	H	Z	B	L	Y	E	C
A	O	B	S	G	N	E	F	G	N	U	M	I	W	D	X	Y	D	L	U
N	D	H	B	A	G	A	K	B	I	H	D	Z	T	O	H	T	I	F	K
A	L	S	C	Y	N	N	L	G	T	Z	K	S	B	C	J	T	D	B	X
T	P	H	R	E	I	U	I	P	C	Z	B	E	Z	Z	E	A	H	F	J
O	S	F	Z	X	Y	S	D	T	E	L	D	I	Z	O	O	L	O	G	Y
M	I	O	G	J	D	T	Y	A	S	U	S	C	O	U	X	V	L	T	E
Y	N	A	N	D	U	X	W	U	S	E	V	E	T	X	R	V	K	O	K
H	S	Z	H	C	T	N	V	N	I	H	T	P	J	A	A	Y	Z	I	C
C	E	V	W	Z	S	I	N	R	D	R	K	S	B	W	Y	Z	C	I	Y
K	C	Q	I	Q	Q	E	M	Q	A	U	J	D	S	P	S	V	A	M	T
N	T	H	V	R	P	C	H	R	O	M	O	S	O	M	E	N	Z	T	I
G	S	X	O	H	U	J	Z	E	N	F	I	X	F	O	I	E	C	W	D
A	K	M	O	R	R	S	V	K	Q	G	A	P	D	M	S	R	M	B	E
I	C	S	Y	J	M	C	E	Q	W	U	R	N	A	L	P	S	N	M	R
R	D	H	H	C	W	O	R	S	T	B	U	L	N	O	W	A	B	J	E
M	L	G	O	S	L	N	N	G	N	X	S	S	D	P	O	H	E	F	H
G	J	U	D	J	L	N	S	E	S	A	E	S	I	D	I	V	I	Y	M
B	B	L	S	R	W	I	L	M	S	M	G	E	N	E	S	L	Q	F	L

ANATOMY
ANIMALS
CHROMOSOME
COLLECTING
DISEASES
DISSECTING
DNA
GENES
HEREDITY
HORMONES
INSECTS
LIFE
ORGANISMS
PLANTS
SPECIES
STUDYING
TESTING
VIRUSES
XRAYS
ZOOLOGY

IN YOUR MATH BOOK

Puzzle #200

G	N	R	F	O	D	D	S	H	N	O	I	T	C	A	R	T	B	U	S
E	S	Y	J	R	E	H	J	R	J	P	E	V	I	T	A	G	E	N	C
N	Z	F	Z	C	P	A	Y	S	N	O	I	T	C	A	R	F	Z	O	Y
W	J	R	I	A	R	R	E	P	R	A	D	I	U	S	W	G	M	S	V
T	W	M	R	B	T	B	S	R	O	T	A	L	U	C	L	A	C	J	N
P	A	G	E	E	C	A	Z	P	W	D	E	Q	U	A	T	I	O	N	S
L	R	G	M	P	D	V	D	D	X	M	M	D	H	S	F	E	J	E	F
N	L	O	K	T	L	F	M	D	I	U	P	N	V	A	A	W	Z	T	L
A	E	V	I	F	Z	F	Q	Z	I	L	Q	G	R	L	X	A	Y	N	S
G	R	Z	P	K	L	N	O	V	R	T	N	O	Y	U	N	B	E	Q	W
W	L	X	G	O	F	J	T	Q	O	I	I	L	N	M	Z	D	P	I	C
K	I	C	A	N	G	L	E	S	T	P	E	O	Y	R	K	S	V	Y	C
D	S	U	L	U	C	L	A	C	C	L	X	V	N	O	O	K	W	O	U
I	W	I	Y	M	M	O	G	P	A	I	Y	U	Y	F	T	C	U	Q	W
V	R	E	T	E	M	A	I	D	R	C	Q	X	L	H	Z	B	Q	C	Q
I	E	K	N	L	X	Z	R	M	T	A	K	X	S	S	A	P	M	O	C
S	T	W	O	R	D	C	H	N	O	T	W	J	G	S	T	R	A	H	C
I	N	P	J	T	V	N	E	U	R	I	L	O	N	P	X	A	E	C	I
O	E	R	Y	W	L	I	Q	E	P	O	R	I	U	I	M	I	Y	V	E
N	X	K	Z	R	X	F	K	W	F	N	W	Y	B	N	Q	S	S	X	R

ADDITION
ALGEBRA
ANGLES
CALCULATORS
CALCULUS
CHARTS
COMPASS
DECIMAL
DIAMETER
DIVISION
EQUATIONS
FORMULAS
FRACTIONS
GEOMETRY
GRAPHS
MULTIPLICATION
NEGATIVE
PROTRACTOR
RADIUS
SUBTRACTION

ENGLISH

Puzzle #201

T	B	B	C	E	U	Z	K	O	C	O	N	J	U	N	C	T	I	O	N
H	D	A	E	R	F	O	O	R	P	F	V	Y	J	R	N	N	O	P	D
P	Y	E	C	B	Y	I	M	T	S	E	O	R	E	O	O	J	R	Q	M
A	J	Z	V	C	B	J	Q	Z	R	P	A	A	V	I	I	O	N	I	U
R	C	H	X	O	K	V	N	B	H	M	D	E	T	R	N	R	U	W	V
T	I	W	Q	R	S	L	S	R	M	I	L	C	C	U	O	N	O	Y	M
I	B	K	Y	R	E	W	W	A	N	S	A	F	N	U	U	I	N	B	F
C	U	B	K	P	N	L	R	G	X	R	V	C	G	O	X	V	O	W	W
I	G	E	J	I	T	G	J	E	T	D	I	H	N	P	Z	H	R	E	Q
P	S	W	I	P	E	R	Z	N	O	A	D	R	O	A	F	C	P	R	Q
L	E	W	B	D	N	T	O	I	T	R	E	K	P	B	D	S	U	X	B
E	F	S	K	D	C	C	G	I	A	P	V	P	A	G	E	N	N	R	R
O	V	X	Q	L	E	J	O	F	O	F	S	V	R	U	O	U	A	P	C
A	F	I	G	K	S	N	T	R	P	Y	P	P	A	N	O	L	H	R	I
P	V	F	T	N	J	U	P	V	X	L	E	D	G	N	C	H	W	N	L
D	A	E	J	C	I	W	O	S	K	Z	L	Q	R	H	K	C	K	C	D
V	S	Z	H	F	E	T	G	M	O	H	L	T	A	B	Z	X	L	K	R
U	A	H	R	Y	I	J	I	L	C	B	I	Y	P	V	N	O	O	Y	O
N	B	R	E	V	D	A	D	R	S	S	N	X	H	A	W	G	H	W	R
I	A	D	L	L	P	O	X	A	W	Z	G	N	S	R	I	T	M	K	Q

ADJECTIVE
ADVERB
CONJUNCTION
CONTRACTION
GRAMMAR
NOUN
NOVELS
PARAGRAPHS
PARTICIPLE
PRONOUN
PRONUNCIATION
PROOFREAD
PROPER NOUN
READING
ROUGH DRAFT
RUN ON
SENTENCES
SPELLING
VERB
WRITING

LET'S GET PHYSICAL

Puzzle #202

T G P K N I C N R L S K M T A S W Y P R
H A B M P D V D L S L G I B Z U C T F W
D L F G P J A A E L N G C I V B I T Y L
F L F M B N B N A I X S O R A Z T W D A
Y O N W C T T B P S P U H S U P H D X E
O P B E O I Y P T T R B K H Q C R S R P
S I P O F E I V U X I E J O N Y O A B O
L N F U L K P M Y W T O Q O B G W P K R
I G N L S R B D P B S C C T B H I P H P
D D O R Z L T Z A O D U K I Z G N V R M
I V G G I R X L K I C K I N G N G S V U
N C J N H L L O D L Q H I G G Q P K X J
G U G D P N S L U S X Y G Y T U D B X T
M H A M N S D H Z C A E O N T H H I G E
Y A L W S K S K B O K K A I I Y Q N G V
R F Q O D J O X Z O J C S H J H I Y O V
T E Z L Q R C E R T J O F O W P C E A W
X I X J L Z C K V E I H S K P F B T W X
F A R Y E F E X X R M Z U O B W L X A J
C M S J B W R Z P S V R H Q X F T X M C

BASKETBALL
CATCHING
DANCE
FITNESS
FOOTBALL
GALLOPING
HOCKEY
HOPPING
JUMP ROPE
KICKING
PUSH UPS
SCOOTERS
SHOOTING
SIT UPS
SKIPPING
SLIDING
SOCCER
THROWING
TUMBLING
VOLLEYBALL

ON YOUR CALENDAR

Puzzle #203

```
W A Y T Y B A N S T A Y K O I L C Y A E
W Y I L Q H I H L N X B R P W F K D K Q
K S N A P S T R N M X S Y A D I L O H M
P O R P K N W I T B F P I C T U R E S P
B Y Z E O N V Y S H A T G P P E F L Q O
P W E M B E X N T O D N M T A I C F W L
V W G J R M G S B C G A Q C F R J S U R
T Q A S L S U F Y F Y N Y U B W T K I Y
J V A W E S L N U Z I O I O E D T I Q T
I R I M G E T Z W R I I W N S T W Y E N
Y Q A P N V S N D N C T H D N E S R P S
C G Z N I E G D E I X A F X E A V I S H
V Z G Q L N N S U M S Z W K I G L T Y U
W B J C U T I R L X T I E O G I S P A A
I S V F D S R M I C I N R N O B H J D Z
Y J E S E U E A X S D A I M C H X B F W
U V W I H G H Y Z S Z G I O P L E M I T
O C X R C Q T E X R C R M F P N P C J J
F V P T S G A A K Z J O L D A P V P I C
Z D Y O Y L G R Q R W V A E U F A X U N
```

ANNIVERSARY	EVENTS	NUMBERS	SCHEDULING
APPOINTMENTS	GAMES	ORGANIZATION	TIME
BANQUETS	GATHERINGS	PARTIES	WEEKENDS
BIRTHDAY	HOLIDAYS	PICTURES	WEEKS
DAYS	MONTHS	PLANNING	YEAR

WHAT TIME IS IT?

Puzzle #204

T	K	M	I	L	L	E	N	N	I	U	M	I	N	B	H	N	Y	E	G
A	E	G	U	L	M	I	L	L	I	S	E	C	O	N	D	S	D	I	A
K	C	O	L	C	S	A	P	K	L	L	S	A	K	C	W	L	B	N	K
M	G	L	O	N	G	H	A	N	D	T	K	E	G	R	H	C	Q	F	U
I	I	M	O	Y	K	Y	G	U	K	Q	E	Q	N	O	C	F	A	I	M
N	U	P	U	K	N	B	S	D	C	E	E	F	L	E	T	L	C	N	X
U	P	Y	K	M	M	I	J	P	B	U	W	Y	A	U	A	A	G	I	N
T	Q	R	V	O	I	B	S	K	F	T	S	E	I	F	W	D	E	T	R
E	Q	V	N	M	S	T	V	Y	U	N	E	A	Q	U	P	I	O	Y	S
S	D	T	T	H	G	W	E	N	A	P	C	R	G	C	O	P	X	V	Z
L	H	E	U	Y	O	F	H	N	T	D	O	S	D	U	T	O	N	I	P
S	Z	W	T	J	Z	U	A	F	U	S	N	Y	H	B	S	C	H	E	S
V	E	H	W	B	O	A	R	A	R	X	D	R	T	W	H	O	K	E	H
B	M	F	P	N	K	Z	X	S	R	T	H	U	E	F	S	B	C	M	A
N	K	Q	L	X	M	Q	C	X	E	Y	A	T	H	Y	H	O	W	J	D
N	P	I	Y	Y	Y	O	W	W	V	K	N	N	W	M	N	F	B	E	K
L	Z	N	R	S	A	Y	D	P	E	B	D	E	C	D	R	C	C	M	E
V	H	C	T	A	W	T	S	I	R	W	A	C	S	T	L	A	Z	A	P
T	I	C	K	T	O	C	K	T	O	W	A	T	B	U	D	Z	L	X	R
W	K	B	Y	A	F	F	F	M	F	N	J	T	G	E	E	Q	K	A	Z

ALARM
CENTURY
CLOCK
DAYS
DECADE
FOREVER
HOURS
INFINITY
LONG HAND
MILLENNIUM
MILLISECONDS
MINUTES
MONTHS
SECOND HAND
SECONDS
STOPWATCH
TICK TOCK
WEEKS
WRISTWATCH
YEARS

FIREFIGHTERS

Puzzle #205

H	W	L	X	P	H	E	E	Y	Z	B	P	O	W	M	Q	W	Y	L	H
K	X	C	O	E	Z	S	Q	S	A	L	A	R	M	O	E	N	P	E	O
S	E	L	L	G	O	R	G	M	V	Q	E	J	I	C	D	S	U	K	O
V	E	M	S	H	E	A	U	B	M	X	V	D	Y	Q	U	E	G	P	E
I	E	E	Q	D	Y	F	H	M	D	E	T	S	T	A	T	I	O	N	G
T	S	E	D	C	M	I	O	K	M	W	V	L	A	D	Q	A	I	J	R
H	R	A	Z	C	D	U	C	H	S	E	U	T	A	N	K	W	K	P	B
N	L	C	I	M	Q	U	U	S	I	R	O	N	J	Y	Y	O	C	V	A
E	G	M	M	D	R	F	X	I	I	I	I	Q	I	A	L	B	J	C	Q
R	M	M	A	T	B	R	X	U	V	F	K	X	P	F	Y	R	M	X	E
I	X	L	E	E	Z	O	A	G	I	K	W	H	L	H	O	R	X	H	E
S	A	R	C	C	S	V	U	N	C	B	D	C	Y	T	P	R	J	B	C
X	I	H	N	P	L	C	I	I	A	A	F	U	O	D	D	C	M	S	H
F	N	I	W	R	I	Y	P	T	W	G	X	C	P	N	R	U	K	S	B
R	H	I	C	F	O	W	K	S	W	D	N	F	C	O	Q	A	H	X	O
J	Z	O	I	S	X	H	A	I	R	B	R	E	T	A	W	H	N	A	K
S	V	D	B	O	X	S	E	D	E	H	V	F	B	T	I	I	D	T	N
J	P	M	O	L	D	Z	B	O	O	T	S	K	Q	D	R	V	G	P	H
B	R	M	U	G	M	C	A	P	T	A	I	N	P	D	K	W	Y	Z	T
Q	J	P	I	Q	N	X	T	E	A	M	W	O	R	K	F	W	K	V	B

ALARM
AX
BOOTS
CAPTAIN
DISTINGUISH
DOG
FIRE
FIRE TRUCK
HELMET
HORN
HOSE
HYDRANT
LADDER
POLE
SIREN
STATION
TANK
TEAMWORK
UNIFORMS
WATER

POLICE FORCE

Puzzle #206

R	J	B	V	L	M	V	P	R	I	G	H	T	S	D	S	Q	R	F	D
L	G	T	B	P	M	E	L	S	I	R	E	N	X	F	B	E	K	I	M
C	H	A	O	R	M	M	Q	F	K	M	S	J	F	G	W	O	L	U	I
N	F	D	R	I	N	J	S	J	C	E	T	R	Y	L	V	Z	R	U	Q
J	I	D	E	S	A	B	H	X	V	Y	N	D	N	Z	C	M	D	Y	R
O	H	H	G	O	C	S	E	N	C	J	P	Y	Z	A	M	F	S	X	A
Y	W	L	D	N	O	X	R	J	I	J	Q	O	P	G	U	X	N	B	U
N	T	H	A	P	Y	F	I	B	H	F	V	T	L	G	U	T	H	S	C
Y	T	V	B	T	M	X	F	D	L	N	A	L	P	I	C	T	M	Q	Y
R	L	J	A	I	L	S	F	C	K	I	E	E	C	K	C	F	D	C	U
D	E	T	E	C	T	I	V	E	N	K	Y	U	V	O	O	E	S	L	D
I	J	Y	V	F	A	B	J	A	N	E	I	L	Q	E	V	I	C	P	Y
C	N	J	N	C	R	U	V	Q	Z	L	Q	N	W	N	S	J	D	A	J
G	V	S	F	F	U	C	D	N	A	H	F	Y	Q	N	Y	T	M	A	R
U	H	I	S	T	H	G	I	L	A	W	O	Z	T	C	W	R	F	D	R
R	M	I	F	V	V	F	F	Y	T	E	F	A	S	H	O	K	E	Z	V
A	V	Z	C	Q	X	G	X	K	K	U	L	L	I	F	V	P	D	L	L
L	Q	E	W	P	L	O	R	T	A	P	E	R	I	C	U	E	G	L	C
I	G	A	Z	I	S	Q	L	E	N	I	Z	N	X	T	Q	F	V	A	T
Z	P	Y	T	I	C	K	E	T	S	M	U	N	Y	Y	C	R	F	L	Z

BADGE
CAPTAIN
DEPUTY
DETECTIVE
HANDCUFFS
JAIL
LAW
LIGHTS
PATROL
POLICE CAR
PRISON
RADIO
RIGHTS
RULES
SAFETY
SHERIFF
SIREN
TICKETS
UNIFORM
VEST

IN THE SKY

Puzzle #207

U	S	T	O	R	A	G	E	W	U	F	A	E	G	S	A	Z	M	J	B
R	E	L	L	E	P	O	R	P	B	B	K	D	N	V	V	T	F	G	H
M	V	L	E	X	U	U	T	Y	Q	E	X	L	Y	T	L	K	Y	Z	Y
I	B	J	A	M	N	R	L	O	N	S	U	L	E	N	A	C	J	X	X
S	P	L	H	W	O	A	T	I	G	G	M	J	U	A	T	A	B	P	Z
S	R	F	A	P	V	Q	G	N	G	X	Y	J	B	Z	H	P	I	O	F
A	F	Y	R	S	F	N	I	A	H	G	B	B	K	A	P	T	D	E	B
L	S	I	I	L	E	W	G	D	G	S	O	L	P	Z	V	A	K	Q	K
C	A	F	L	B	Q	E	H	G	A	C	J	Z	W	J	D	I	D	J	E
T	C	H	X	E	C	O	A	C	H	V	F	L	A	I	Y	N	G	K	L
S	M	O	P	A	S	S	E	N	G	E	R	S	A	O	Y	A	Y	E	L
R	R	W	T	B	L	A	C	K	B	O	X	T	N	N	T	Y	N	Q	A
I	Q	J	C	N	V	P	E	T	Q	Z	Z	Z	N	E	D	F	X	Q	N
F	A	K	F	W	A	Y	D	A	U	L	F	H	T	K	F	I	W	W	I
Q	J	K	W	O	D	D	I	L	U	J	X	B	F	O	W	Q	N	T	M
L	M	R	M	H	M	V	N	Q	U	Z	E	H	E	G	S	Y	I	G	R
L	I	C	E	P	E	R	X	E	M	C	F	K	H	P	A	C	Y	Z	E
D	U	M	Z	O	P	E	N	B	T	E	A	N	R	C	K	V	J	P	T
Y	O	O	H	L	L	B	L	R	R	T	V	B	L	E	K	X	J	B	Y
G	N	F	D	Y	R	G	R	S	Q	F	A	E	T	L	Z	I	O	M	N

AIRPORT
ATTENDANT
BLACK BOX
CAPTAIN
COACH
ENGINE
FIRST CLASS
GATE
JET
LANDING
LUGGAGE
PASSENGERS
PROPELLER
RUNWAY
STORAGE
TAKE OFF
TERMINAL
TICKET
WHEELS
WINGS

LOCOMOTIVES

Puzzle #208

S	H	H	N	L	K	I	L	G	W	L	O	T	Y	T	A	E	D	J	B
K	X	S	V	N	D	O	K	Q	Q	L	R	U	Y	M	Z	H	K	N	Q
C	J	I	Q	Z	A	H	Q	J	U	A	U	N	L	O	A	D	I	N	G
A	Y	S	I	D	P	U	Y	X	N	O	Y	F	U	D	T	G	D	B	J
R	G	R	I	D	O	A	T	S	U	E	B	A	F	J	Q	P	T	N	J
T	E	N	T	M	O	Q	P	S	L	W	Z	R	W	O	L	Y	Y	O	M
C	G	F	J	V	F	O	P	U	X	R	Q	O	I	B	T	Q	H	L	S
U	O	C	Y	U	R	M	D	B	B	N	Q	C	Q	T	U	B	L	U	X
N	A	A	A	T	M	E	E	C	A	B	O	O	S	E	N	S	E	F	O
D	C	U	L	P	H	I	J	R	E	G	T	Q	C	N	V	K	O	C	M
E	A	P	L	C	T	M	D	L	V	C	I	V	E	G	A	G	G	U	L
R	R	A	S	N	P	A	I	M	N	X	C	X	G	F	U	K	P	B	V
G	S	S	P	O	C	G	I	G	J	E	K	B	O	S	M	O	K	E	N
R	V	S	F	I	H	Z	Y	N	N	U	E	Q	Z	R	V	K	N	X	X
O	X	E	R	T	J	T	V	G	X	W	T	V	F	J	B	Z	Z	N	M
U	G	N	S	A	R	C	I	N	B	V	I	F	N	G	V	T	H	B	C
N	Y	G	Q	T	M	N	R	D	M	T	K	P	H	Q	V	K	I	U	B
D	U	E	W	S	E	O	F	W	I	P	X	E	T	V	G	L	C	O	B
G	G	R	M	L	H	A	Q	Q	G	X	D	D	A	O	R	L	I	A	R
R	Q	H	I	F	Y	D	Y	J	Q	S	N	X	S	V	J	B	I	W	V

CABOOSE
CAPTAIN
CARS
COAL
ENGINE
HORN
LIGHTS
LOADING
LUGGAGE
PASSENGER
RAILROAD
SCHEDULE
SMOKE
STATION
SUBWAY
TICKET
TRACKS
TRANSPORT
UNDERGROUND
UNLOADING

HOW CAN I GET THERE?

Puzzle #209

W	T	S	A	R	O	L	L	E	R	B	L	A	D	E	J	V	A	R	H
F	V	K	S	D	Y	V	B	B	O	E	N	V	U	P	E	R	Q	L	L
V	O	A	Y	E	I	L	S	G	K	N	I	D	H	D	T	B	P	M	W
Q	G	Y	K	R	L	U	W	V	W	Z	A	B	F	I	D	F	O	Z	O
E	L	A	R	L	B	C	O	E	W	B	R	P	D	T	G	T	S	P	I
I	M	K	O	W	U	B	Y	B	Y	E	T	G	B	E	O	B	V	O	P
K	C	B	A	J	U	Q	I	C	V	Z	E	N	W	R	L	I	F	N	R
N	V	Y	K	G	H	W	G	P	I	M	Z	Y	C	F	T	S	Z	X	S
F	W	R	G	J	O	S	A	L	Z	B	T	Y	V	J	U	W	G	L	E
Q	R	Y	W	H	R	I	W	L	Z	M	C	P	X	P	M	F	F	O	H
X	N	V	I	K	S	Q	Y	T	K	L	Y	T	R	U	C	K	S	Q	D
G	S	B	P	L	E	V	P	I	E	P	F	A	X	E	W	K	V	N	P
Y	I	H	R	H	B	U	O	Y	S	L	R	K	G	S	A	N	X	R	W
K	I	R	I	Q	A	W	E	H	Z	A	L	C	T	T	E	I	E	R	F
L	K	K	A	P	C	Y	V	P	B	N	W	P	E	R	V	T	A	V	D
F	C	M	S	C	K	X	B	N	U	E	N	B	Q	S	O	F	P	E	S
N	G	I	F	T	F	R	S	K	D	S	O	J	F	O	T	M	B	O	J
Y	L	N	G	D	E	L	C	F	S	A	U	D	C	B	J	M	O	N	X
E	G	T	S	O	A	J	B	H	R	J	G	S	T	N	G	Z	A	L	U
K	V	F	S	H	I	G	B	D	Z	M	L	X	J	P	Q	H	T	Y	I

BICYCLE
BOAT
BUGGY
CAR
DOGSLED
HORSEBACK
JET
JET SKI
KAYAK
MOTOR CYCLE
PLANE
RAFT
ROLLER BLADE
SCOOTER
SHIP
SKATEBOARD
SUBWAY
TRAIN
TRUCK
WALK

WHAT ARE YOU MADE OF?

Puzzle #210

N	Z	K	V	V	M	Q	F	F	U	Q	H	D	N	H	B	Q	E	Q	B
E	Q	U	X	H	B	O	L	P	S	K	H	H	N	E	V	S	I	O	Y
C	I	H	G	C	R	C	H	E	E	K	S	O	C	L	N	R	L	B	T
K	Y	E	M	E	D	J	S	I	T	K	S	E	O	S	V	A	Q	V	N
A	K	P	H	F	K	D	E	H	Y	E	J	X	Y	W	K	E	E	W	Y
T	U	E	O	J	R	U	Y	K	E	R	K	X	P	E	R	S	P	M	P
T	A	O	V	Z	W	E	E	T	L	A	P	X	W	D	B	I	T	U	L
D	T	S	F	V	D	N	G	E	J	C	D	C	H	I	N	R	S	J	Y
E	R	V	H	B	M	L	G	N	N	O	V	F	A	R	U	Q	O	T	A
D	F	C	W	E	Q	R	W	E	I	S	E	E	C	L	V	K	Y	W	R
E	L	B	O	W	S	V	R	W	C	F	P	C	M	W	I	Y	Z	R	S
B	I	G	Q	W	G	D	U	N	D	A	I	K	V	Z	G	P	O	B	S
I	I	M	F	H	O	X	Y	H	V	W	H	G	G	Q	O	Z	S	R	V
E	T	O	J	R	A	R	H	Y	Y	Y	F	D	Z	M	C	H	E	D	I
T	S	B	D	S	P	N	T	M	N	Y	I	A	I	H	D	D	E	K	W
K	E	W	E	J	Q	C	D	W	G	K	S	J	X	K	L	G	J	F	R
E	H	V	M	C	I	N	N	F	P	W	V	F	B	U	J	H	G	V	Q
A	C	W	W	F	J	U	M	M	H	Z	J	U	O	X	X	S	T	H	Z
T	A	S	L	K	A	T	G	I	H	A	M	H	Z	S	X	R	E	F	S
T	R	P	Y	Z	I	V	Y	F	C	G	S	R	L	Q	I	S	O	V	O

CHEEKS	**EYEBROWS**	**HAND**	**NECK**
CHEST	**EYES**	**HEAD**	**NOSE**
CHIN	**FINGER**	**HIP**	**SHOULDERS**
EARS	**FOOT**	**LEG**	**TOE**
ELBOWS	**FOREHEAD**	**LIPS**	**WRIST**

CREEPY CRAWLERS 2

Puzzle #211

V D K I C J A H D F N L B Q Y W X Q M W

F A R J L D C B O V G N A X G H P B H U

A U Y D A S O S N R N K D D U R X F E F

O W N S B S P M E L S U S V Y W O R Z E

Q U G N G I M I C N N E K Y N B L A I G

Q H K L D I O T W E C O F Q Z O U S C R

O D L E E I S E E K N L O L X I K G H H

B V R K F L Q S E J P T Q R Y O Z U R S

U E E N L E U D N S P G I C K L G A H F

T L D A S W I Q C A T E R P I L L A R U

T T E K E K T E A Q T H Z H E A Y Z Q W

E E P P I K O M D V E S T Y D D F Y A G

R E I Q L A I D K E N D E S W K E W H Y

F B L Z F T B L S E R A D T C Z D J Y G

L E L W N Y S E Y J O F X D I T O R N R

I N I U O D K M P Y H Y H D F M O L Z W

E Z M W G I L S E L C T O F K H R B K P

S U N E A D A T S F M I R J T Z U E J B

M U K H R W G P W K N V C O F T R O T F

U P V O D A N T W I W X M L V V W K V Q

ANT
BEE
BEETLE
BUTTERFLIES
CATERPILLAR
CENTIPEDE
DRAGONFLIES
FLY
HORNET
HORSE FLY
KATYDID
LADY BUG
MILLIPEDE
MITES
MOSQUITO
MOTH
ROACH
SPIDER
TERMITES
WASP

UNDER CONSTRUCTION

Puzzle #212

E	T	S	T	I	B	K	Q	P	W	F	O	Z	N	W	Q	Q	J	Y	T
Z	C	K	X	R	V	W	M	Q	H	W	E	S	G	F	Z	R	A	W	K
U	D	T	I	V	V	V	O	D	E	D	M	I	L	W	C	L	C	Y	C
U	I	C	N	Y	G	P	A	A	E	V	Y	B	A	Y	G	J	K	W	U
D	K	W	D	E	Y	B	U	G	L	G	Q	B	S	Y	D	N	H	B	R
S	G	K	B	H	M	B	S	I	B	E	I	A	S	A	E	X	A	D	T
K	Z	N	H	G	J	E	J	A	A	C	O	W	E	A	R	G	M	C	P
H	H	S	A	H	J	P	C	K	R	Q	H	H	S	C	D	V	M	W	M
R	A	R	M	O	Y	K	F	G	R	W	N	B	K	L	I	L	E	W	U
E	H	I	M	S	S	D	Q	H	O	Q	J	G	B	C	L	V	R	R	D
V	W	R	E	C	K	E	R	W	W	Q	U	W	H	Q	A	I	I	W	T
I	V	V	R	C	T	S	H	O	V	E	L	B	A	G	Q	B	R	F	G
R	B	X	R	Y	T	T	M	Y	C	T	E	N	X	F	O	O	I	D	Q
D	Q	A	S	G	I	L	Q	T	A	S	C	R	T	C	V	L	X	K	I
W	N	J	A	H	N	S	E	O	G	H	J	O	D	N	K	J	H	T	R
E	D	O	L	E	L	C	E	B	O	C	O	E	M	R	C	V	K	J	V
R	A	H	W	B	I	R	E	R	L	L	P	Y	O	F	V	I	V	N	F
C	K	D	H	G	A	E	P	W	B	O	L	F	T	A	H	D	R	A	H
S	W	R	X	M	N	W	M	O	A	P	O	K	T	D	R	G	Q	T	H
J	R	X	O	N	I	N	X	D	X	B	Z	T	C	J	B	E	B	A	R

ANCHOR
BACKHOE
BRICKS
CEMENT
CRANE
DRILL
DUMP TRUCK
FORK LIFT
GLASSES
HAMMER
HARD HAT
JACKHAMMER
NAIL
SCREW
SCREW DRIVER
SHOVEL
TOOL BELT
TOOL BOX
WHEEL BARROW
WRECKER

GIDDY UP!

Puzzle #213

Q	I	A	C	Z	Z	W	A	R	D	D	S	M	T	W	L	Z	V	N	U
B	H	A	O	Z	C	L	F	V	N	H	I	E	G	P	H	A	C	J	T
M	R	E	Y	T	W	Z	T	S	E	B	M	D	E	A	Q	Y	R	B	N
B	E	B	P	Q	B	B	B	R	G	P	M	V	Z	N	L	B	C	O	J
U	S	K	A	R	V	W	I	H	J	O	R	C	U	O	B	A	W	B	C
V	S	L	A	U	D	F	E	O	I	J	R	A	S	O	M	X	U	L	P
T	V	U	J	I	F	G	R	R	U	X	K	V	P	L	C	G	F	V	J
S	P	I	H	W	D	C	B	S	I	M	Q	Z	E	A	S	E	Z	R	F
Y	D	B	R	A	S	A	W	E	L	A	H	R	R	S	W	R	H	S	J
N	V	B	B	P	N	P	C	S	B	O	R	K	C	K	U	L	Y	G	S
L	J	A	Y	K	T	F	U	L	I	T	M	E	G	A	I	R	R	A	C
V	G	O	E	B	T	V	A	R	U	Y	V	W	O	X	S	E	D	W	N
M	G	R	P	N	B	C	F	M	S	C	J	A	Y	E	R	D	Q	B	L
P	V	W	T	N	K	V	B	A	D	A	P	B	E	V	L	P	O	E	B
P	O	O	Y	S	Q	L	K	J	M	F	H	Z	F	E	S	O	A	Z	N
Z	R	T	M	U	E	C	O	W	B	O	Y	H	A	T	T	T	O	O	U
A	D	I	M	W	O	L	C	G	M	D	W	S	D	S	H	G	S	O	R
E	T	R	E	D	V	C	O	W	G	I	R	L	P	E	B	B	S	V	M
H	E	E	U	E	L	T	T	A	C	S	Q	G	R	B	R	V	A	X	Q
R	D	A	B	F	V	Y	H	T	S	Z	G	U	Z	G	N	F	L	H	U

BADGE
BANKER
BLACKSMITH
BOOTS
CARRIAGE
CATTLE
COWBOY HAT
COWGIRL
DRAW
HORSES
LASSO
LEATHER
SADDLE
SALOON
SHERIFF
SPURS
TUMBLEWEED
WHIP

STONE AGE

Puzzle #214

P	D	E	V	U	M	M	E	T	N	E	I	C	N	A	E	O	X	H	C
Z	D	F	E	V	Y	I	V	L	V	Q	S	B	C	G	N	D	A	M	L
E	Z	R	U	C	P	O	R	Z	T	G	C	R	A	P	J	C	R	S	U
U	I	C	N	L	S	U	D	Z	P	D	J	A	U	R	L	Q	T	Q	T
F	S	P	E	A	R	S	X	U	L	Y	C	R	R	A	E	P	S	D	G
S	B	L	V	W	F	G	R	M	B	A	W	S	G	V	S	F	P	A	A
A	E	X	T	I	N	C	T	H	V	E	B	Y	S	N	I	O	O	O	Z
F	R	H	H	D	M	M	K	E	D	B	I	R	D	S	C	N	N	O	U
Y	D	C	R	Y	G	E	M	W	Z	E	E	M	Z	O	J	L	G	I	T
L	S	A	R	I	W	E	H	E	X	F	Q	C	H	T	J	I	U	S	D
W	B	V	O	T	N	E	N	T	B	N	L	R	I	T	J	I	W	B	F
W	B	E	M	A	E	O	T	S	M	B	Z	E	H	H	Z	I	T	I	I
K	L	W	P	L	T	S	H	A	T	R	Q	A	W	O	M	X	L	Y	S
A	J	O	Z	S	Z	K	U	W	T	F	K	T	F	B	H	G	G	Q	H
F	A	M	Y	S	E	Q	N	L	P	U	Q	I	K	Y	N	B	Y	G	I
L	X	A	V	Q	L	F	T	W	K	Y	O	O	B	I	E	A	P	Q	N
I	D	N	S	D	K	L	H	G	S	P	L	N	K	V	A	C	O	I	G
G	Z	L	J	G	S	E	I	Q	J	P	Z	O	A	E	F	D	J	I	C
T	A	T	Q	T	I	I	Y	K	H	T	O	C	H	O	W	T	B	D	A
Z	Q	Y	C	J	X	A	L	X	S	C	U	E	W	J	S	P	B	L	N

ANCIENT
BAREFOOT
BIRDS
CARVINGS
CAVE
CAVEMEN
CAVEWOMAN
CLUB
COOKING
CREATION
DINOSAURS
EXTINCT
FIRE
FISHING
HUNT
SKILLS
SPEARS
STEW
STONE
WHEEL

NATIVE AMERICANS

Puzzle #215

Q	J	G	L	F	T	S	T	Y	H	X	N	L	C	Z	U	K	C	H	N
E	M	K	I	B	L	O	C	O	I	I	I	N	W	P	B	E	H	Q	H
F	H	R	W	A	M	I	R	S	I	H	Y	Y	E	A	J	G	I	F	P
V	E	R	N	A	H	S	N	U	L	Q	H	M	P	V	Z	S	E	E	R
D	M	G	H	K	E	I	U	L	I	T	F	X	A	T	G	U	F	A	A
N	I	A	Z	S	S	O	I	A	O	G	E	X	A	T	F	Q	F	T	I
S	W	L	J	A	Q	T	Z	U	S	N	Q	P	K	E	A	P	Q	H	N
K	S	I	C	O	N	L	D	S	Q	I	B	W	I	O	O	Z	I	E	D
Q	W	C	W	I	M	S	E	Z	Q	W	Y	I	R	P	W	N	Z	R	A
J	O	O	A	A	E	R	E	Q	V	A	C	O	I	P	E	O	Q	S	N
M	Q	P	B	E	D	C	G	P	X	R	G	B	R	B	U	C	R	V	C
D	M	K	U	D	L	K	I	D	Y	D	U	I	I	P	L	H	A	R	E
A	O	S	A	F	D	T	R	U	I	F	W	W	T	R	Z	S	K	E	A
W	S	E	B	I	R	T	E	N	F	B	A	K	U	H	Y	D	J	S	P
W	H	A	A	J	K	F	L	A	O	R	P	M	A	K	P	A	X	M	T
T	O	M	X	K	E	G	L	X	R	P	E	L	L	A	O	E	R	E	A
G	B	V	U	K	O	O	X	I	J	P	J	I	S	R	F	B	E	I	H
M	V	L	J	M	R	X	O	L	E	B	K	Z	M	K	R	P	M	H	E
D	E	I	F	A	W	R	I	I	Q	H	K	F	V	N	E	T	K	S	O
L	R	W	O	S	P	H	R	C	J	I	U	J	X	E	B	D	G	C	M

ARROW
BEADS
BOW
BUFFALO
CHIEF
DRAWING
FEATHERS
FIRE
HEADDRESS
HORSES
MOCCASINS
PAINT
PEACE PIPE
RAIN DANCE
RITUALS
SIGNALS
TEEPEE
TOMAHAWK
TRIBES
WARRIOR

PIRATES 2

Puzzle #216

J	U	E	I	H	Y	H	O	C	Y	B	C	M	Q	W	R	Q	G	U	K
H	X	G	X	M	W	K	V	W	L	J	H	U	L	O	Z	M	A	D	P
X	K	H	F	X	S	K	A	G	S	Q	C	W	K	S	Q	E	Z	P	J
R	O	P	E	F	P	K	Y	N	I	R	T	T	U	R	H	A	R	C	X
W	L	F	P	T	E	I	Y	V	B	L	A	Y	P	S	W	R	P	J	D
M	X	P	C	X	W	L	H	J	K	M	P	X	W	A	O	G	N	H	I
F	E	E	K	B	I	S	P	S	I	E	U	C	O	K	W	B	L	M	J
Q	X	A	I	A	G	W	H	T	N	C	M	T	R	E	A	S	U	R	E
T	Q	J	S	U	U	E	Z	A	I	K	V	P	E	G	L	E	G	E	O
S	K	Y	H	H	N	R	S	S	T	O	P	A	B	C	M	F	T	N	D
U	Q	O	I	S	F	C	L	E	O	A	M	S	L	V	X	A	B	O	A
B	D	S	O	B	K	A	C	F	M	D	L	L	U	K	S	K	C	L	E
A	R	E	C	H	N	U	L	I	H	D	I	X	H	M	R	E	S	P	N
C	O	T	U	D	H	A	Z	M	R	G	N	I	R	R	A	E	C	S	T
D	W	A	V	Y	G	A	U	Y	G	Q	B	L	U	Z	R	A	Z	O	Y
H	S	M	X	K	P	X	P	E	A	O	R	L	L	C	N	G	O	S	T
E	N	P	A	K	J	M	S	U	E	O	L	J	R	N	K	H	H	A	H
V	N	I	Y	R	L	E	W	E	J	Z	Q	D	O	R	U	P	D	G	R
L	K	H	D	A	K	T	A	A	V	S	T	N	K	N	I	G	Y	N	D
T	C	S	H	K	H	Q	R	K	A	M	H	I	T	D	R	I	T	U	J

CANNON
CREW
EARRING
FLAG
GOLD
HAT
HOOK
HUNT
ISLAND
JEWELRY
MAP
PATCH
PEG LEG
ROPE
SAIL
SHIP
SHIPMATES
SKULL
SWORD
TREASURE

FAR, FAR AWAY

Puzzle #217

N	W	E	F	S	Y	G	P	C	R	R	O	O	P	D	D	Q	R	M	Z
E	R	K	E	E	H	S	G	H	S	T	U	J	R	X	Z	R	O	P	S
E	I	K	G	O	T	P	Y	N	B	M	I	A	I	H	T	B	A	S	W
U	E	D	R	M	L	A	D	M	O	C	D	P	N	V	B	O	R	U	D
Q	E	S	Z	S	Z	F	X	O	Q	G	P	X	C	I	G	G	S	E	G
H	E	C	A	S	T	L	E	I	N	L	A	P	E	S	W	O	R	D	M
T	Q	D	N	E	G	E	L	R	L	G	P	R	Y	J	Q	J	W	Y	Z
F	W	R	W	M	Q	Y	M	A	O	T	S	J	D	B	H	C	C	A	A
E	T	A	G	Q	U	M	B	L	D	B	E	L	T	T	A	B	K	N	K
A	T	J	T	W	R	N	D	B	J	T	G	M	Y	Y	E	K	I	N	G
B	F	K	B	B	O	Q	X	K	S	H	O	U	B	O	M	F	H	G	I
D	N	W	B	N	U	W	A	S	R	G	Y	Y	M	K	I	F	R	E	O
K	S	J	N	R	C	T	E	H	F	I	E	X	P	D	G	I	T	U	H
R	M	A	F	N	I	C	X	T	T	N	D	X	J	H	M	E	R	Y	F
O	C	M	D	L	N	D	H	D	R	K	E	W	U	C	A	X	Y	R	Q
M	J	H	W	I	A	D	G	Q	O	I	F	A	S	U	S	B	A	L	L
R	A	R	R	S	B	G	J	E	E	U	H	I	L	T	Q	Y	E	A	C
A	O	P	U	V	N	L	E	F	H	M	B	P	O	X	J	H	K	V	O
Q	E	Z	H	C	A	B	M	T	P	X	K	N	X	V	I	B	L	A	W
K	M	L	J	U	Z	Z	X	F	X	D	E	X	Z	K	M	O	D	C	R

ARMOR
BATTLE
BRIDGE
CANNONBALL
CASTLE
CAVALRY
DRAGON
FLAG
GATE
GUARD
HEDGE
HORSE
KING
KNIGHT
LEGEND
PRINCE
PRINCESS
QUEEN
STONE
SWORD

UNDER THE SEA 3

Puzzle #218

L	R	T	K	D	P	C	F	G	S	S	S	L	G	K	W	T	L	M	R
E	P	C	E	H	E	B	V	C	U	V	R	W	E	I	O	B	F	A	N
F	V	O	L	E	K	U	U	N	T	F	W	S	E	L	B	B	U	B	F
C	W	T	L	D	V	B	K	R	O	L	B	G	U	G	A	I	S	I	V
I	X	S	R	D	A	E	E	Z	Q	V	X	J	K	Z	P	H	S	C	B
R	R	N	D	D	N	A	T	T	O	K	R	E	E	F	S	H	W	E	Z
R	W	G	I	S	S	C	L	I	Z	A	Y	F	G	A	V	H	F	H	Y
G	S	V	H	U	O	N	D	H	S	A	X	J	V	S	M	G	A	J	R
C	E	I	R	R	H	B	Q	J	R	E	F	A	M	R	X	M	Z	R	W
R	P	E	A	P	C	J	H	G	V	V	V	E	J	L	R	M	W	W	K
E	H	L	X	S	L	N	N	D	A	M	N	A	Y	K	C	L	F	R	L
B	G	K	L	J	A	I	A	P	O	S	C	R	W	I	M	G	Y	U	R
C	L	M	F	O	T	N	D	L	B	L	R	D	O	L	P	H	I	N	T
L	D	O	E	S	X	T	D	A	I	A	S	O	N	S	A	P	R	S	O
U	O	I	W	E	R	Z	R	O	S	Y	U	O	L	Q	E	G	R	C	D
H	C	B	A	F	X	C	F	N	K	I	B	Y	Q	H	O	O	T	Q	G
R	A	N	S	M	I	B	G	F	B	B	P	S	N	E	H	O	A	J	Z
Q	F	H	A	T	R	S	J	S	V	J	R	Y	Y	C	P	A	G	E	S
J	G	C	I	X	E	E	H	Z	H	Y	U	I	N	U	F	E	B	Y	L
P	S	H	U	R	I	R	M	E	F	R	W	A	S	J	O	C	N	S	S

ANCHOR
BLOWFISH
BUBBLES
CORAL
CRABS
DOLPHIN
EELS
FISH
LOBSTER
MERMAID
OCTOPUS
REEF
SAND
SCUBA DIVER
SHARK
STING RAY
SUNKEN SHIP
TREASURE
WAVES
WHALE

PLANTING FLOWERS

Puzzle #219

G	M	L	I	O	S	T	O	Z	Z	I	X	Z	C	G	Y	O	X	F	J
X	Y	U	L	L	J	R	S	F	Q	R	S	N	F	L	P	C	B	Q	I
J	E	N	C	S	H	F	K	R	Y	Q	J	D	P	O	X	M	W	E	S
B	F	D	G	K	W	O	E	A	H	R	Z	A	D	V	S	A	N	D	P
N	V	H	F	C	J	W	B	A	O	L	P	N	O	E	Q	W	P	A	A
W	X	V	T	W	O	B	D	S	Q	E	V	D	I	S	Y	O	J	I	D
D	W	B	D	L	G	G	E	W	G	V	Q	E	E	D	M	P	B	S	E
D	Z	W	F	E	V	S	B	W	B	O	Y	L	N	D	E	O	T	Y	H
E	G	N	K	P	Y	K	T	J	Q	H	N	I	H	T	O	X	P	P	B
G	U	H	G	S	I	P	T	Z	B	S	I	O	U	P	E	T	A	L	S
S	F	H	A	A	X	B	G	T	Q	O	C	N	T	J	M	C	H	B	L
A	J	E	T	Q	R	M	B	H	A	F	I	L	L	L	U	N	A	M	W
C	B	M	R	N	R	D	I	N	T	A	G	T	E	I	M	T	F	C	X
L	T	B	M	T	I	O	E	J	S	O	Z	A	X	P	Z	W	B	X	F
S	I	M	E	K	I	C	N	N	B	N	V	V	B	L	J	E	F	E	T
D	E	I	T	Q	E	L	A	R	I	E	Q	F	L	A	I	E	R	N	R
S	M	I	S	S	Z	P	I	Y	S	A	Y	Z	I	N	F	D	K	C	G
B	E	B	L	B	T	K	K	Z	H	Y	S	Q	O	T	X	S	W	S	I
X	K	E	E	I	R	S	A	I	E	O	E	K	B	V	I	M	O	K	D
O	C	A	B	H	L	G	F	K	F	R	Q	E	L	L	Y	I	Y	H	U

BEES
DAISY
DANDELION
DIG
FERTILIZER
GARDENIAS
GLOVES
HYACINTH
LEAVES
LILIES
PETALS
PETUNIAS
PLANT
ROSES
SHOVEL
SOIL
SPADE
STEM
SUNFLOWER
WEEDS

TEA PARTY

Puzzle #220

S	E	S	S	E	R	D	A	M	B	E	F	F	J	E	V	T	W	O	G
A	Q	U	L	H	T	Y	H	P	V	B	J	H	G	R	D	L	Q	E	S
D	K	E	S	H	U	Z	U	W	U	W	F	S	L	P	O	K	U	N	N
J	X	Q	B	Y	Y	M	R	P	N	C	F	N	J	R	I	T	D	B	I
T	Y	O	K	N	F	J	M	B	U	I	V	R	A	L	I	S	C	C	F
E	C	J	H	A	I	B	F	E	K	Y	A	I	L	W	K	T	U	G	F
A	Y	C	H	A	I	R	S	M	W	R	G	H	D	L	O	V	S	G	U
B	U	R	M	W	P	K	X	I	U	H	F	G	V	F	M	O	X	N	M
A	I	S	G	D	Q	R	H	T	O	L	C	E	L	B	A	T	F	B	Z
G	T	V	T	T	E	A	P	A	R	T	Y	J	I	D	C	V	R	H	H
I	D	I	D	A	N	S	X	E	O	T	T	I	I	P	S	Y	F	B	K
T	B	A	M	E	K	E	I	T	N	D	I	O	J	K	G	T	Z	E	K
X	C	W	Y	H	D	I	T	L	I	R	P	D	A	M	L	R	F	R	G
V	D	R	U	L	K	K	S	K	Y	G	S	L	T	A	K	V	E	L	L
S	Q	U	U	L	P	O	G	B	P	U	A	A	K	E	P	C	O	Y	K
Z	P	X	E	M	L	O	Q	V	G	D	B	C	C	T	U	V	B	U	P
J	X	O	M	E	P	C	C	A	Y	L	N	J	N	A	E	G	Z	W	U
I	G	L	O	Y	M	E	R	Z	E	Z	N	K	S	S	W	S	G	P	B
Y	O	F	D	N	I	P	T	O	V	K	F	K	P	G	N	H	V	J	H
Y	X	X	H	I	Z	G	U	S	O	N	F	R	I	E	N	D	S	N	P

CHAIRS
COOKIES
CRUMPETS
CUP
DRESSES
FRIENDS
GLOVES
LADY
MUFFINS
SAUCER
SIP
SPOON
STIR
SUGAR
TABLE
TABLE CLOTH
TEA
TEA PARTY
TEA TIME
TEABAG

EVERYTHING SWEET

Puzzle #221

X	B	U	K	M	I	N	T	S	I	F	Z	E	Y	U	S	D	X	E	U
I	H	M	Y	W	X	G	D	Z	R	Z	X	Z	B	U	C	W	A	J	U
E	O	R	S	P	R	I	N	K	L	E	S	F	I	K	R	P	E	P	V
N	V	N	I	K	F	E	B	K	U	E	L	L	U	A	L	C	C	E	R
P	P	G	I	C	O	O	K	I	E	S	G	Y	G	D	O	U	C	Q	T
R	Y	M	M	R	Q	L	P	I	R	N	C	U	U	T	G	J	Q	I	R
W	T	J	M	T	Y	W	H	N	N	W	S	M	O	W	Q	E	Z	A	B
M	Q	R	A	S	J	N	C	H	O	C	O	L	A	T	E	N	B	A	E
G	Z	C	E	X	C	E	R	S	D	V	M	H	X	J	O	Y	I	H	Y
X	D	N	R	P	C	J	M	P	U	D	D	I	N	G	D	Q	H	E	D
H	W	P	C	E	P	T	D	A	Q	M	E	S	S	N	P	T	A	T	I
W	U	H	R	Y	A	I	S	Q	E	U	L	K	A	I	N	D	R	N	S
Y	Q	L	E	H	B	M	E	B	T	R	Q	C	A	G	F	Q	D	M	U
R	E	F	T	N	L	P	F	A	S	P	C	S	A	C	M	F	C	K	C
T	S	H	T	P	C	A	F	M	E	J	Q	E	M	I	T	L	A	A	K
S	A	W	U	P	V	Y	K	U	J	O	T	G	C	I	M	N	N	I	E
J	Q	F	B	U	K	P	V	G	V	U	G	R	U	I	Y	P	D	V	R
H	F	M	F	A	C	U	J	C	A	Y	D	R	E	C	E	R	Y	G	Y
Q	K	A	Z	Y	P	Q	I	K	R	N	F	L	U	N	E	B	R	U	T
F	Q	D	L	L	B	R	O	W	N	I	E	S	J	R	W	O	H	P	K

BROWNIES
BUTTER CREAM
CAKE
CANDY BAR
CHOCOLATE
COOKIES
CREAM
FRUIT
FUDGE
GUM
HARD CANDY
ICE CREAM
MINT
PIE
PUDDING
SPRINKLES
SUCKER
SUGAR
SWEET
TAFFY

SHARK ATTACK

Puzzle #222

Z N R M S A F X M L P R E D A T O R K B

Y N D J N A G U R D I E R T U Y B P H O

F N O G V O N E K G F T K M V A W O I L

Z E E U B F G D I I E L M Z B P F K B U

F L F L I I Y Z N L H J J M Z E W Q T F

U A I G T V X W A F U U D Z D E B D T D

X N W D I W R H Q P O S R L M W T I T B

R Z N P G E W T H R E S H E R Q G J Y I

N A C B J A W S K F F I Y Y K E V M G M

S S N A H X Z O D H P T O I R W Z Z N F

E Z Z O Z D A R B E Z N I N Z T L H O E

W T E V I I X J V S T F I Z Q P T Z G E

P E I D H A M M E R H E A D K E O J E R

W J Z H E U L B A Z V R E Z E Z K R B Q

Z A M O W G E N I L P K E T B E A C B F

A I S F W T M J C L U E K D G X M B O Q

J K P B B V A C R U I R V V N Y S H W E

Z T U W P D G E U B A A R N R V E M P N

T B F E S T U O R H H B C J A Q A R E F

S V I D X I M V S G Q F E Z S M Y H G W

ANGEL
BLUE
BULL
FIN
GOBLIN
GREAT WHITE
HAMMERHEAD
JAWS
MAKO
PREDATOR
REEF
SAND
SANDTIGER
SHARK TEETH
SHRED
THRESHER
TIGER
WHALE
WOBBEGONG
ZEBRA

ON THE GLOBE

Puzzle #223

A S Z X V O C U V D Z S K N Y Y R Z U M
T L P N C Z O Z J Y U G I Y H R D C K E
Q L Q E U S W T O H Y B M C F I U X K S
Q L A O S G T A S I Y S D F E C G N T A
E N Y T J A L R T N J O P J U L I Z O S
S E S S J E D J E E I V U U K A A H A J
V K Q A A O J L R A R A U L R L O N X D
I U O E J I H B Q U M Z T R U W W A D F
D N Q S U A E T A L P S E N V G O V P S
S T N E N I T N O C E T K R U J B H Q X
O W E U P C T V R G U L F S I O X T N O
R V G R C O C O V W T Y W S F J M R G Y
R F X O E U R L W Z K B L U A T R E F G
I C Y T R N I C O Q O A W T X K Q S S P
V C W A L T C A H N N X M U H X Q E Z Y
E U U U H R T N F D I U Q B V K K D H P
R U C Q X I B O S X R S E D I A C I V Z
S Y N E E E I E A B Q W T C L C C J P W
G Z R Z B S H S X S M R O F D N A L C U
S A L U S N I N E P G A D Q A A O I I F

CONTINENTS
COUNTRIES
DESERT
EQUATOR
GULFS
ICE LANDS
ISLANDS
LAKES
LANDFORMS
MESAS
MOUNTAINS
OCEANS
PENINSULAS
PLATEAUS
RIVERS
SEAS
STREAMS
TERRAIN
VOLCANOES
WATER

INCREDIBLE EDIBLES

Puzzle #224

W X W L S S P M P Z E C A X H C E J Z J
V B I L K A Z Q O N L M E M F O Z I E X
B X A W W U U V T C K P M R E C T U B I
K C W V I S S B A Z U W Q S E Z V D Y B
K U I U Q A P B T X K F S L A A J L O W
Z F F C F G I N O B I S A E V N L S Z G
S Z E M H E H V F S D T N Z S E L X L Z
D A S J I E C B H H A M D T J E L L Y A
H V N E K K E S C X A I W E A X S L G R
T T V G A C T S H R I Y I R L Q S I E B
F T O F O I H L E I Q D C P S O D G C P
O R H N C L E X R B Q G H K Z K R Z L M
E B U K I P O U S A U S B Z Q U C N X E
W L F I C X Z B Z H T R U B B G U E N S
A X A Q T O F B U Y E Q G M U Q O W O P
F T H S T S R V B A C W A E H J Y C I C
N F S D A P N N D V D H G W R Q A Z H E
D X O A Q G L A D K Z R N S O T Z S G B
C Q E R P M N B C O H G C E F A V O N M
R P B A O J T A G K G M A C A R O N I J

BOLOGNA
BREAD
CEREAL
CHEESEBURGER
CHIPS
CORNDOG
FISH STICK
FRUIT SNACK
HAMBURGER
HOT DOG
JELLY
LASAGNA
MACARONI
PASTA
PIZZA
POTATO
PRETZELS
SANDWICH
SAUSAGE
TACOS

FORE!

Puzzle #225

```
A O A W E A G L E E C M G U H Q S X Y E
V Q O S E B O G E X P S W Y L P G X P P
K O F D R X L R A O Y M A O I O N L N U
D A H G C J F Q D R I V E C D A E E C T
N S H A S B B H A B D W Q X C G E I Y T
A Y D M H X A O C A G V S F O I R G J E
D D H X N H L F D G A K I W W U G O Q R
Y V Q B P J L E E D A E B U M V T B J C
G S X A K N O R E J A D A I M O C R A R
V J R K J M N Z T X H F Z A R C O P G J
F F Q P P A R T D N A S C Y O D B N D C
E A Z A V U Y Z K X Q I M L U P I R W X
H N I F Z Y M A P Q X G F Z G P A E A F
Z M O R U A M N P I G E R M H O Q H S G
K Y F N W V V V J X N Z H O B A X Y L G
I V N A I A P T V F U V Q E B Z I O E N
K G H N B E Y K K O C C R E U V V W K I
C M O P U W L G C Y O O X D A E Z V D W
T Y A N Y N W O L E C A B B C F W U K S
U Q D X I J H S H S D R Q A M D W T I P
```

BAG
BIRDIE
BOGIE
CADDY
DRIVE
EAGLE
FAIRWAY
GLOVE
GOLF BALL
GREEN
HOLE IN ONE
PAR
PIN
PUTTER
ROUGH
SAND TRAP
SCOREBOARD
SWING
TEE
WOOD

ELECTRONICS

Puzzle #226

B R A U O W I I Z W T H Z K R H R Q V S
Y C N E U Q E R F G D A O V J D Z N I P
Q H T W D P R X W D I N M Q J C S C D E
J T J B H Q C C S D P D W W Q E M B E A
Z K Z N X E M S K N F H N I R Z I A O K
E L E N N A H C R S D E V I W I P N G E
C M Q Z S T E G D A G L W S G G Q O A R
O Z U W T N K Z M L L D L N N J C A M S
N C Q L M E T S Y S E M A G W O B S E Z
T U U C O E C G T H V C J M M O T M S E
R W F V M V Q S C O Y N V P G P L T T Q
O I E T O M E R A Q D X U H A O C U U T
L A Z P X Q P D H A Y T Q M U Y M I U B
L N W O D R S E I R E T T A B A M L L Z
E T E W W W S X A R T D J C J Y H K K L
R E K E R B T H Q V T E L E P H O N E F
E N D R J Y E H D F A M N Q E A G Q Z J
E N J O N E R Y D D O L B M M D Y Y V D
G A Q I Y U E H N O I S I V E L E T Z S
V I I H I L O Q X F Y T U G A L I W M C

ANTENNA
BATTERIES
BUTTONS
CHANNEL
COMPUTER
CONTROLLER
FREQUENCY
GADGETS
GAME SYSTEM
HANDHELD
MUTE
POWER
REMOTE
SPEAKERS
STEREO
TELEPHONE
TELEVISION
VIDEO GAMES
VOLUME
WIRES

CITY LIFE

Puzzle #227

D	H	Z	Z	W	I	D	Q	H	J	Q	G	K	K	Q	B	R	S	C	N
R	U	J	G	X	U	I	S	K	L	A	W	S	S	O	R	C	I	F	N
E	S	A	A	G	B	U	I	L	D	I	N	G	S	P	Q	F	H	W	D
T	T	T	S	K	N	Z	J	K	F	V	D	K	T	E	F	M	O	I	K
H	L	E	C	J	A	I	S	J	J	K	Q	S	B	A	M	T	F	X	B
G	E	S	C	Z	J	M	G	O	A	B	N	G	R	D	N	K	H	V	P
U	B	I	I	N	Z	M	Q	N	U	F	P	T	N	W	V	S	R	L	O
A	O	N	V	D	A	Q	W	B	I	N	B	O	O	I	R	N	Y	A	A
L	B	W	Y	T	E	D	T	J	A	S	D	D	L	B	N	R	M	G	P
F	H	Q	M	X	S	W	H	A	C	V	D	S	G	I	P	I	K	C	T
S	G	S	C	E	K	B	A	T	O	K	M	F	B	E	C	L	D	R	R
E	V	W	N	O	J	X	P	L	J	Y	T	L	O	B	I	E	N	N	Y
L	N	L	A	R	U	A	A	C	K	Y	P	P	Z	G	F	Y	M	Z	Z
O	C	C	S	K	O	V	R	L	F	M	L	Z	H	X	H	L	F	E	S
P	H	I	F	R	L	H	K	W	A	E	Y	T	X	Z	M	J	N	E	N
T	V	V	S	W	Q	P	R	I	D	U	S	S	M	F	X	N	H	F	B
H	P	Y	I	U	R	B	U	A	J	C	R	Y	O	B	G	C	V	D	N
G	M	P	W	V	M	N	U	R	C	P	W	X	V	P	N	O	Z	E	Y
I	O	I	P	P	G	R	T	A	N	J	F	E	V	E	F	O	S	P	A
L	C	K	U	W	M	W	Y	H	U	L	D	B	B	R	O	O	T	C	B

BENCHES
BUILDINGS
CAR HORNS
CROSSWALKS
DANCE
DINING
DOWNTOWN
HUSTLE
LAUGHTER
LIGHT POLES
LIGHTS
MUSIC
PARK
PEOPLE
POLICEMEN
SIDEWALK
SINGING
SOUNDS
TAXI
TRAFFIC

WORDS OF ENDEARMENT

Puzzle #228

U L F B N E I T U C E J R V A P Z K L P
O U R N B A K P B K P C J T P B E B Z P
I S S E C N I R P E O T T R E Z V A C Q
L C I T V V V K S Z T C S Y E C O B D J
W G F U D U F L S B L T H M L Y L E E W
Q L C U I N I W M V C T E Q T T Y R T J
E W T J M Q L B O G B D F R J F M J A W
V S A R U R G V O M B U K T H O T C M S
R P N K E W R Q C J R J R L Q A Q A L U
G F G W H V T C H R A A D I P Y L F U G
L U O I U Y O C I C E H S A F D M F O A
Y L B H O L Q L E H B R F U F H U Q S R
F S W E E T I E T S Y P T K O W B C O D
N C P A V J B E O P D L Q U K E X Z Z A
H I I W D O E L P L D P V F K L G K M D
T O K I L W L U A B E R U E J L O R Q D
S R N P S L K M J P T S Q C G S E A O Y
X O H E M A D P L A B Y U S W H C J R G
S J A M Y U F M Y P R I N C E J W U A V
V U N J Q O P B G M U L P R A G U S R V

BABE
BETTER HALF
CUTIE
FLOWER
GORGEOUS
HONEY
LOVE BUG
LOVER
MY LOVE
MY PRINCE
PRINCESS
PUMPKIN
SMOOCHIE
SOUL MATE
STUD
SUGAR DADDY
SUGAR PLUM
SWEETHEART
SWEETIE
TEDDY BEAR

SOLUTIONS:

PUZZLE # 1

B	K	T	M	P	K	V	E	T	I	N	A	R	G	K	R	S	K	H	N
Z	J	L	G	G	C	C	B	V	F	P	C	V	E	S	O	K	R	A	K
K	N	A	E	U	F	O	E	S	A	I	F	G	P	H	Q	D	X	W	M
W	Z	S	V	E	F	T	C	S	J	P	P	O	I	S	K	L	A	H	C
S	H	A	E	L	I	E	J	I	J	Z	O	P	I	D	H	T	X	O	F
N	F	B	I	C	T	V	Z	E	U	A	A	R	H	D	I	O	V	L	L
Z	F	N	A	I	N	P	B	N	Q	I	F	A	I	J	O	C	N	P	Y
E	T	D	R	B	X	A	K	G	C	T	N	G	O	T	P	L	R	L	S
Y	A	O	P	S	S	M	V	C	C	Z	U	L	O	N	E	L	I	R	W
R	I	K	N	A	Z	J	E	I	V	G	I	O	R	I	Q	O	L	T	I
D	V	W	N	J	H	R	Z	M	J	T	K	T	B	D	T	O	N	H	E
A	A	I	W	K	B	O	V	N	E	A	S	F	B	O	K	Y	X	O	T
A	T	J	G	N	F	C	C	C	N	N	S	J	A	D	W	C	Y	L	R
Z	N	E	H	O	R	N	F	E	L	S	Y	R	G	J	R	F	N	S	E
W	S	D	G	Z	X	N	R	W	E	K	G	O	E	Q	J	M	R	J	H
P	A	A	E	X	N	V	O	W	W	C	A	U	K	R	R	T	L	L	C
D	C	K	B	S	P	S	A	N	I	U	Q	O	C	K	O	S	M	B	V
L	F	Y	Y	A	I	Z	N	R	B	Z	V	G	G	B	T	I	A	I	P
W	T	G	R	N	I	T	Q	O	H	D	O	K	Z	S	C	K	D	O	K
Z	E	D	M	Q	T	D	E	H	S	F	N	S	O	N	F	X	C	S	K

PUZZLE # 2

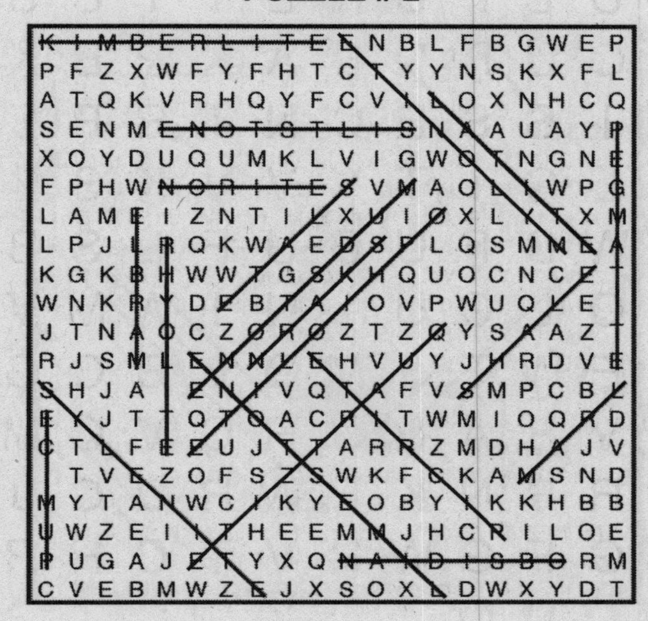

PUZZLE # 3

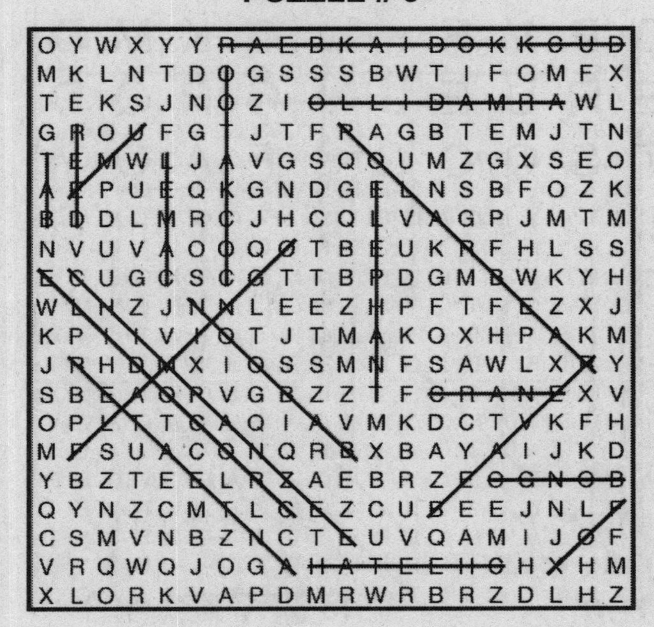

PUZZLE # 4

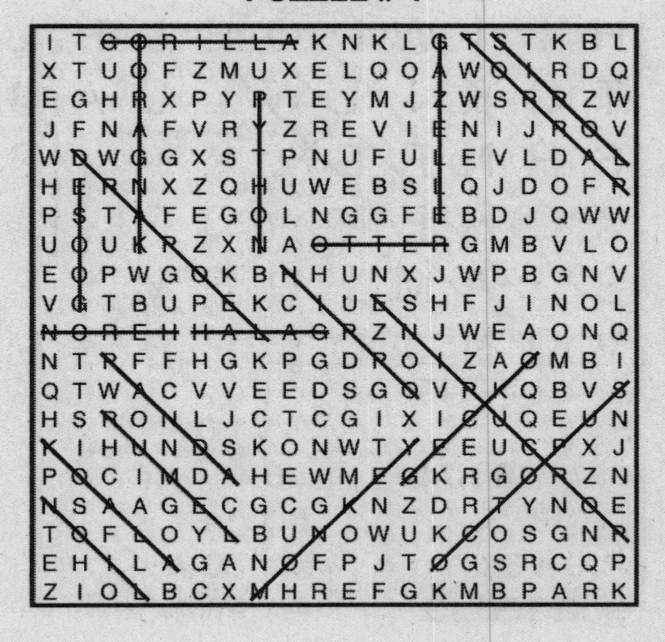

SOLUTIONS:

PUZZLE # 5

A	J	Q	P	J	K	C	Y	B	Z	C	I	L	J	U	D	M	Z	U	S
L	K	Y	N	R	R	D	O	T	S	Z	R	E	E	K	A	N	S	F	R
X	H	U	A	B	T	N	K	V	T	Z	F	N	C	L	B	N	U	L	E
P	D	H	V	I	T	R	C	P	I	G	R	I	W	D	G	X	F	O	E
Z	S	D	F	E	R	Q	S	I	N	M	R	O	Y	P	L	X	E	W	D
L	P	S	B	K	C	W	E	M	G	T	O	H	W	R	R	O	U	C	N
D	K	O	Q	J	B	S	A	V	R	X	M	I	K	W	J	P	K	B	I
N	K	P	S	T	D	N	L	W	A	T	O	R	T	O	I	S	E	Y	E
A	B	W	M	Y	V	W	I	T	Y	G	Q	N	T	T	E	F	O	F	R
C	B	I	A	S	B	O	O	X	E	G	O	Q	B	T	S	R	N	B	K
U	F	C	M	R	T	P	N	B	T	S	Q	J	Q	W	A	I	T	N	Z
O	J	C	C	L	T	W	L	J	F	Q	N	L	A	N	R	N	G	B	A
T	P	A	E	A	A	H	A	T	F	B	S	N	G	A	J	Y	E	R	U
Z	J	I	J	R	C	E	O	L	X	F	L	U	M	Y	M	P	H	M	E
Q	C	F	W	B	N	O	S	G	L	Q	T	A	J	W	F	Y	S	F	H
B	B	G	O	E	T	N	H	F	N	A	T	I	B	U	R	Q	F	T	C
G	S	J	N	Z	F	O	B	Z	N	K	B	J	N	B	Y	A	O	N	C
V	M	Q	Z	R	Q	G	Y	J	Y	L	F	K	J	U	R	L	R	N	M
R	H	I	N	O	C	E	R	O	S	O	F	P	Q	I	S	J	I	T	X
S	F	U	Y	K	W	C	O	R	E	G	I	T	G	Z	E	F	K	E	O

PUZZLE # 6

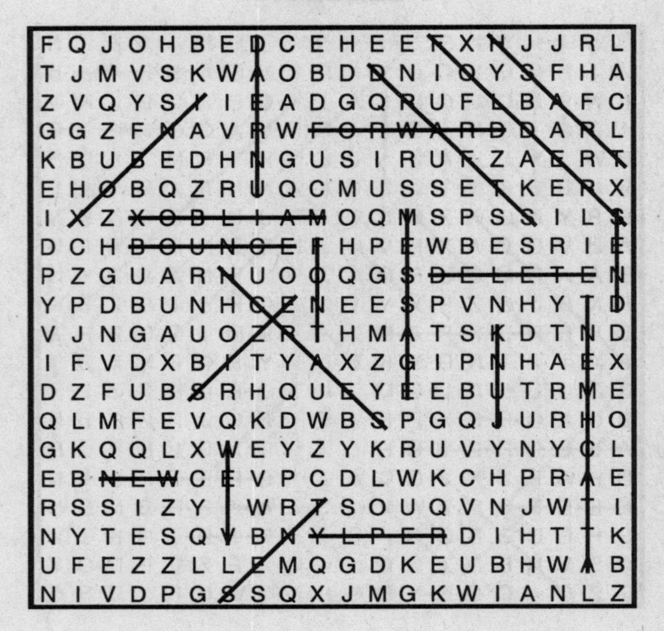

F	Q	J	O	H	B	E	D	C	E	H	E	E	F	X	N	J	J	R	L
T	J	M	V	S	K	W	A	O	B	D	D	N	I	O	Y	S	F	H	A
Z	V	Q	Y	S	I	I	E	A	D	G	Q	R	U	F	L	B	A	F	C
G	G	Z	F	N	A	V	R	W	F	O	R	W	A	R	D	D	A	R	L
K	B	U	B	E	D	H	N	G	U	S	I	R	U	F	Z	A	E	R	T
E	H	O	B	Q	Z	R	U	Q	C	M	U	S	S	E	T	K	E	R	X
I	X	Z	X	O	B	L	I	A	M	O	Q	M	S	P	S	S	I	L	S
D	C	H	B	O	U	N	C	E	F	H	P	E	W	B	E	S	R	I	E
P	Z	G	U	A	R	N	U	O	O	Q	G	S	D	E	L	E	T	E	N
Y	P	D	B	U	N	H	C	E	N	E	E	S	P	V	N	H	Y	T	D
V	J	N	G	A	U	O	Z	R	T	H	M	A	T	S	K	D	T	N	D
I	F	V	D	X	B	I	T	Y	A	X	Z	G	I	P	N	H	A	E	X
D	Z	F	U	B	S	R	H	Q	U	E	Y	E	E	B	U	T	R	M	E
Q	L	M	F	E	V	Q	K	D	W	B	S	P	G	Q	J	U	R	H	O
G	K	Q	Q	L	X	W	E	Y	Z	Y	K	R	U	V	Y	N	Y	C	L
E	B	N	E	W	C	E	V	P	C	D	L	W	K	C	H	P	R	A	E
R	S	S	I	Z	Y	I	W	R	T	S	O	U	Q	V	N	J	W	T	I
N	Y	T	E	S	Q	V	B	N	Y	L	P	E	R	D	I	H	T	T	K
U	F	E	Z	Z	L	L	E	M	Q	G	D	K	E	U	B	H	W	A	B
N	I	V	D	P	G	S	S	Q	X	J	M	G	K	W	I	A	N	L	Z

PUZZLE # 7

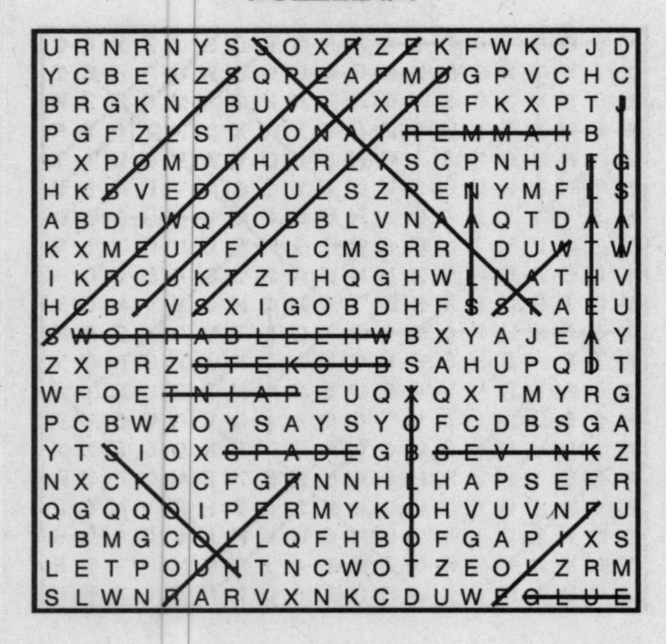

U	R	N	R	N	Y	S	S	O	X	R	Z	E	K	F	W	K	C	J	D
Y	C	B	E	K	Z	S	Q	R	E	A	F	M	D	G	P	V	C	H	C
B	R	G	K	N	T	B	U	V	R	I	X	R	E	F	K	X	P	T	J
P	G	F	Z	L	S	T	I	O	N	A	I	R	E	M	M	A	H	B	I
P	X	P	O	M	D	R	H	K	R	L	Y	S	C	P	N	H	J	F	G
H	K	B	V	E	D	O	Y	U	L	S	Z	R	E	N	Y	M	F	L	S
A	B	D	I	W	Q	T	O	B	B	L	V	N	A	A	Q	T	D	A	A
K	X	M	E	U	T	F	I	L	C	M	S	R	R	I	D	U	W	T	W
I	K	R	C	U	K	T	Z	T	H	Q	G	H	W	L	N	A	T	H	V
H	C	B	P	V	S	X	I	G	O	B	D	H	F	S	S	T	A	E	U
S	W	O	R	R	A	B	L	E	E	H	W	B	X	Y	A	J	E	A	Y
Z	X	P	R	Z	S	T	E	K	C	U	B	S	A	H	U	P	Q	D	T
W	F	O	E	T	N	I	A	P	E	U	Q	X	Q	X	T	M	Y	R	G
P	C	B	W	Z	O	Y	S	A	Y	S	Y	O	F	C	D	B	S	G	A
Y	T	S	I	O	X	S	P	A	D	E	G	B	S	E	V	I	N	K	Z
N	X	C	K	D	C	F	G	R	N	N	H	L	H	A	P	S	E	F	R
Q	G	Q	Q	O	I	P	E	R	M	Y	K	O	H	V	U	V	N	F	U
I	B	M	G	C	O	L	L	Q	F	H	B	O	F	G	A	P	I	X	S
L	E	T	P	O	U	N	T	N	C	W	O	T	Z	E	O	L	Z	R	M
S	L	W	N	R	A	R	V	X	N	K	C	D	U	W	E	G	L	U	E

PUZZLE # 8

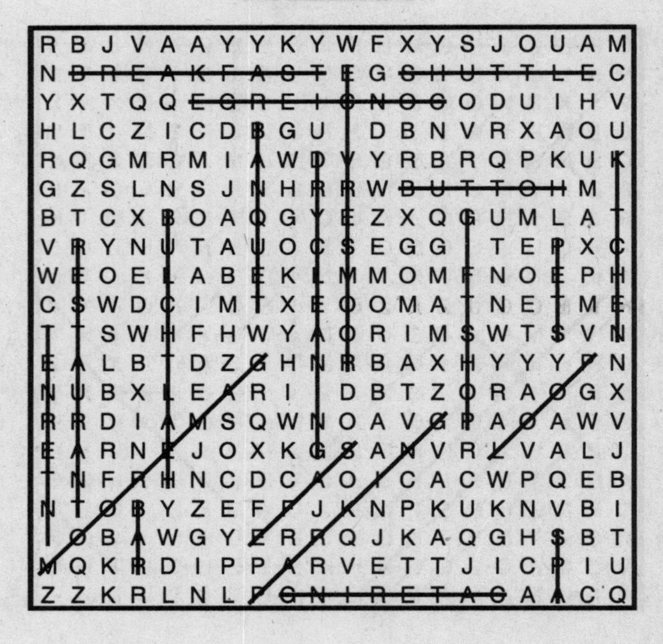

R	B	J	V	A	A	Y	Y	K	Y	W	F	X	Y	S	J	O	U	A	M
N	B	R	E	A	K	F	A	S	T	E	G	S	H	U	T	T	L	E	C
Y	X	T	Q	Q	E	G	R	E	I	C	N	O	C	O	D	U	I	H	V
H	L	C	Z	I	C	D	B	G	U	I	D	B	N	V	R	X	A	O	U
R	Q	G	M	R	M	I	A	W	D	V	Y	R	B	R	Q	P	K	U	K
G	Z	S	L	N	S	J	N	H	R	R	W	B	U	T	T	O	H	M	I
B	T	C	X	B	O	A	Q	G	Y	E	Z	X	Q	G	U	M	L	A	T
V	R	Y	N	U	T	A	U	O	C	S	E	G	G	I	T	E	P	X	C
W	E	O	E	L	A	B	E	K	L	M	M	O	M	F	N	O	E	P	H
C	S	W	D	C	I	M	T	X	E	O	O	M	A	T	N	E	T	M	E
T	T	S	W	H	F	H	W	Y	A	O	R	I	M	S	W	T	S	V	N
E	A	L	B	T	D	Z	G	H	N	R	B	A	X	H	Y	Y	Y	P	N
N	U	B	X	L	E	A	R	I	I	D	B	T	Z	O	R	A	O	G	X
R	R	D	I	A	M	S	Q	W	N	O	A	V	G	P	A	O	A	W	V
E	A	R	N	E	J	O	X	K	G	S	A	N	V	R	L	V	A	L	J
T	N	F	R	H	N	C	D	C	A	O	I	C	A	C	W	P	Q	E	B
N	T	O	B	Y	Z	E	F	F	J	K	N	P	K	U	K	N	V	B	I
I	O	B	A	W	G	Y	E	R	R	Q	J	K	A	Q	G	H	S	B	T
M	Q	K	R	D	I	P	P	A	R	V	E	T	T	J	I	C	P	I	U
Z	Z	K	R	L	N	L	P	G	N	I	R	E	T	A	C	A	A	C	Q

SOLUTIONS:

PUZZLE # 9

U W W K U K D I Y R D F J G H W D I J G
H I H D Q X O Q S X L N M Q A W G X U L
L W S R Q M C D L W H A C C S B F L P Q
I P Q I C N A Q L A P T Y A O Q F U I F
B W J V L H R K A L U O H E R U J L V O
V U B E K C T D B Y T E N N R T X I O L
E B Y R O W Z M J K T T J U I S R A H G
W U V Q E W X R V K E E E J N H X A F U
B A A D M C U B Q A R F Q E N W M P T N
F N G J Q Z E X Y T E F F K B I S Z B N
L E E R E K R A M L L A B M I O U Z P W
S M I Z I N R Q K J B I Y F A F X I O U
G Q U L L D L D M Q E R Q K D N K O P X
B G A G R S X Z K C K W Q F Q Z D P L U
A L L E R B M U H T D A B X F S E L G H
D H W F J X I G Q I R Y S E E T P U I N
N E E R G R I W V A E R A P O R D N G U
S H E O O B Q O F L S E K I P S Q K O J
C S V N E E T L E W A B X F Z V E D G Y
B Z S I G S A N D T R A P W N B C M N O

PUZZLE # 10

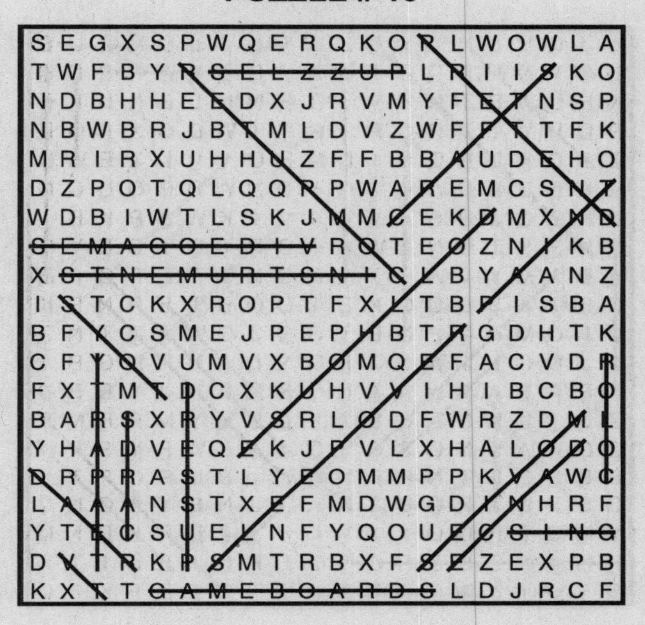

PUZZLE # 11

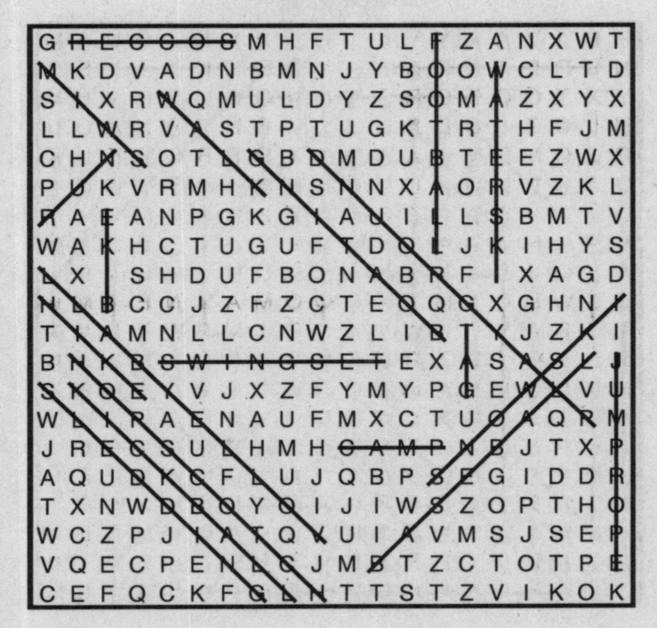

PUZZLE # 12

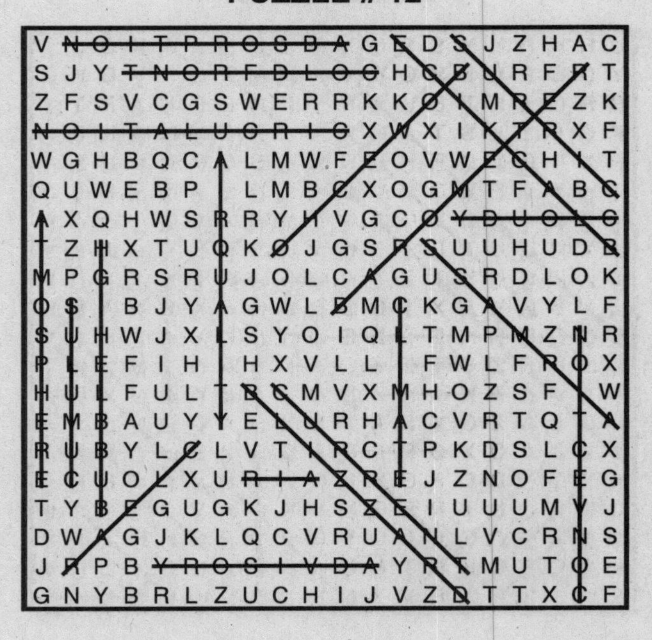

SOLUTIONS:

PUZZLE # 13

```
V A Z X G V R U D Y G D O W N P O U R R
D F K M N U H E O O F X J B E Q B X U S
N O U R U G W Y F J J W H E V W C P G F
X G F F U P K E P Y M Y R F N U G B A R
F F R R O A S B D O E G F T V H V S C E
K C O I H N J E [illegible] T E R X O H I Y Q H E
R L N Q E V Q A S D B F P A H G V F N Z
D T T D Q B J R T N R R O V L H U X F [illegible]
K H K H R H N T U U Q F L R D R J O K N
R O T A U Q E H R J Z M G R E V B K R G
P D R I F T S Q B Y E X A I E C O C D D
A U N U L H E U A D A T U C D T A V C I
E V H B A S D A N U Y N M P N G F S L P
Y C U E P C G K C S T E E N Y X L L T T
K G D I Y I W E E T U G M G E S O I F Z
H S L Z G E F A H R E N H E I T O I R F
H C X Z N N O I T A R O P A V E D E G Y
E Q A L O M Q E T B R Y Z S Q N F R L M
Q U B C L N O P C I F M E D A C Q X H R
A Y V G Z T S O R F B W J F Y S L L E J
```

PUZZLE # 14

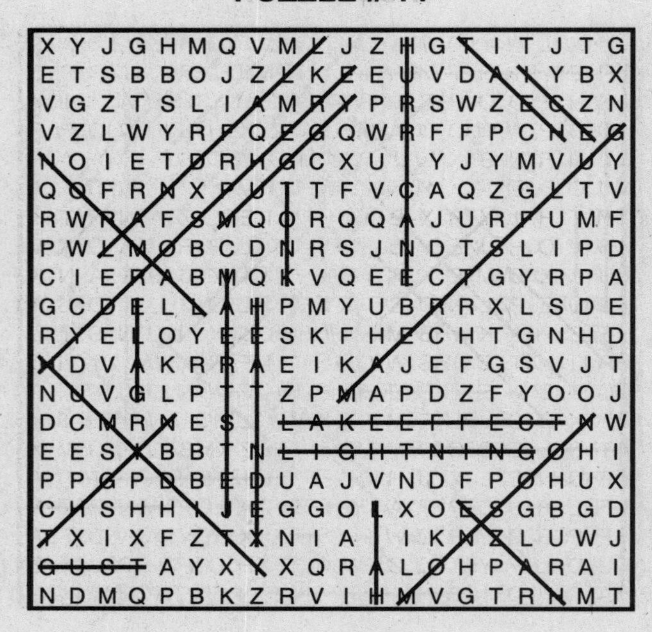

PUZZLE # 15

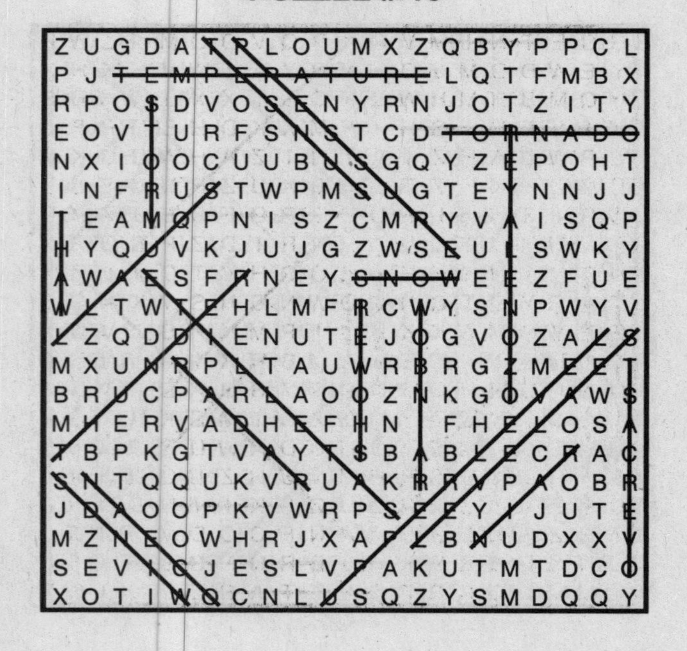

PUZZLE # 16

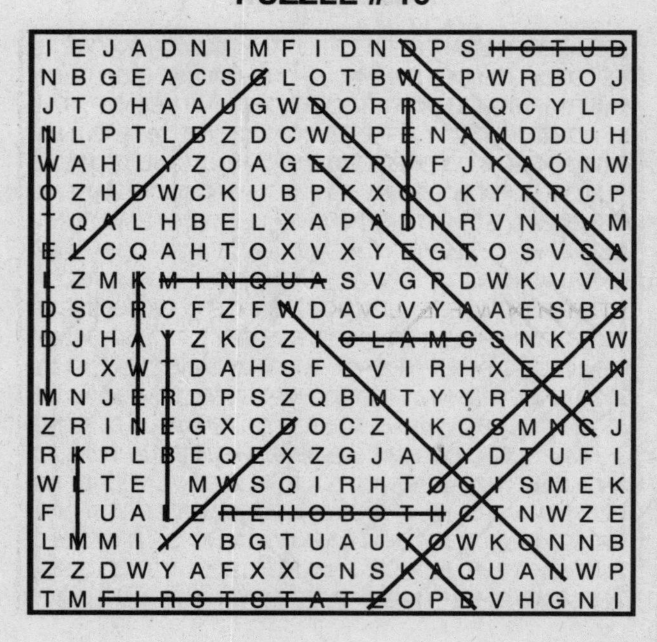

SOLUTIONS:

PUZZLE # 17

N X L B Y Q M K W Q Q M T M S S T Z A S

R E V I R I M A I M N S U C S C C R P O

C N I D O R C M G A Z L L I P M A J I X

O B P A W O O A M I W Z X H L W R Q P R

L N R N B K E I R C M G Y T S L D A A F

U O D E A Y S T L N H U V K J H I O F A

M T H I Y H X E I N A M E L Z A N R T K

B Y O H J E V U L B A T L R R V A O T V

U A X D M E K A V R O T I Z U S L A N K

S D E P L N D C P P R L L O J U T D L W

E E P A K Y B M U F B S I X N E N S I U

R J N T B I S W O B K M F R K W I I H D

C D B U E I R E E K A L F A T G L P N J

P K G O V L E M S E E K L I I U F H T K

T O L E D O D V M F Y D Z Q B Q K C V X

F D N C J X U H C I N C I N N A T I P W

F L H S D P F A J A T N A U P A K R O N

F P G R P P Z W R G E T X Y V X K B F A

U D L F Y T Q G R Q O R H O P H P L X E

A G H O I S N I A L P E N D E F O T K N

PUZZLE # 18

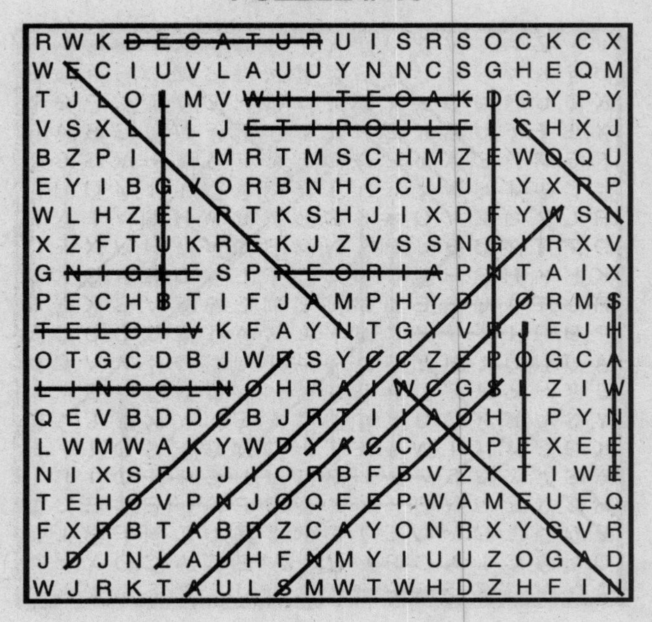

PUZZLE # 19

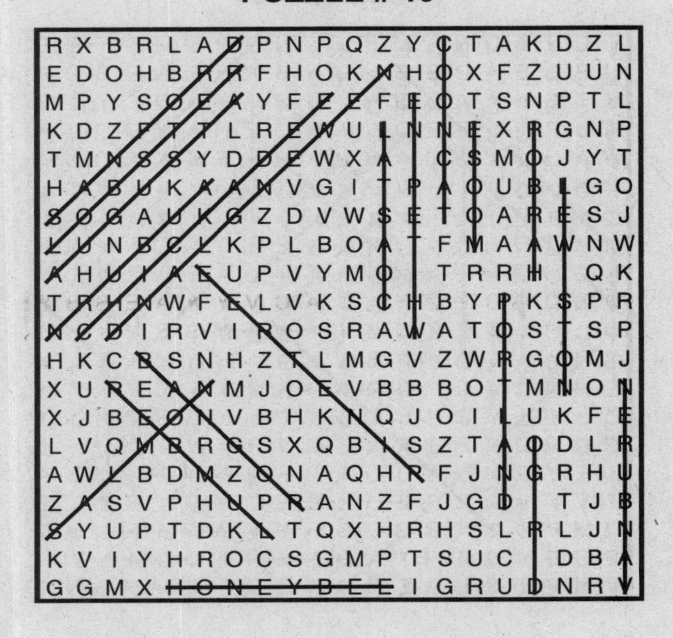

PUZZLE # 20

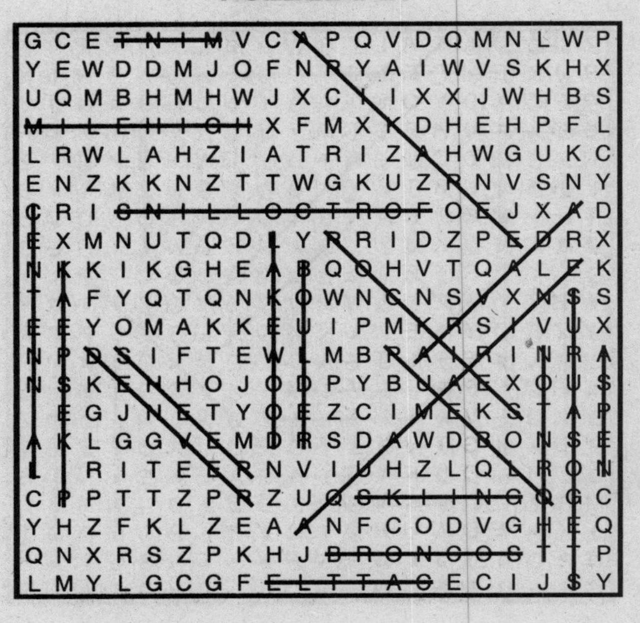

SOLUTIONS:

PUZZLE # 21

I J X T J W D P D A X O H E P T A G O N
F H W T S O U E M Z E F W Y P I L H J D
M K S U R Z S A C L R Q P V U C F L N Y
S S I C T G R W G A I C I J W O H O N U
T Q V D I G J N R H G S H O V S M G N Z
S Y S T A R A O R G E O T C J A M L O E
T R E T E T I O Y Y Z X N V I G P T G P
E F N D C O A I T R H I A D M O L M A D
X E V E Y N C V Z R S T T G T N P C T T
P Q R N N Y X T F A I T Y A O X O H N R
U H H F E V H L A I F A W C M N L Y E A
S Q U A R E Q M N G F P N F R E Y Y P P
W U W K N C E R U S R K G G M Q G V P E
A O B A O B W M S E H A A P L R O P C Z
O R G M L K R Q R J O U M H B E N N Y O
K O Z A O S M X F M M N L S Y A V P F
N O D A H H V H Y R B O L N L U M M K D
N O O O H V R J T E O G H T J J T Q H X
H P O C T A G O N U R U G S K A E F
M D E C A G R A M O D D Y H F I M A G E

PUZZLE # 22

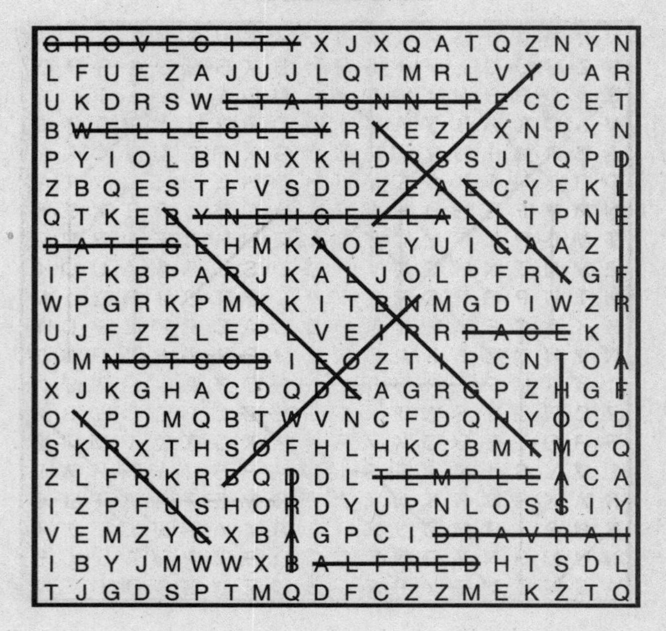

PUZZLE # 23

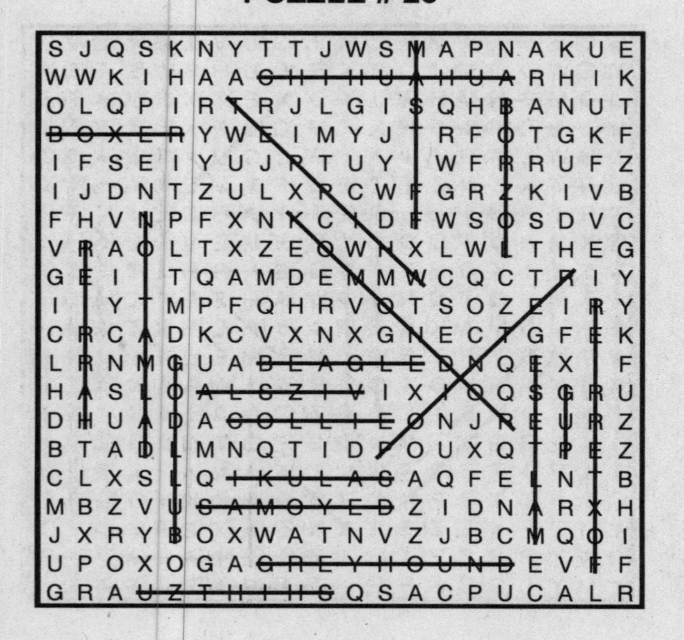

PUZZLE # 24

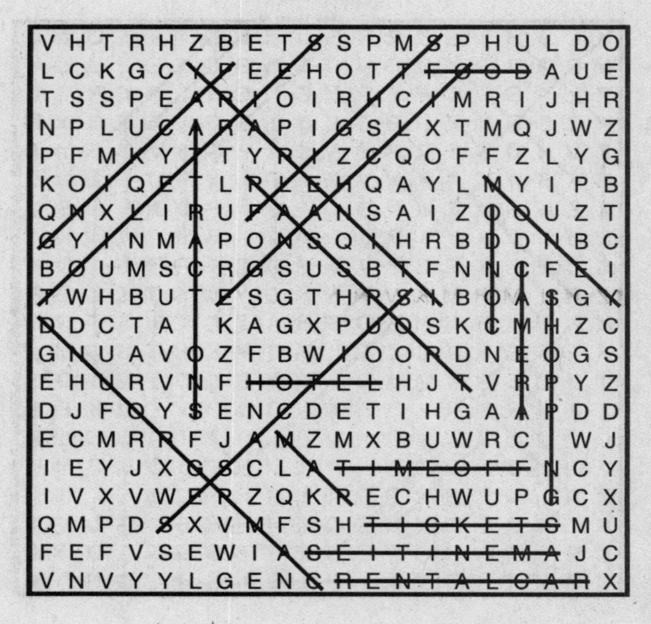

SOLUTIONS:

PUZZLE # 25

H M U K G H I Z I X H Y B F F W L S A Y
V Z C G U X F I S R D B X J U P I T A R
R I D S H S I W D H J U Q C C D I P M E
V L Q C G K Y A   D G D R E T S V O A G
A Z A N I U I M O U O C X R U U T D S U
D G I N R K S E R F R P H E H Z D P T Y
N R Y F E H J R O C J A Q S I P T X E K
T M E P X T Y C E G M Z N W C E H B R O
Z M N T X W S U T H C U S U R N A U O I
H T U P G P Q R E V Y L P T S I H L   M
K K S C E A W Y M D D C A Q R M E P D Y
N V R O Z W N L B N X P S A G H D P S G
I K A M P E N U T P E N O Y W X L H D M
Z D H E E S W T A M A R S O H Q C L S H
P R O T E D O K X A X E X G X V M M T S
L V Y S F J Y A S V D A P S J Y H R A J
K A X S M K K N A N C O M E T S A T J C
S H P   J N O J A T Z S X A R E U F X T
N U M R N O R N R X U N R Z P R G I U K
W Z N E M T X B F R J M Z K N I H S F J

PUZZLE # 26

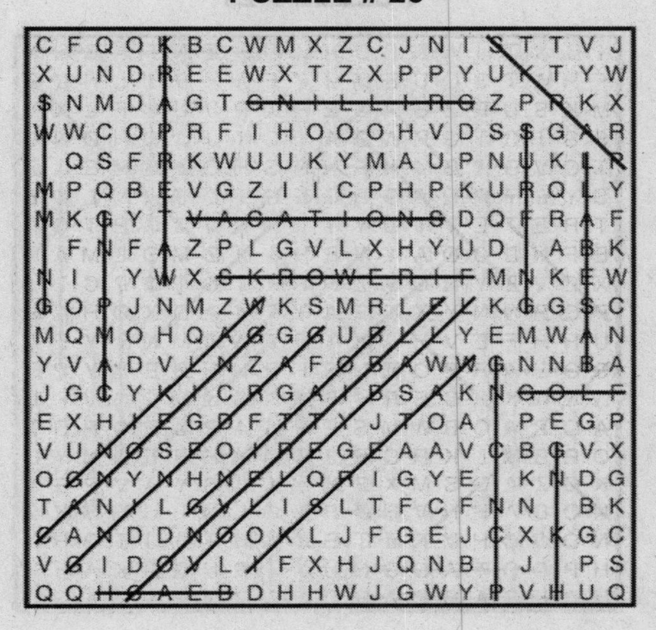

PUZZLE # 27

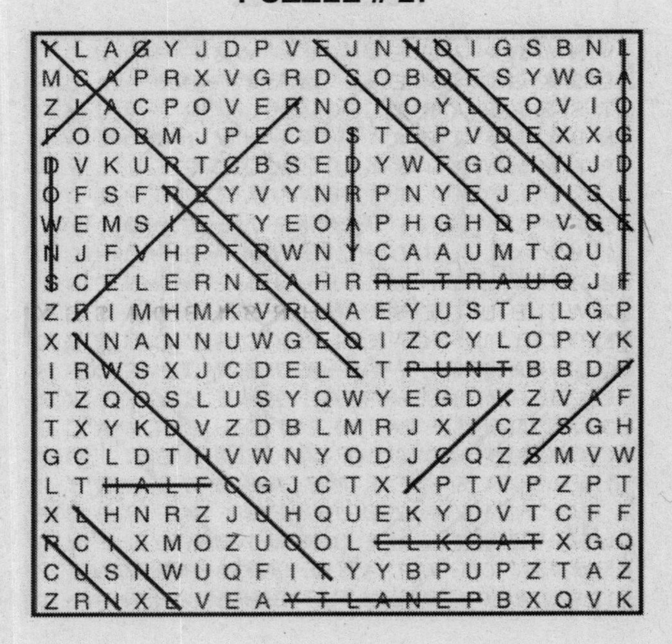

PUZZLE # 28

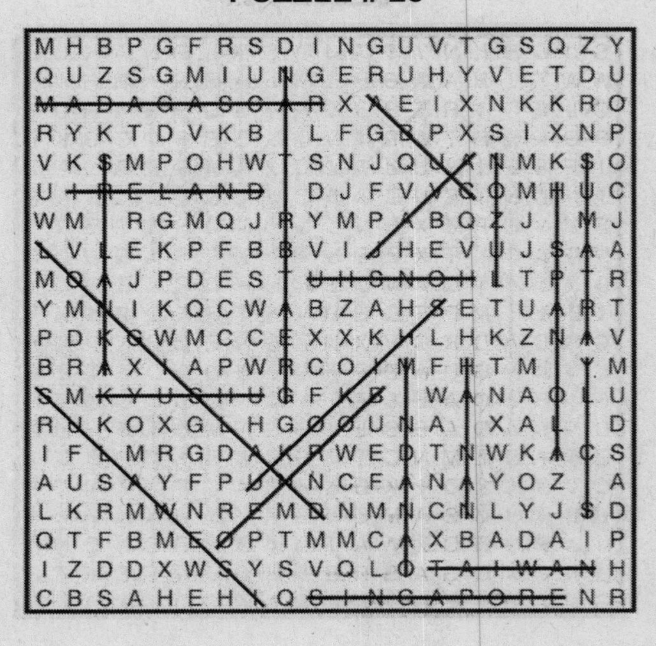

SOLUTIONS:

PUZZLE # 29

N P Z D I R T I L I C E S K A T I N G K
M O H V O L T E O M V Z N P O U L F W Q
O Q S P O P E R A K R A P Z W I M S P Y
V X B T W X C B G K Y U N J U I F L X K
I W G P B G N I K I H U O O Z D N H L P
E X S F D I E G A C C N I T T A B E Z Y
I T Q P A B W I K B T N K M M P T W R J
C H T O N Z C W W R N S H P S E H X C K
K Y J R C V G S Y K I P T X L C U H I Y
R E N N I D R A C N L T Y J C R C P K B
X C T R N D I O N G X T R C F A D T T C
G F G S G J L E L E I P V A E O O H Y U
U G W Y I X T W U O Y W E B C L X E Y Q
N N T N K Q O O K T N E Q Q M O S A B Q
V I T O B M C O R U F D V G W T G T U L
G L B H H O F A C F L X N Y X D S E G Z
C W N P C X P D O S X I K V I G Z R M L
R O Q M N D Y C E P K D M D Y H L D O F
W B Q Y U B W Q L I M J D A Q E Y H H H
U L A S L X Y G B T E S O N J B V A E U

PUZZLE # 30

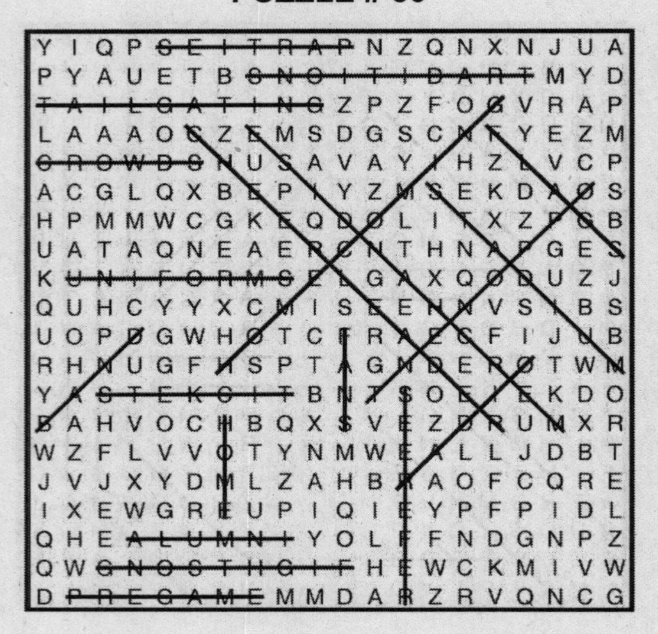

PUZZLE # 31

PUZZLE # 32

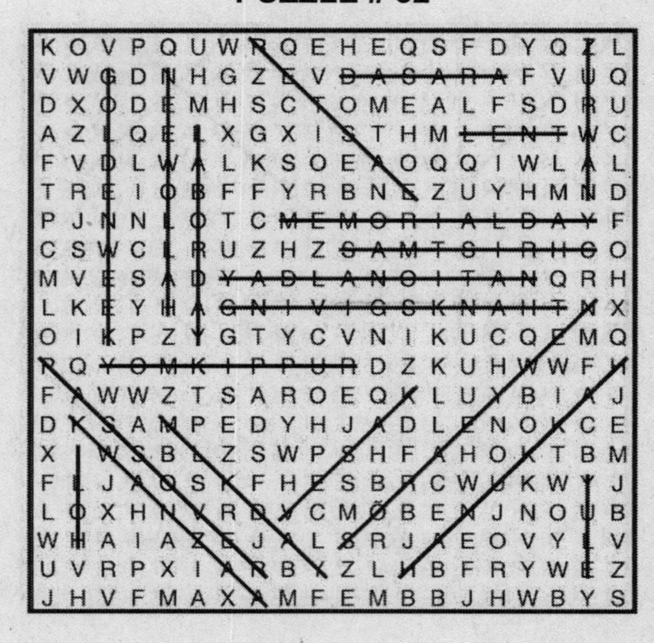

SOLUTIONS:

PUZZLE # 33

U P Y W C K P C C K N Q Z R L V D K W U
I Q B V Q Q M O T O A C K A C T G Y B D
K D B X H B Y Y I I F L T W R R N L Y R
H R U O V C G T D E R N Q O H C I F D W
P E J Y A U A C L L B E T G Z B M K B Q
F A O M U C B K W J A I F P O X M S X U
P M P G A N Z Z N H G Y K L J I I E B Q
P I R V E E N O V C R O A I I J W L H P
F N W E E B S I R F A E L Z N E S T O V
L G H R K B O N F I R E S T C G S S T U
O I D B D F D C S G Z O B U Q D G A N J
W Z Z M M N O I E I C E C R E A M C I Q
E A E P K O N A C R I C K E T S S D G O
R C K G K N G O P Z A K R Y M K V N H F
S L H O E E N I R H G I R P W D P A T O
F I U T E O C E S D I D R J T O U S S C
A T B D M N V Z M E U J Z B O G V H L J
S U O G I O X P G I I J Z L K S Q H C Y
B T U C P O P S I C L E S U E Z U A Z E
L M S R E L X O L J H E N O J W T H L L

PUZZLE # 34

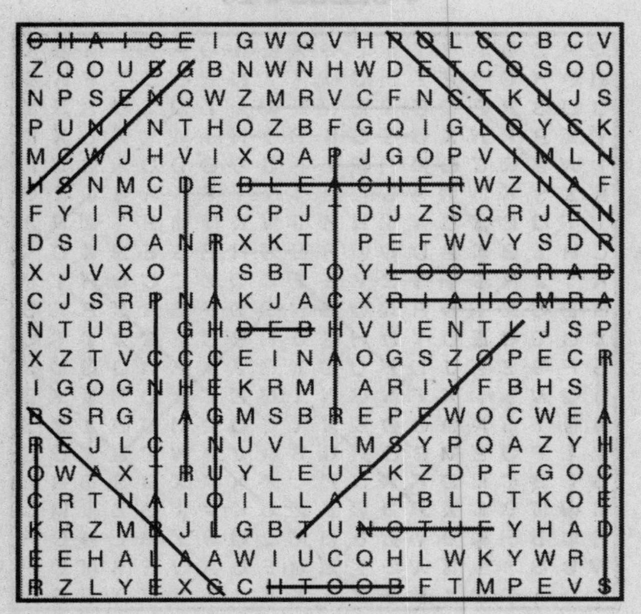

PUZZLE # 35

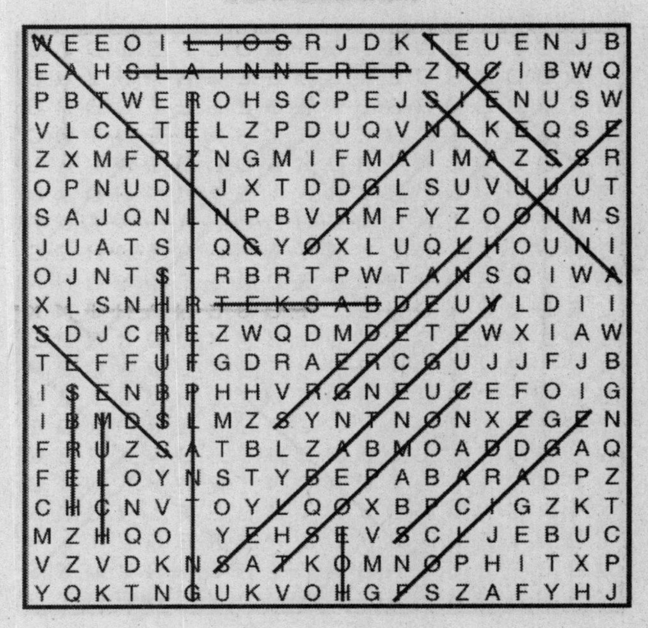

PUZZLE # 36

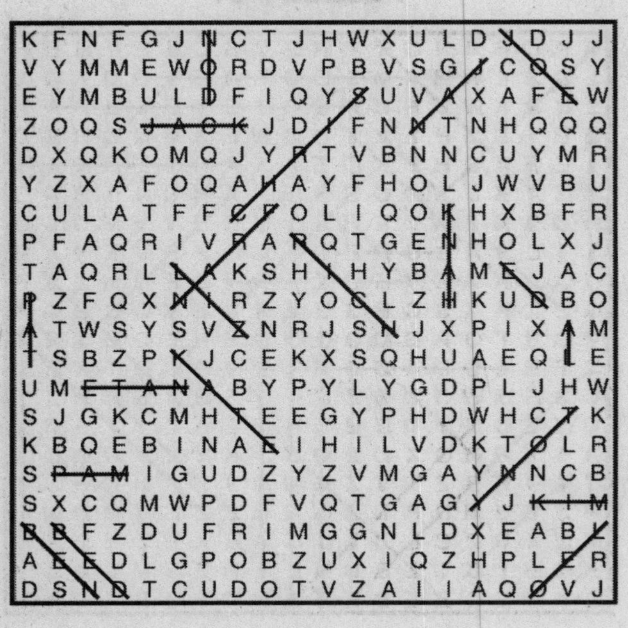

SOLUTIONS:

PUZZLE # 37

C	A	O	C	A	Y	Z	N	C	G	X	L	I	O	A	W	F	X	G	G
R	A	K	O	Y	E	A	H	Q	T	T	X	H	H	W	O	A	P		V
X	Q	B	K	R	Q	Y	R	O	M	E	M	L	L	Q	C	O	R	N	V
O	H	I	H	K	K	N	E	E	T	R	I	H	T	W	P	G	C	R	T
N	N	C	Q	Z	D	O	R	R	U	F	C	U	O	D	C	O	S	U	F
G	U	Y	K	W	W	A	C	L	J	T	I	Y	S	K	P	F	Q	M	G
E	N	C	Q	T	G	I	G	J	W	J	V	U	I	I	F		Z	M	A
O	W	E	G	O	A	M	O	F	D	E	U	C	E	S	E	S	C	Y	V
K	T	I	T	B	R	I	D	G	E	E	O	Q	C	D	U	H	R	E	U
X	B	C	D	N	U	F	Q	H	S	N	O	O	P	S	Y	X	R	E	G
S	X	U	O	E	E	Y	M	H	X	J	R	O	T	Z	O	I	C	S	U
T	P	B	Z	N	D	D	H	U	O	X	Q	A	K	A	A	J	Q	D	K
R	G	V	L	D	K	F	L	S	N	I	O	N	T	T	B	R	V	A	D
A	I	X	F	A	A	K	P	O	V	I	J	Q	I	U	U	A	L	I	S
E	U	P	Q	Z	C	I	T	Q	G	B	K	L	Y	V	C	U	A	O	S
H	H	B	D	Y	G	K	W	V	O	L	O	X	X	X	K	M	G	K	B
X	B	Z	U	M	B	R	J	Q	K	S	G	O	W	I	D	B	L	W	O
Q	C	B	R	N	B	O	N	A	B	M	L	O	F	L	R	E	K	O	P
M	J	G	W	L	Z	I	F	X	C	H	F	G	O	V	P	S	Y	O	H
Z	I	L	O	P	I	R	T	B	T	K	K	T	S	B	V	T	B	D	I

PUZZLE # 38

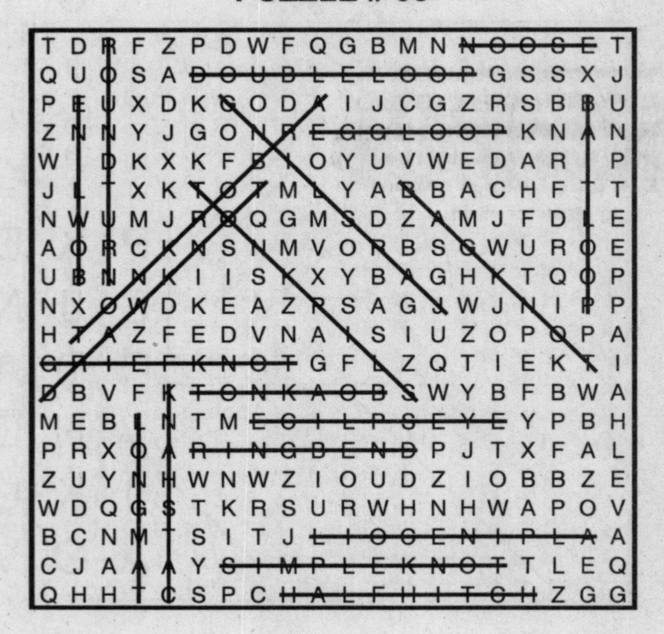

PUZZLE # 39

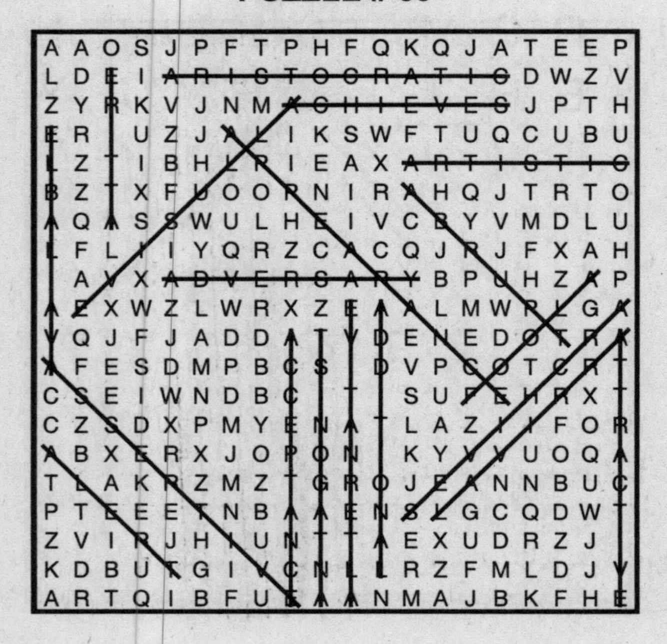

PUZZLE # 40

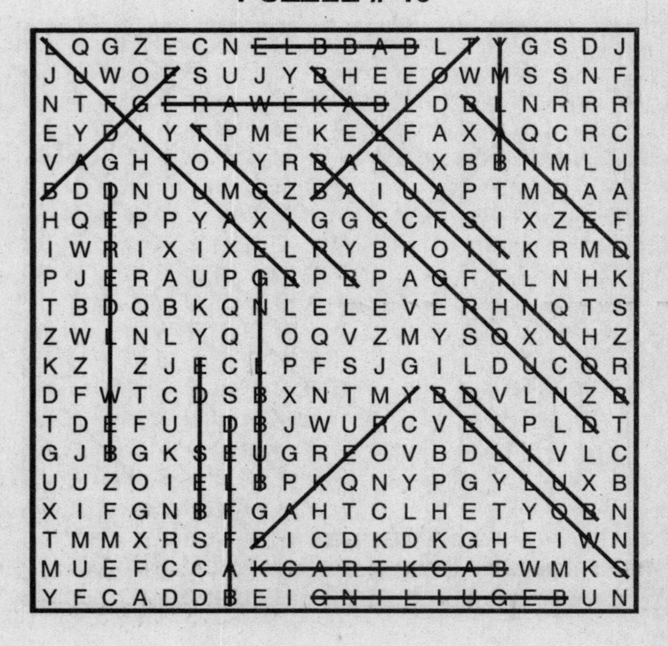

SOLUTIONS:

PUZZLE # 41

D M T F P T N Q C N E T E C A S H I E R
U V N D N B Y W M O X V L M K A P Q J C
L A C I T I R C A E L T I H N Z R E Y E
G H E W C A L V V D M L O T G O V W T F
D Y L W R E B I L A C D E I A I O A Q C
Y W G N R W T Y Q W M M B C P E L C A M
C O Q J Y A S C L O L I O C T U R L A Q
X R B G L E G A L F U O M A G I C C V C
C B C U N L P G I R W S G L G U V N Z F
J G M O W I N W V F L L A K L S T E F B
X U R F U Z M O S N C C I A G Y I R D P
C C R M U R D L V G J R T C O M I C A L
E U R A B G A V A H Y E A C T A O U T M
H N U F D Y Y G S C V J Z F A T E E G V
T N P D E N G W E U E Q G V T B N N E A
O [illegible] L K W Z E S D E O P L M W K A M X U
Y N P X D F F L B X L I V N B W N R T Z
D G Y A T I A W A C W I R A T P H E E I
B S B B Z T R I F C O E C U I X G T S T
U H G U V X E L B A C L B L C T W E H S

PUZZLE # 42

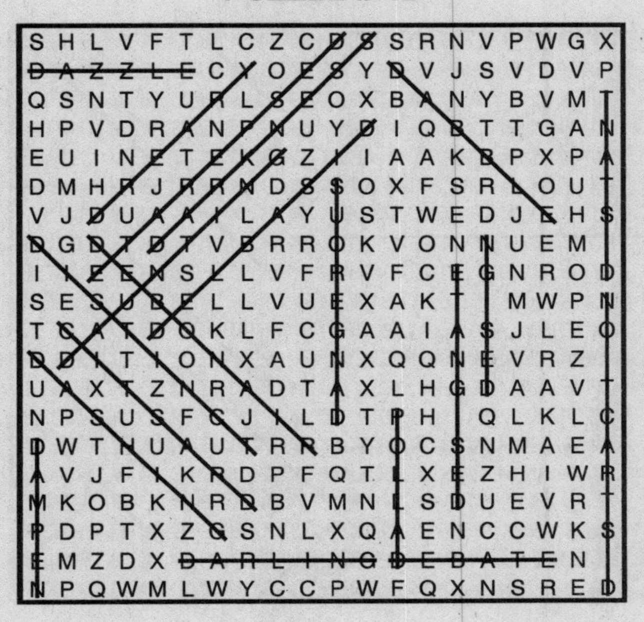

PUZZLE # 43

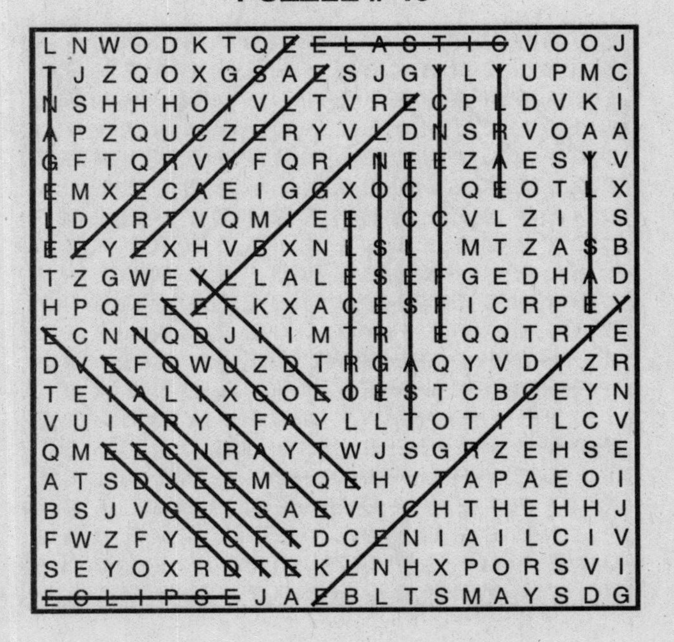

PUZZLE # 44

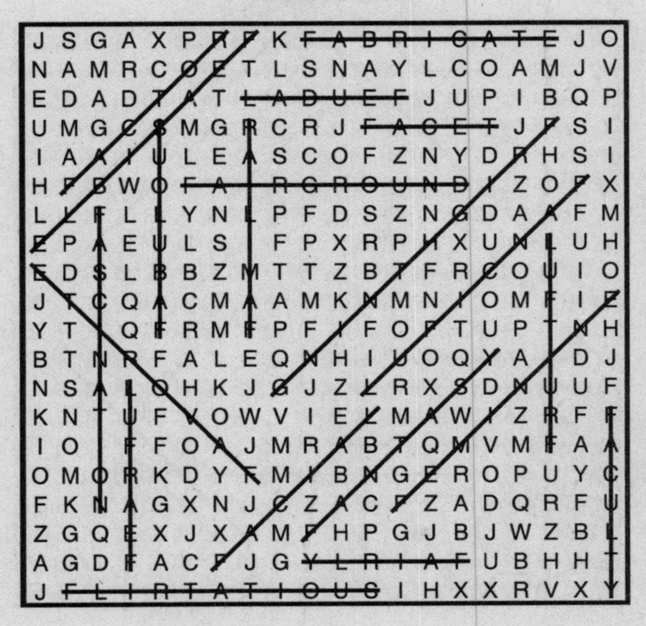

SOLUTIONS:

PUZZLE # 45

T H F Y Q N R D O M D B X G G K M E B J

S U O I G R O G V W Y C E U U C J C G N

F N I Q G J T C S T U N I U Q H E E E G

C O X C L V S N R V E O J Q S V N O P N

L I S B G W L Q A T Q S S I I E V C N D

K T F A R E U T I I A J N T R G A U G E

J A W X I E F C M W G R A O U B E R D Y

C L M I Z P N P Q Z A R U N K L G Q C Y

Y E V G Z P I A R G E S P F B R P G M B

S G A B L Z A B A N V I K A E K F F U K

X C G U Y P G L E O M R R A Y G U Y T C

Q K Q G W E L G O U R E T G C E V D I R

E F M D E E D S Y C N F D I D Q K I K I

M Z X V R O S B L E U P R X G O X K B G

O I B Y G U M L G L Y T D B N A J K E A

S K J M S R T E O P A I J O C O I S U G

E J B N M W U J T I R A K R F O T E W G

U T G X Y K G D R R C X G S D U R H T T

R R J U A W D E G P I F P F R Y B V N Y

G G K B I P G P H E L C V E D B G O Q P

PUZZLE # 46

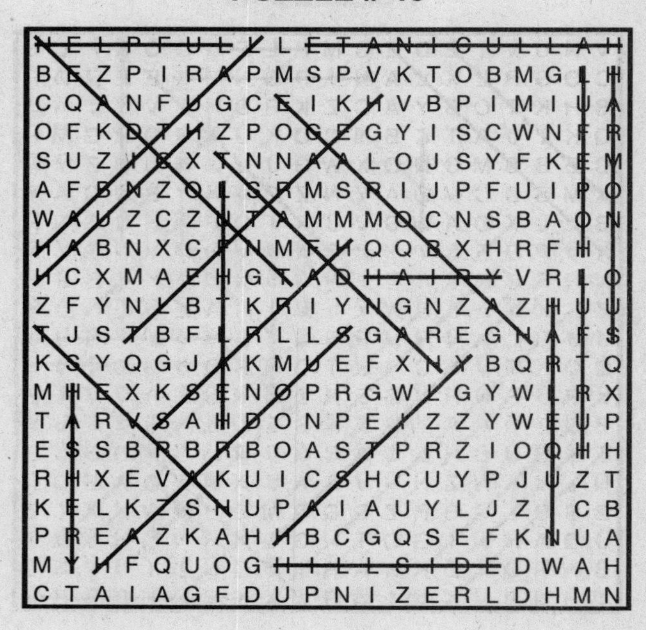

PUZZLE # 47

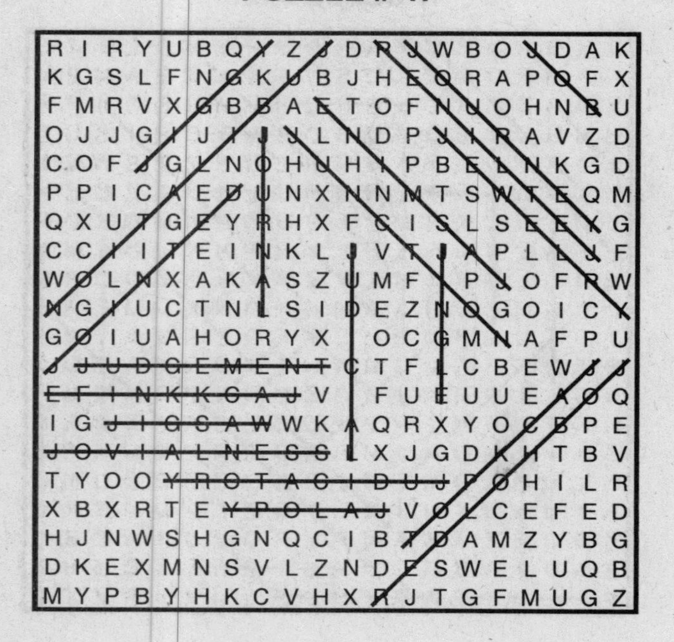

PUZZLE # 48

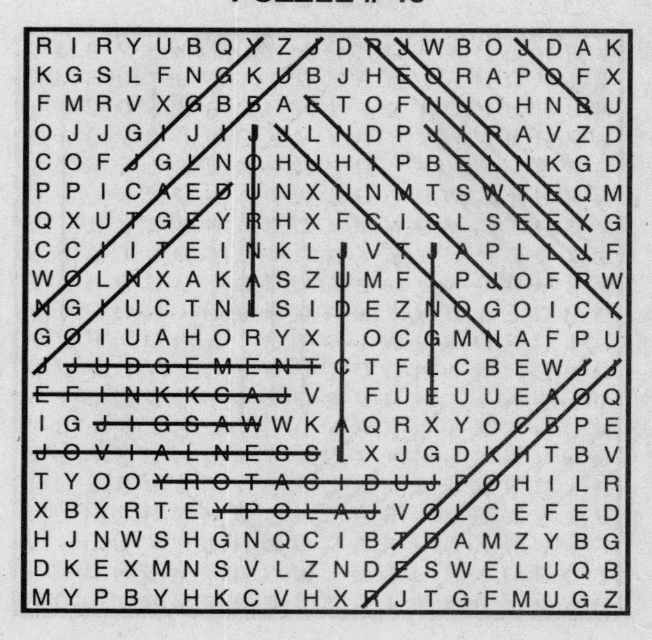

SOLUTIONS:

PUZZLE # 49

V N U V I E D E C M P L E K Q Q K P L L
C Q G R L X L A N I P G N I K E E Z D R
S H K T O B Y A C Z K R D H T V Y T H Y
Q K T J A T K B N C Q K U A K Q P G M H
C E B S M C N Q X W G J L J E U U Z Y P
K M S D C M O A Y N Z P M X Y B N Q A Y
B I L K O A W B V J K T Q F H H C G N H
K V P D E C T Y Z C A K V N O V H Z X N
N H C C K T S E I G C I G D L Y Q E B F
Z D X X A E C K X L M T Q A E H Q O O B
J J E G K V E H R B Q T E M I L Y E K J
C Q K T Y A C R U T D E B D S G S I Y H
X R J G R H N G E R D N M U K A V S X B
F O Z O A A V G X R S E W L X G C R B C
E K B U B H E U A C G P R M O I Q D U Z
N L I K N Z N H V R A J A D T Q W E O J
B S D L C B R Z D Q O M G E N W K A C Z
J Q A N N I G Q T N G O N H N I H L M Z
B W H Q I D K W A R I I Q N O I K V T U
I H H P U K M I W G K K K N U L P R E K

PUZZLE # 50

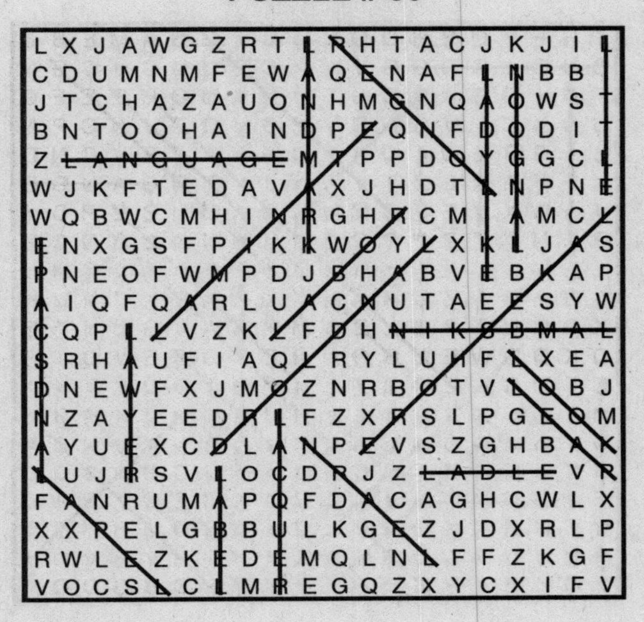

PUZZLE # 51

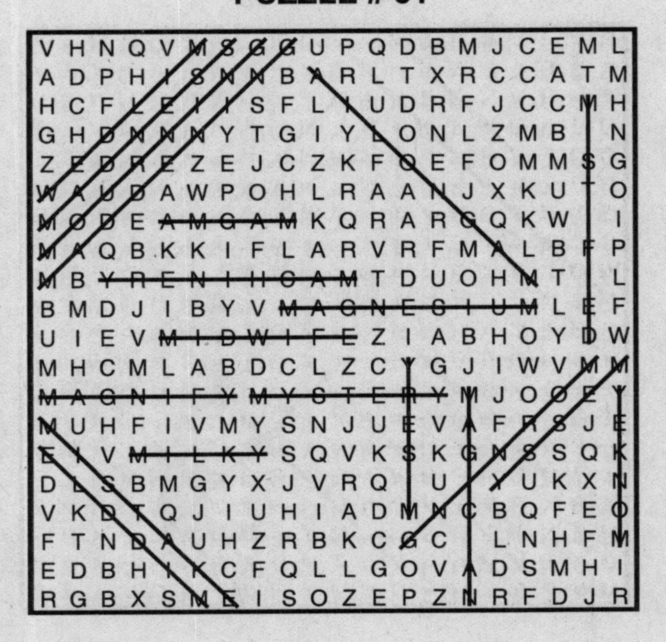

PUZZLE # 52

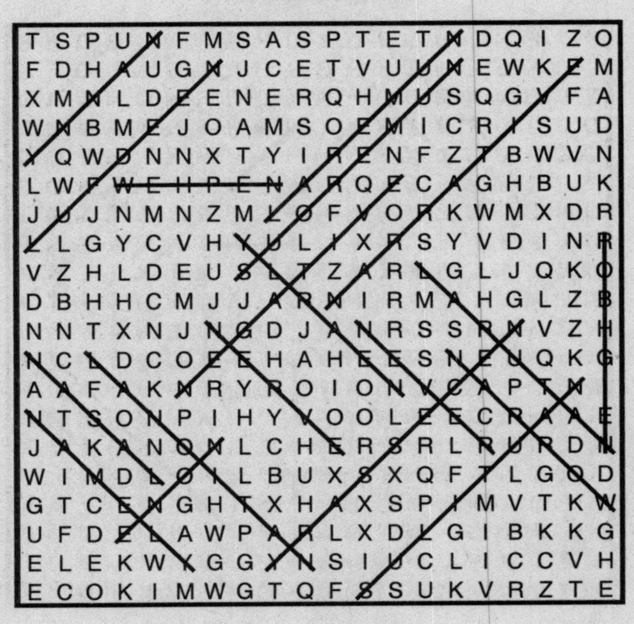

SOLUTIONS:

PUZZLE # 53

V Y N V V G O B J E C T P L E M B A R W
T Y T J F L V Y J X Z A A E R I T V I R
J P K O G W N R S I S X R F D N L T P T
Q U N I X P U D R V M Q C H J N K K A N
K C H Y C T B G U T I W P N N Y E Q Q L
D C K Q W U Z J A O G A E O E M F F L R
P O O F V U J O D H E B Z M E I S Z F Q
M W U S X A I K J H T U Y F M P D D S Q
M C I J F C B G M X E W T O P A L E F R
H D K M R E F F O O L W [illegible] P U E U F B A
E R U C S B O R A B O V S S H H P R Q O
W L R K F N O I B E S Y E N B D G N S E
E E T D V O R M B Y B Z B D K A X E L C
O D O R A A R S I Z O V O K O S D C E D
Q F T G S A O D I N D V C B A E A U H B
M N O R A C L E E H O D G N U T D P M L
J W O B L I Q U E R V U C I S R L W S N
C O F Q B B W P V X V I S B E C I K O R
R C H D Y A K O M H A H O V K X N C L M
T W W J F Q P H D T R E O L A V O N U H

PUZZLE # 54

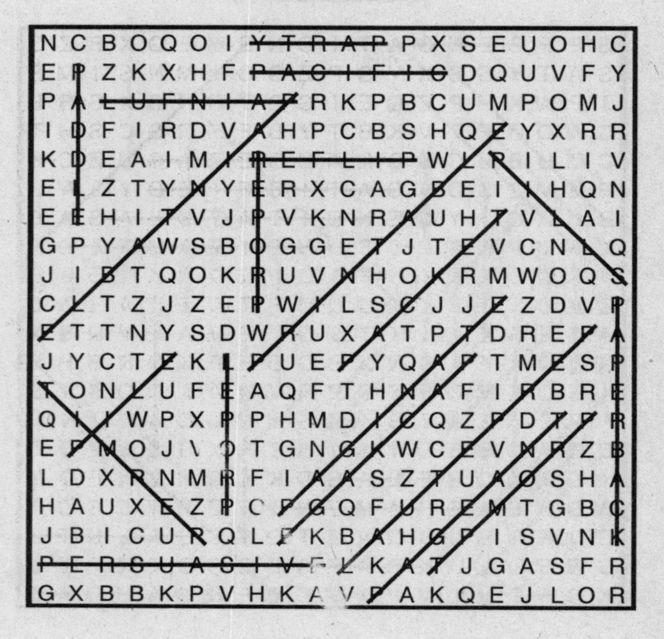

PUZZLE # 55

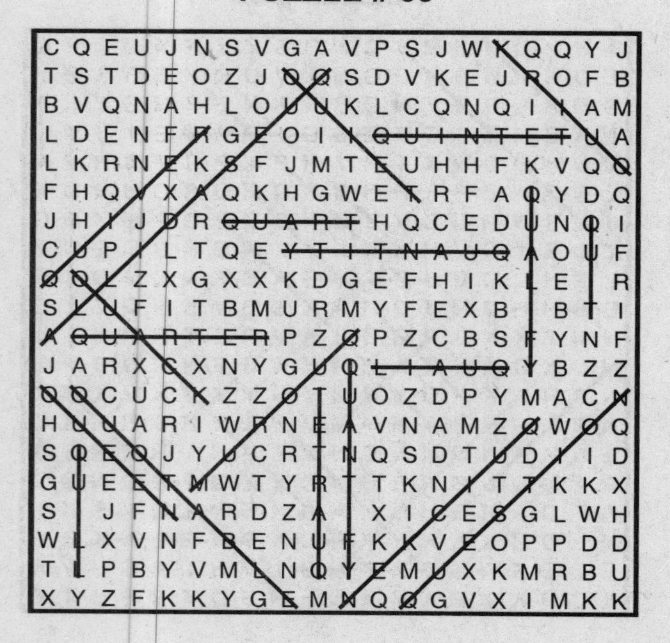

PUZZLE # 56

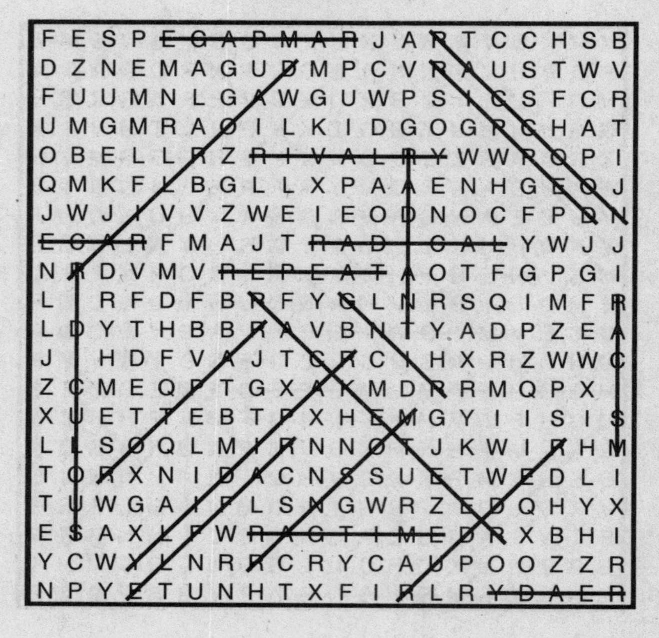

SOLUTIONS:

PUZZLE # 57

S P F S E N S A T I O N S H E O X B Z G
S A T Y S S X V S P Z S C I M N S I M S
T P W K H P E Q E I G O Y R N O X G R B
C W Q O F T V K B T Y B F H R G C S H T
C M U B U C S D R A U G E F A G U Z C K
R L V L S D A S A T I S F I E D Y L M J
D U A G [illegible] Y C E N O I T A T U L A C A B
V S M V N S R Q S H N O I T A U T I S R
M S R U G H [illegible] N P I B L E A R K F D A J
Q H O I L A F K C Q U B T D T E A Z W J
A O J S E L [illegible] T T V N Y T M A L V H S X
X R D A F L C N X B D D E F X D N B H S
I T O L M O E X C P R M U A X D O S T E
H F L M Z W D C W Z S Y O V O A Q I M Q
C Q A O S E Q I Y I A Z H X S S L Z T S
I O H N Q S E L A S D K L C N L X E T Y
W B H S A C R A M E N T [illegible] Z N T L B D I
B M H T D J J N A J T O S E S A L U T E
V R F L M W K R A H S E S C D I Z O L L
N C N P H L V V I M O S F R C A H C A O

PUZZLE # 60

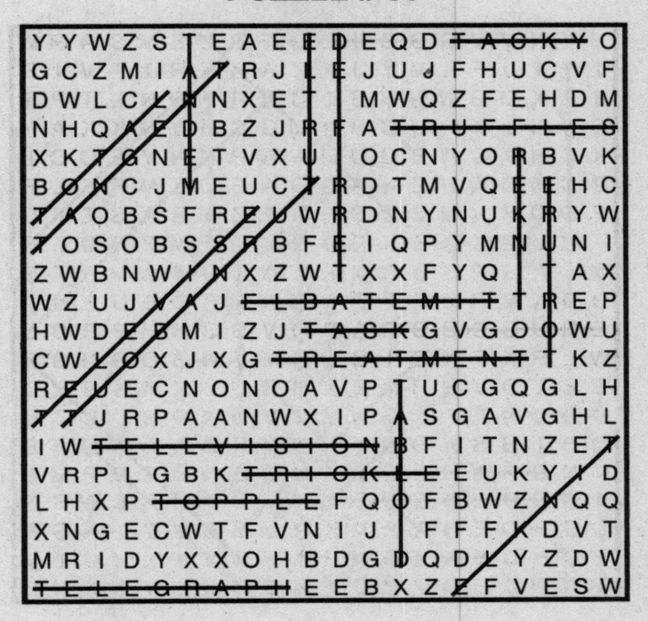

PUZZLE # 59

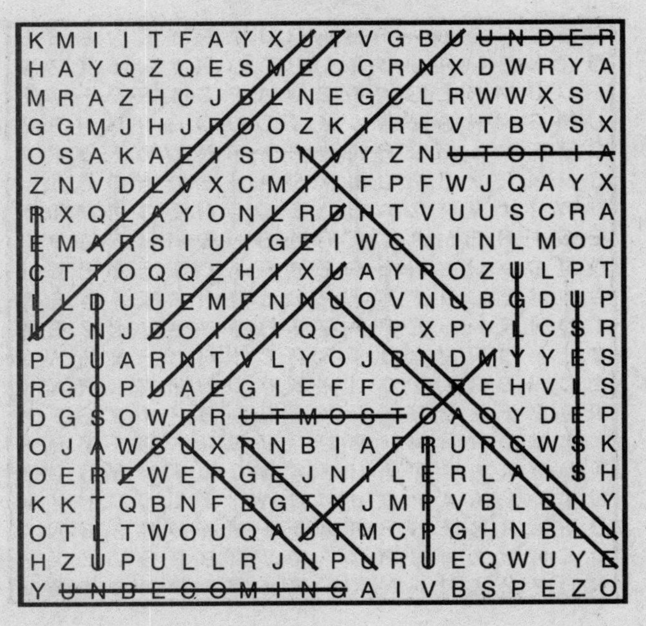

PUZZLE # 61

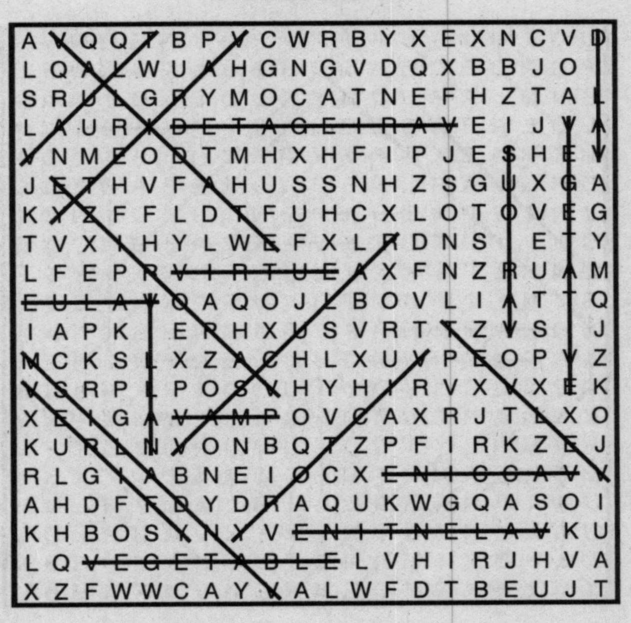

SOLUTIONS:

PUZZLE # 61

W	G	D	E	X	H	Z	C	W	K	S	U	Q	E	O	Y	E	R	D	M
G	P	A	Z	J	R	A	V	T	E	C	E	B	O	R	D	R	A	W	R
E	G	X	M	M	Y	E	Y	L	O	Q	Q	H	P	Q	C	E	U	Y	E
K	C	W	U	A	H	M	B	Y	S	V	H	O	O	A	N	J	B	N	P
J	Z	A	A	W	R	A	M	G	M	W	O	U	L	D	T	P	N	R	E
F	Y	N	X	I	R	U	N	O	G	A	W	D	L	Z	Y	O	E	X	E
I	T	T	Z	A	T	I	S	V	R	T	G	H	A	M	P	G	Z	T	K
I	N	X	E	S	U	O	R	E	D	N	A	W	W	A	A	R	G	R	H
W	A	W	B	R	U	J	C	A	L	L	U	D	E	W	S	H	U	Z	C
C	R	O	B	H	C	B	E	E	W	S	O	W	G	D	O	B	V	N	T
I	R	R	O	S	V	X	W	Z	P	C	S	T	U	K	M	T	C	Q	A
O	A	T	Y	Y	J	A	A	X	W	A	T	E	R	C	O	L	O	R	W
T	W	Z	M	Y	R	J	S	X	H	E	R	L	I	E	Y	B	D	A	K
Y	H	Q	G	P	F	S	H	U	Y	E	M	D	G	P	N	I	S	V	J
X	O	O	N	U	W	X	B	L	H	E	L	F	F	A	W	T	E	Z	B
C	Y	S	Z	A	H	U	O	T	E	V	Z	D	D	K	E	N	I	N	L
L	Z	H	L	T	Q	B	A	I	X	K	Y	I	M	W	K	J	D	Y	T
L	J	T	E	A	C	E	R	S	J	B	K	Y	A	T	E	L	L	A	W
[illegible]	Z	I	J	I	W	S	D	O	H	T	A	Y	J	F	L	Z	M	T	E
W	Y	L	O	X	M	V	Z	L	X	W	E	Z	A	N	N	I	A	K	C

PUZZLE # 62

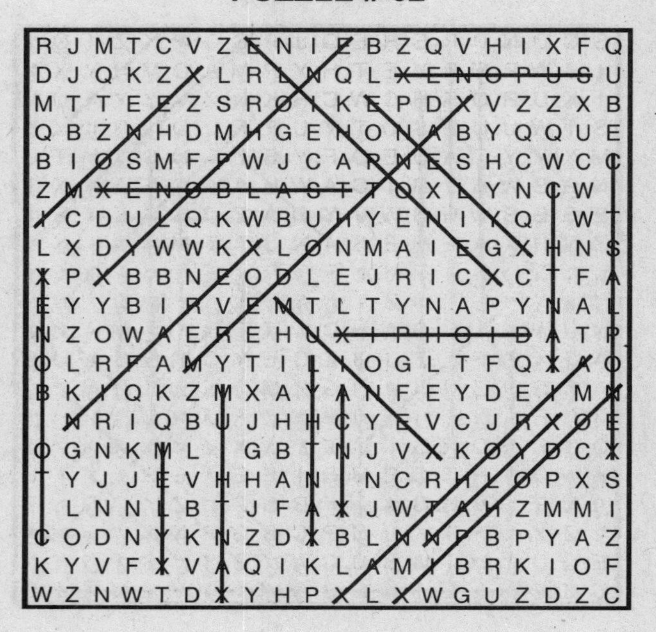

PUZZLE # 63

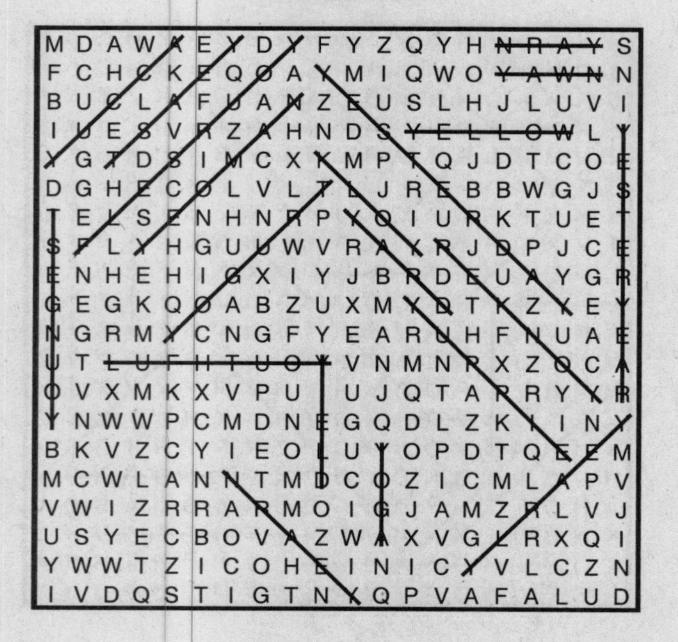

PUZZLE # 64

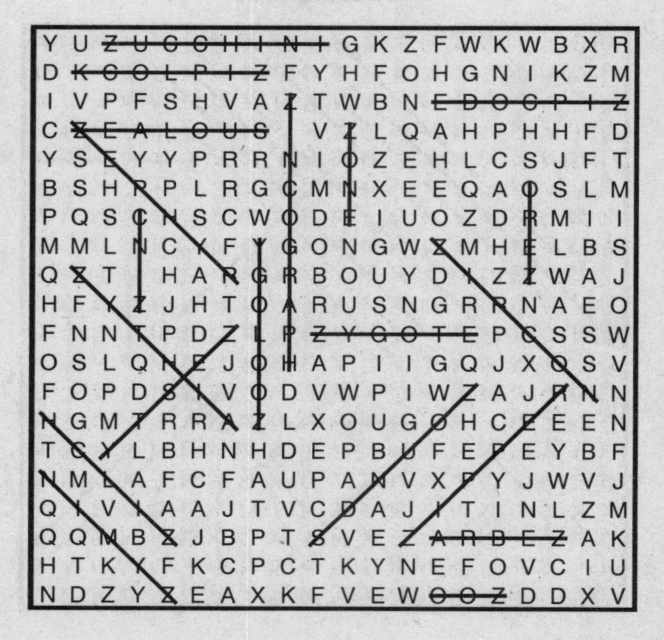

SOLUTIONS:

PUZZLE # 65

G C D N P P E H E O J P C O P X Z T Q I
I J W P M B V E T H Y P M A D M R Y X X
I K U R O R H C W C R K N Z V Y Y A U M
S I W U U E S O T Y U F F D D I R K Y I
M X Y Y T A U E O F Y B E L C S T M T U
N G B W H T R I C A W U A A O E W I X I
E G G B W H B W V Y Q A E O S S E I E I
Z D H X A E H B S A N G T T M A S I K S
L M E D S I T Y L R H O X J E E G I W R
N X N N H F O P Y P R O V Z T S U F N L
N U W K T C O W H D X E T O [illegible] [illegible] M A F G
A J K G F U T J B Z Q L V C C D S L U S
A C G N Z H R A R G Z M D E B A U N J G
Q R E [illegible] N T U E U B X Q F U N O I C H R
O O R N D N U T S X P S X V R T A N D J
K W D A R T O E H O I F E I S S I E Y U
A N P E V N S A [illegible] F R S D U Z K C O L C
V Z X L P A K V N P C E G G K A I T N K
E Q D C M T W B G C W Y S S Y S T Q K N
U E F I L L I N G S S I T I V I G N I G

PUZZLE # 66

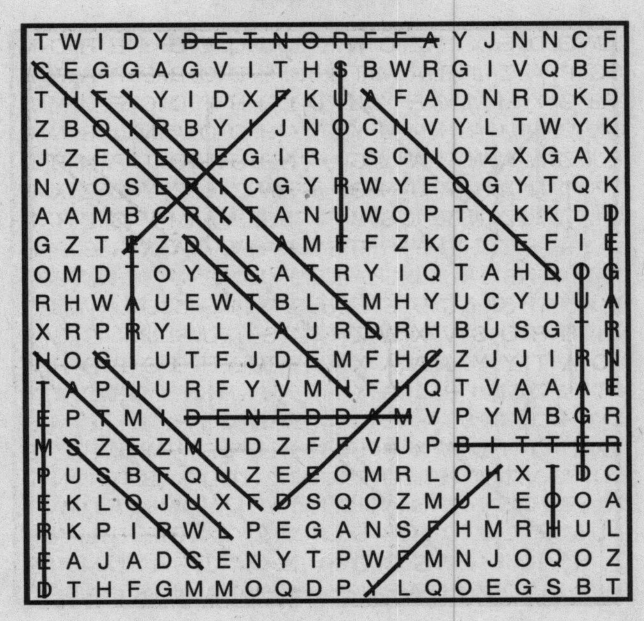

PUZZLE # 67

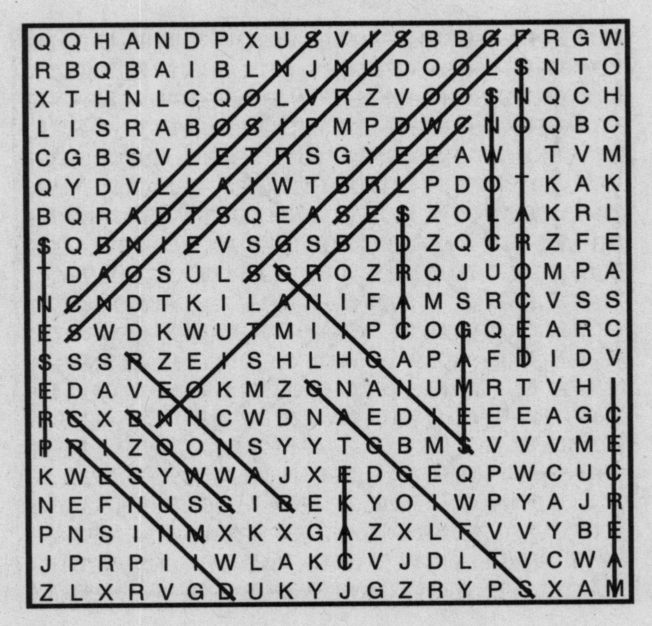

PUZZLE # 68

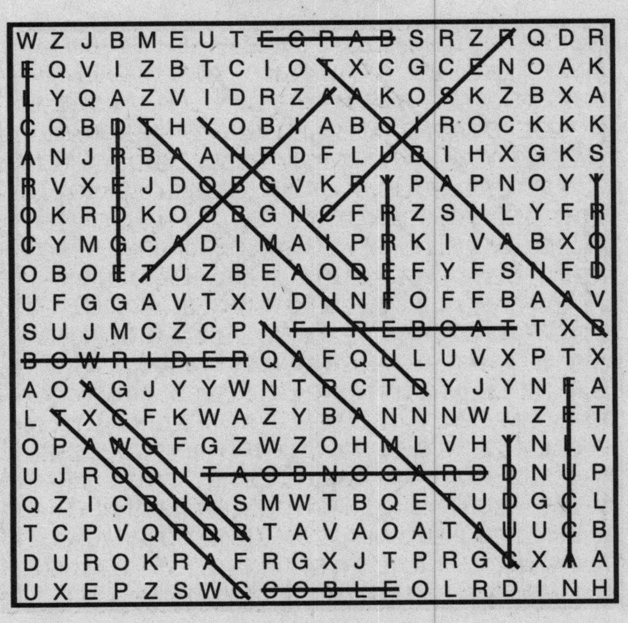

SOLUTIONS:

PUZZLE # 69

```
N V E B L G P T F A R C R E V O H M K N
G T T L T S W I S T A O B E F I L O A O
V K A Y U L K F P D D O H P B K I Y Y Q
W R O A G D M S R O T N R F B S B L A J
Z C B D B G R N Y T G A D H S B I J K T
E S R N O I I O G J S U O Y L T M A R G
E A E Q A B Y O U W M S E B A P H I R X
V I W L T V N T P Q Y E Q O T O V A L I
F L O A T D X N E I O P B A F E X W V O
Y B P R O S Y O T M W E A G R Z J N Z Q
G O N L H N S P N V S T R B M L U I T T
N A A T Y O R B D U U Y O F T U Q I K Y
W T U A D C A L O I T A K H Q N G O O J
U L U O R B F H A A T T H C A Y B P B K
V A I B O H T P I N N A C E F R Y M W Z
Y T O G F V K L I K P N I Q O E G Z O K
A I G O O J X R K U N R F T Y M Q B R Q
A F U L I Y O O I E R E O Y E H O H Y E
T I E Q L E V M L W V M O A T N U Z K F
V S X V S U B M A R I N E U L Y K N J E
```

PUZZLE # 70

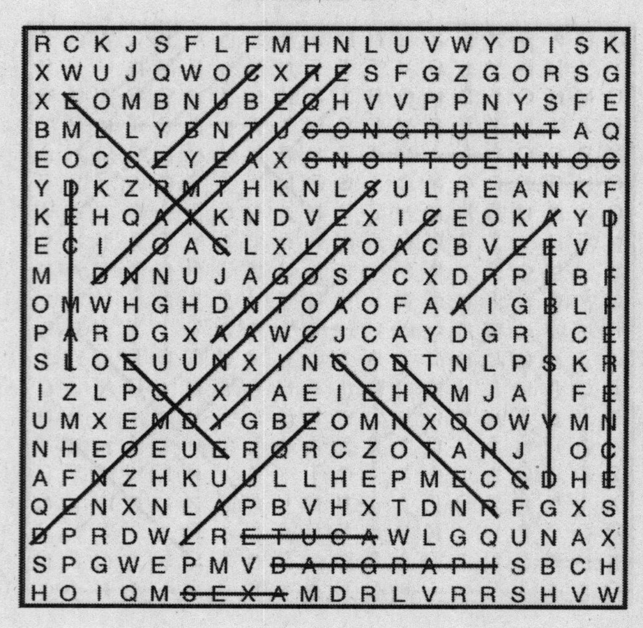

PUZZLE # 71

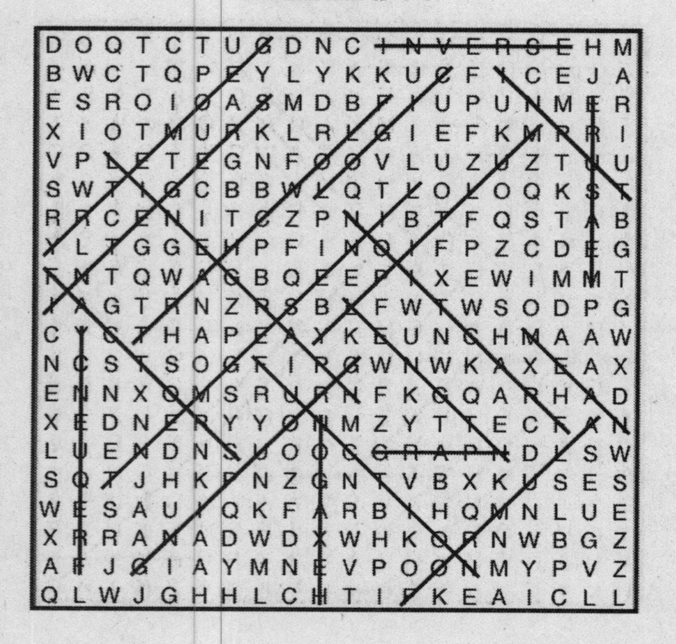

PUZZLE # 72

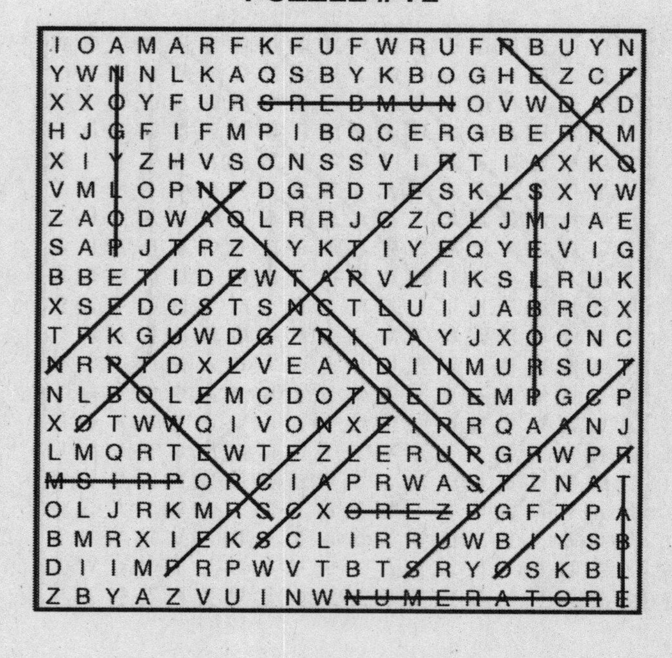

SOLUTIONS:

PUZZLE # 73

I D X J X I Y L H M T I X X E V Q W A Z
Y Y U R V L B V T T F N M J E S G Q H R
G M K O F D H Q B T T H N F D Q R W X S
E Z X I X E F V F B U L T R A C T O R O
X P C C L L A M A Z N R E M E D D M N A
S H E E P G Y C I G P M K J S Q A V D D
Q X Q U H H M H Z B H A P E T A C A W W
N E D L Y O C G G M W B G J X C B M D O
M V N O B H Z O T P T Q U Z P L F A N R
C A E W I V O J K M G K J P B Q Y H Y N
A Y H C M S U C O M B I N E U C T W G H
R Z K O E K C Q A Y Z R Z B Z B E O W T
L E A I L J Q M C I B R R L M I D R Z C
N I U Z A V N N Q W O O M I B K O J F S
R A D R T C F T P N R A B B C O R N Y X
Z D T O I Q I X I Y T Y K Y S O H E H G
X I T K Z Q P I G B C R E T U L K A Z F
T O D A R Y N U H S R C E I R N X P H C
K O U D O T Q L B W M R P Y O M A B P Q
O A I Z D G I H O H R K E D S S I N S X

PUZZLE # 74

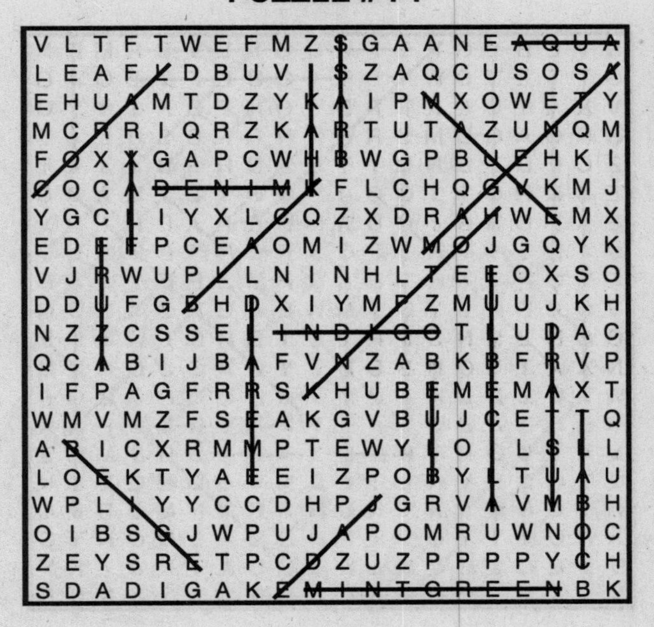

PUZZLE # 75

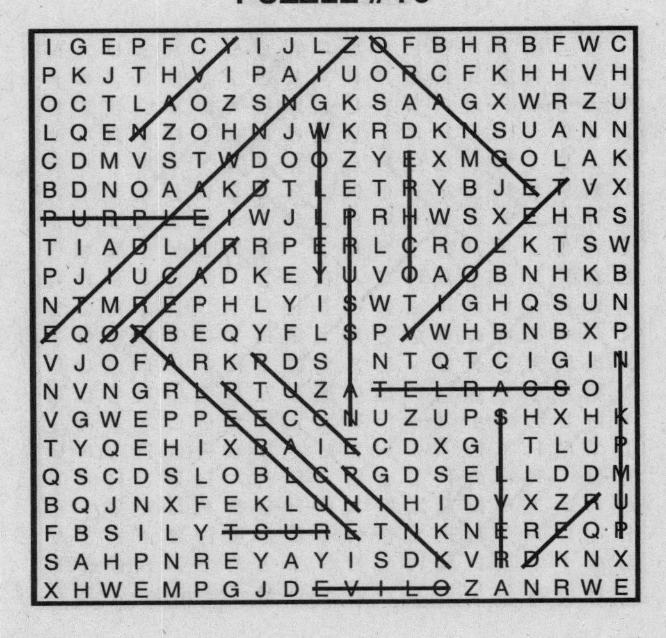

PUZZLE # 76

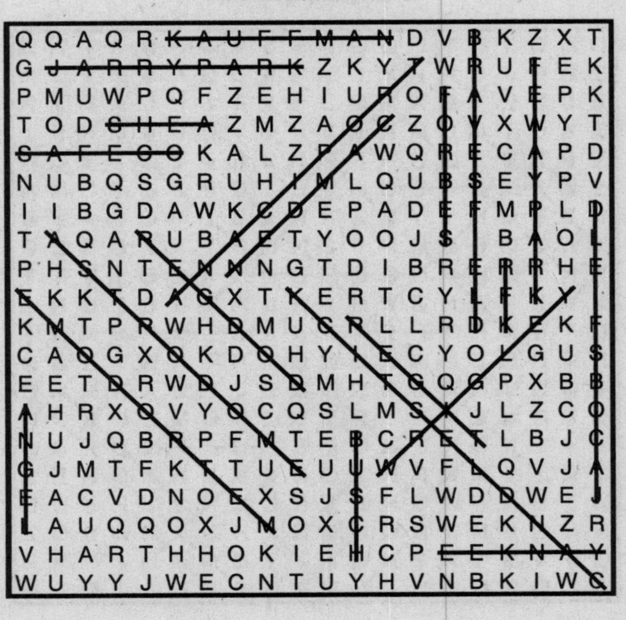

SOLUTIONS:

PUZZLE # 77

E	T	I	R	Y	P	V	L	J	U	U	H	S	V	V	V	A	E	D	Y
T	C	I	R	U	S	A	P	P	H	I	R	E	U	J	Q	P	P	J	M
V	X	W	C	Z	W	B	M	G	W	T	R	E	Y	G	Z	C	B	C	C
R	D	L	A	R	E	M	E	W	W	K	A	B	T	A	I	U	F	I	Y
A	L	F	U	D	B	W	R	T	P	U	U	N	D	I	G	L	X	Y	F
P	X	K	N	S	E	O	C	U	A	R	J	S	W	J	T	A	I	O	T
S	B	Y	P	N	K	J	H	R	Y	E	D	A	J	Z	C	A	T	T	T
D	X	L	G	O	G	X	B	Q	O	B	T	E	N	R	A	G	M	E	E
L	M	O	P	S	T	H	D	U	W	N	V	M	Z	E	E	Y	Z	E	E
E	J	A	C	R	V	J	N	O	M	U	O	B	E	R	Q	Y	Y	O	N
F	L	U	U	V	B	X	O	I	L	U	E	C	H	S	E	X	E	K	K
E	X	W	A	L	U	M	M	S	E	T	S	W	R	S	W	R	K	Y	B
G	T	C	M	Z	F	H	A	E	N	Y	U	H	E	I	P	Z	S	M	A
O	G	S	O	W	Z	O	I	H	I	Y	E	X	T	O	Z	A	J	A	K
X	S	Z	Y	Z	T	R	D	H	P	V	N	P	I	G	B	P	Y	F	J
C	U	F	T	H	F	Q	L	Q	S	C	T	F	Z	D	M	O	L	Y	U
F	E	Z	A	R	T	N	M	Q	Q	H	T	N	N	H	S	T	I	J	I
I	W	C	M	Y	A	E	V	B	K	E	K	M	U	U	D	O	K	H	C
H	L	M	W	J	H	U	M	W	B	Z	D	O	K	T	Y	J	U	K	Y
R	C	Z	E	J	F	I	Q	A	D	S	V	W	S	V	C	J	N	S	R

PUZZLE # 78

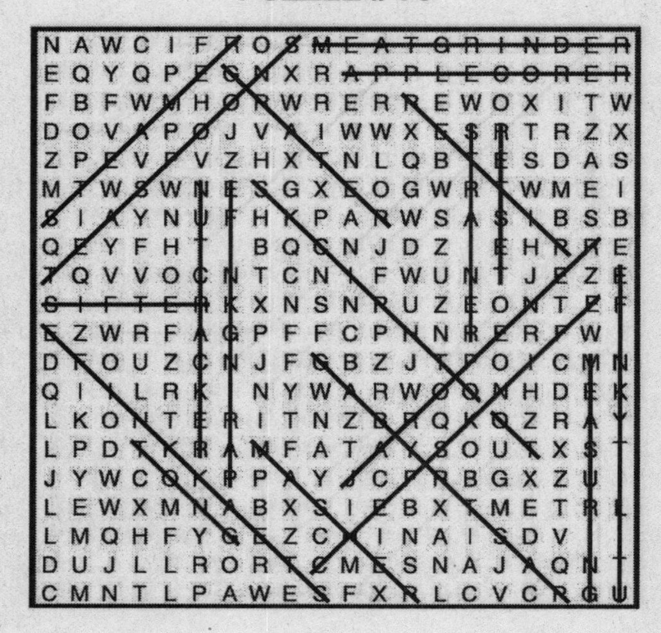

PUZZLE # 79

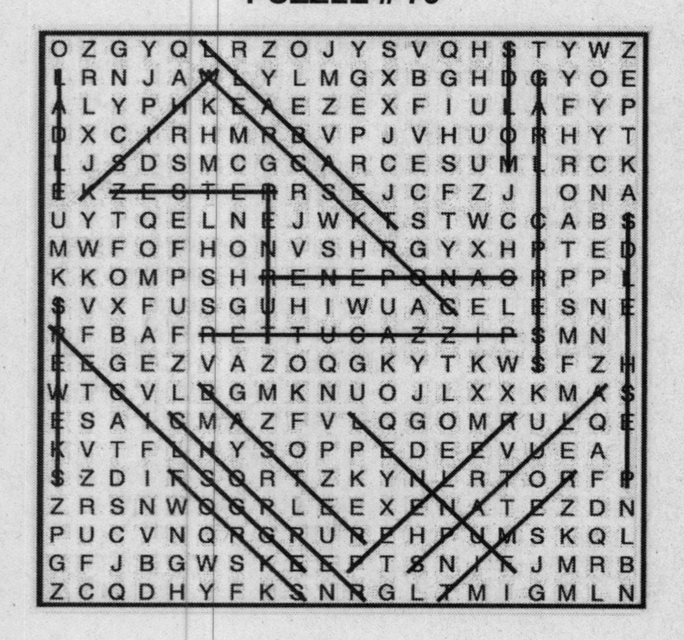

PUZZLE # 80

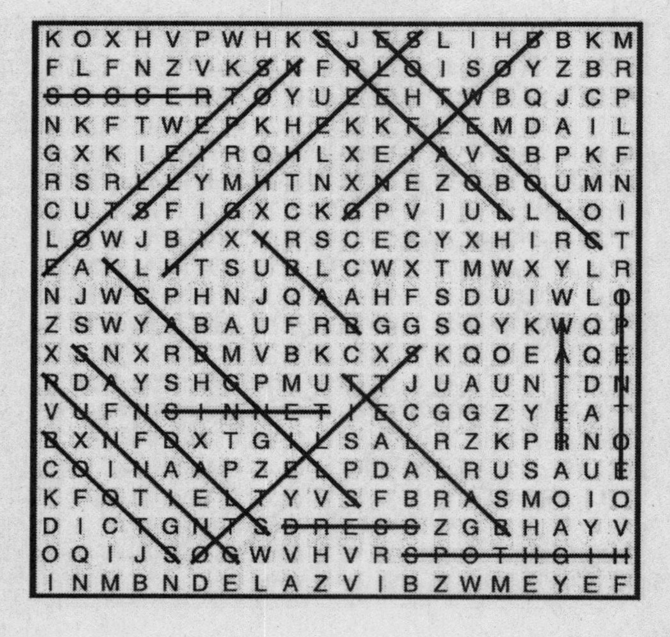

SOLUTIONS:

PUZZLE # 81

V S M I L J M A N I S E R B E D K B O F
L L E Y R R E S L Q D D Z M W H V O I H
W T K R D Z U C S I H Q W M B R K A G B
J U S S E N O N T G K D V A C R O L A G
V L Y X S R A R B Q T O E S K D Z U A G
Y L C Q C E F L N K V H M K T I K U B M
C U N M L Q U T S U J E V A M Z K Z T Y
K G D V A D D G R I B E Y L P E K X H W
Q U Q E Z J N R I E E C H I Z U M U L U
D D V S K C A W S R S T V X G O R N B E
S O V L A I L M K U D N A L S I D R I B
W E O N U R S Y H R O O I R H K J Z I S
L B A J A M I L I S R M R P O O Q U M M
M D O L N R U E A C F F G Z A C J G U O
H J L N I V M M M N B B O J C S C Y M R
A R R E A S A Q I I D K R A A I B D A F
D A L B Y B L M V U R B E F H R O V I I
M N Y B H B X A U Y N R E N N O G Y S L
I V Q O R Y V E N K U J L H I C G S O R
A A F R L E O N E D I V O R P X D U D T

PUZZLE # 82

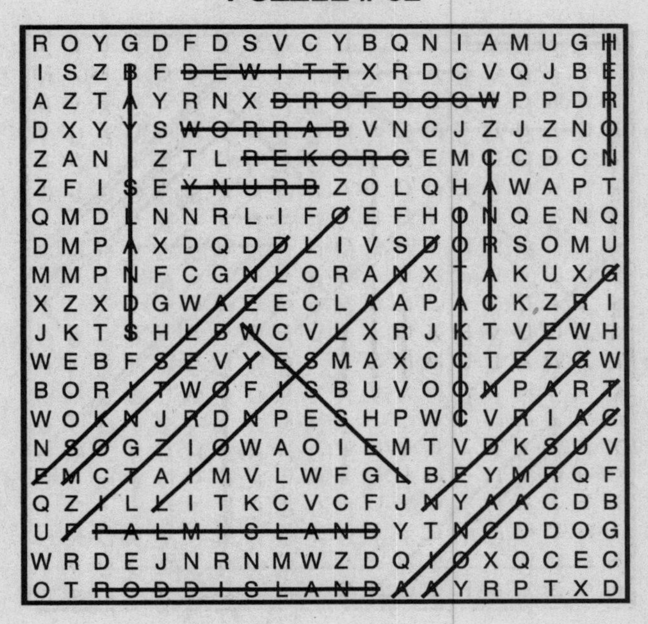

PUZZLE # 83

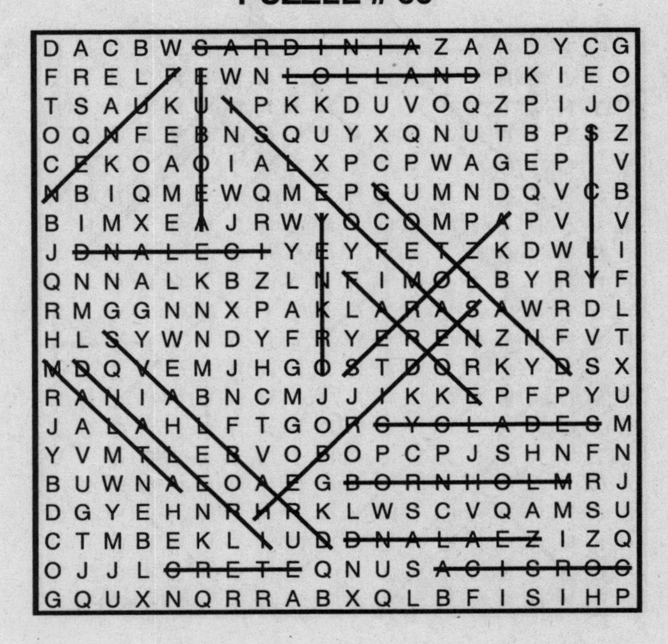

PUZZLE # 84

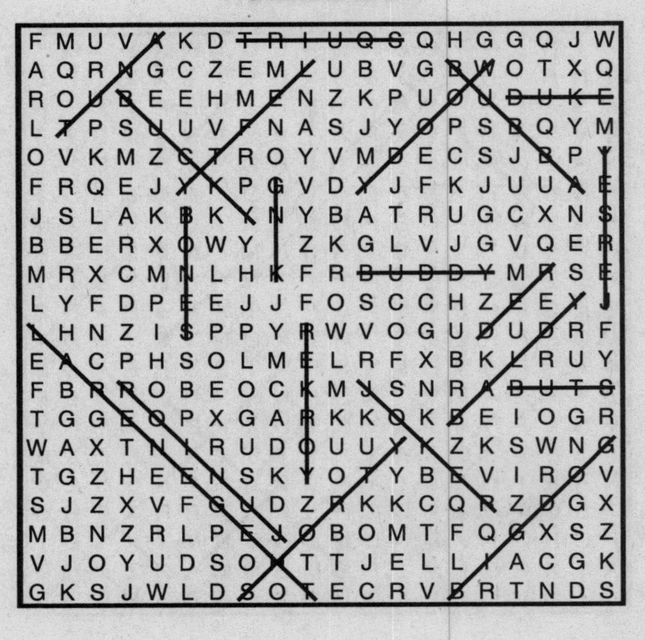

SOLUTIONS:

PUZZLE # 85

U Q L A T N E M U N O M C A B S F T S Z
D I J K W D M A N S I Q L I G N L W F Q
N K I K E I T Q U A M B D A T E Q K Y P
D J B S G Q Q O X H U T P X S N M D U V
I T M H N W G E O E G T N H N S A X E J
H R T G L N H L I E F Q N A U N O G J O
Y Y S S O A T O F Q C E H A I G S L I H
E M Q M B F X C R M R E E T G G E R O G
R V U J L F Q G D R N R Y Z S R H B U C
E H I K U T E D P O I O M H I A A G N J
R I H S C E M D R T A N V T I S V G U G
N O E N N I S M H S R E G E Q W T M W P
M Z S R Z E O B J P F S Q V M Z B U M M
O W N O G U T Q W C D N X I K O F Q O U
D F E G S H Y X A I Q H B S H B O Z M R
I Y M G U Y O E E A M P K S E O V M B Z
U F M N C F V Z R P Q C B A T N L I D Y
W D I T G T H Y Y U X D P M S V P Q N C
B E L B A Z I S T R E M E N D O U S P V
W Z P Q H L B T O W E R I N G Z E C P J

PUZZLE # 86

PUZZLE # 87

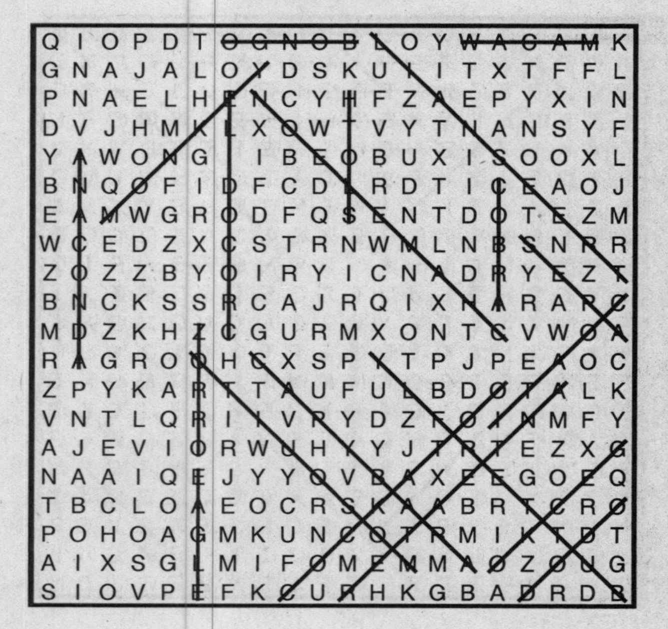

PUZZLE # 88

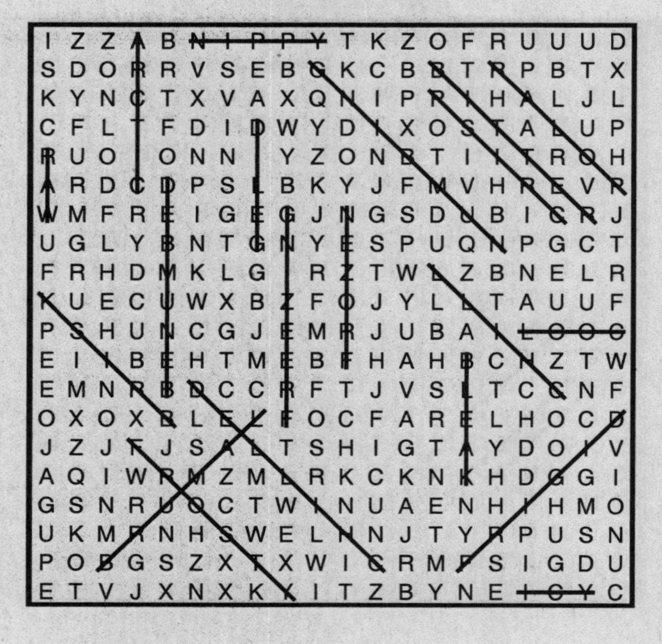

SOLUTIONS:

PUZZLE # 89

G	P	C	O	L	U	M	B	I	A	P	Z	X	R	R	U	M	W	H	O
Q	H	K	B	N	J	T	V	A	K	E	A	C	M	D	T	H	V	M	T
S	I	Z	H	Y	J	Q	C	W	R	W	S	C	V	Z	Q	U	Q	F	I
X	L	T	A	G	Y	R	K	H	D	O	D	Y	N	K	R	L	Z	J	S
B	I	U	T	I	Y	D	B	G	I	Y	R	Y	O	Z	G	F	N	P	M
T	P	R	T	E	S	R	L	Z	Q	N	E	T	S	M	J	O	A	Z	E
U	P	K	K	W	A	Y	D	N	X	J	A	U	U	C	W	I	Y	C	X
K	I	E	K	Z	X	O	A	F	M	J	J	K	N	G	N	V	A	R	I
P	N	Y	I	P	D	U	N	L	E	U	V	Q	F	S	A	R	Z	A	C
R	E	L	D	M	N	J	B	P	A	D	F	N	I	P	G	L	C	C	O
K	S	N	W	Y	X	Q	C	S	S	M	P	N	U	E	H	I	S	K	J
F	D	V	O	H	L	N	A	U	Z	L	D	L	N	H	R	M	I	A	T
L	A	Y	E	C	I	E	T	P	V	I	H	T	K	F	V	Y	N	Y	A
K	Q	M	B	E	A	P	B	E	A	Z	I	W	A	M	L	G	G	I	Z
A	S	J	E	U	H	W	T	X	I	N	J	H	A	A	D	J	A	E	M
Z	J	Q	W	R	T	V	W	F	A	V	T	C	T	K	Q	I	P	I	R
G	N	X	R	F	I	E	T	W	P	U	A	I	G	B	N	I	O	I	G
B	Q	C	D	X	P	C	M	E	O	U	F	R	A	N	C	E	R	R	J
P	Z	B	B	G	H	S	A	S	K	L	B	U	N	K	N	B	E	O	U
E	E	G	T	G	D	C	A	N	A	D	A	E	Z	Z	B	L	I	V	G

PUZZLE # 90

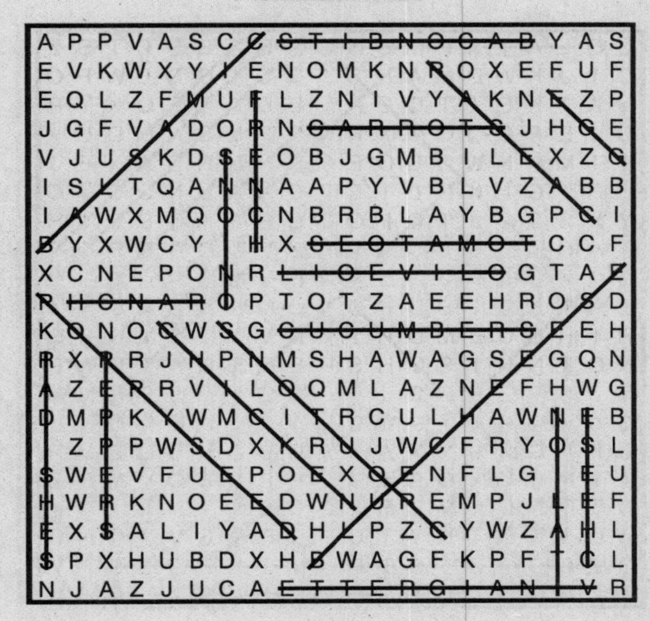

PUZZLE # 91

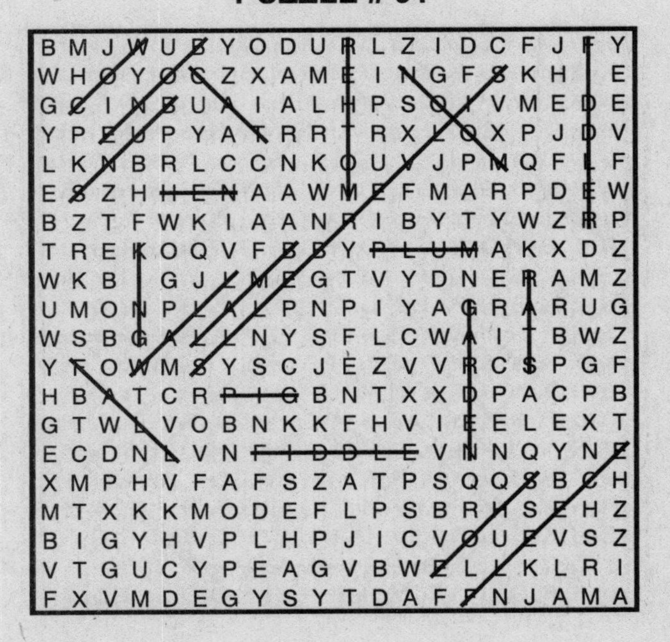

PUZZLE # 92

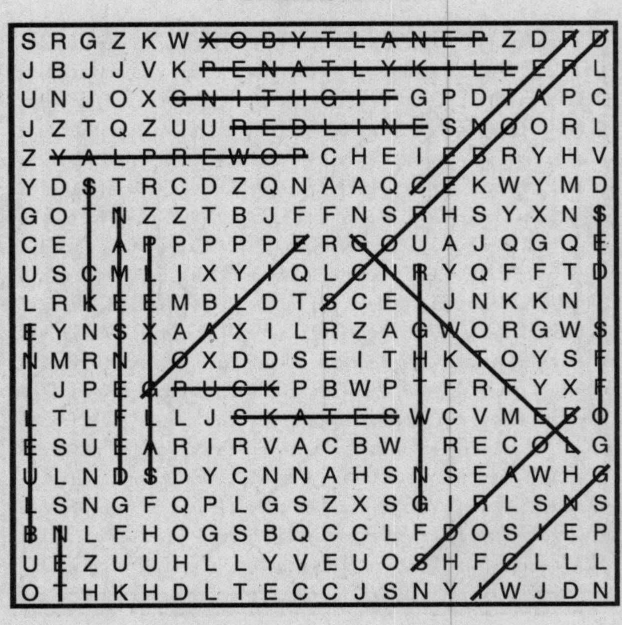

SOLUTIONS:

PUZZLE # 93

R S Y S V I U J T I U L N K U B G B U U
E S G Y I L I H P R O G R A M O X G L R
K G R A D U A T E I U Y R Z W A X B E E
A R M D I P L O M A B P L N F D X G T C
E R X M S F G Z X Q D W T A P A Z J P E
P H S V S S K B Z Y Q Y F A D M I E W P
S T I I N Y H O M R W A Y C X H L F V T
Y S J C K P S O O E M I Q T E A R S G [illegible]
X D X S U C E H N I B S W I N X W Y K O
N N M X Z [illegible] R H L O T L R P Z N H M J N
U E Q E J S U Y T E R V W W B N D L M M
G [illegible] H D B U T P Y G U S K D R A W A U A
A R M V O M C Z C Y K E N X C N Q I Y K
G F T A H P [illegible] W E B K U X J R U D T R B
P H V A R Z P A O E I S P A V A R U V A
E H Z U S C D J W D R O H Y T A O J Q U
N P A C I S H U S C R G M S P P T F Z D
L M Y N O M E R E C C C E X K S C J Y P
J C D B B X J L N K Z Z Q D P Y V H N E
M G W M M Q T W S H B M I I P E Q I A Z

PUZZLE # 94

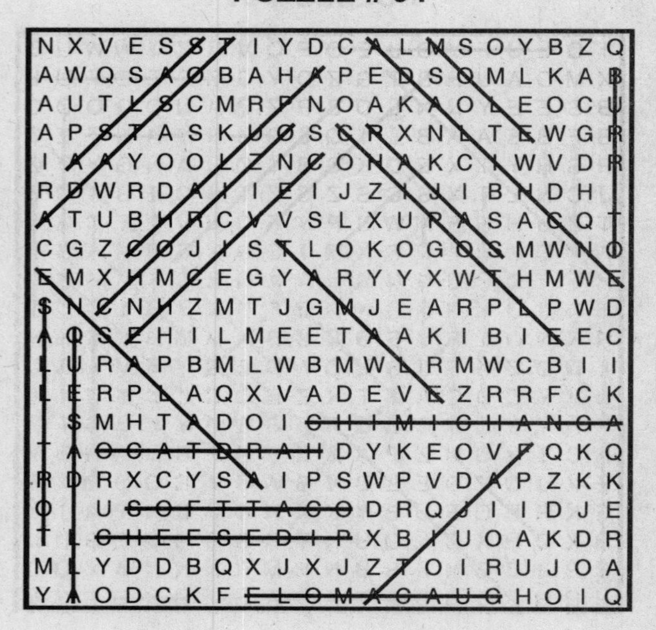

PUZZLE # 95

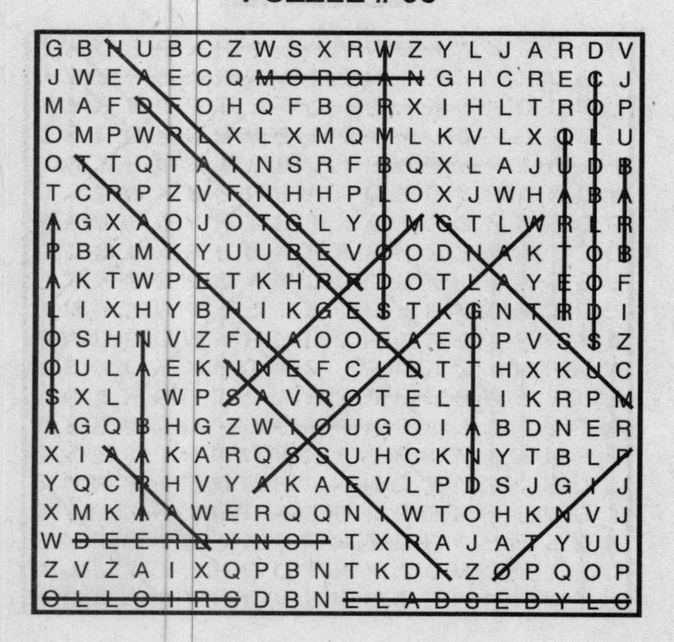

PUZZLE # 96

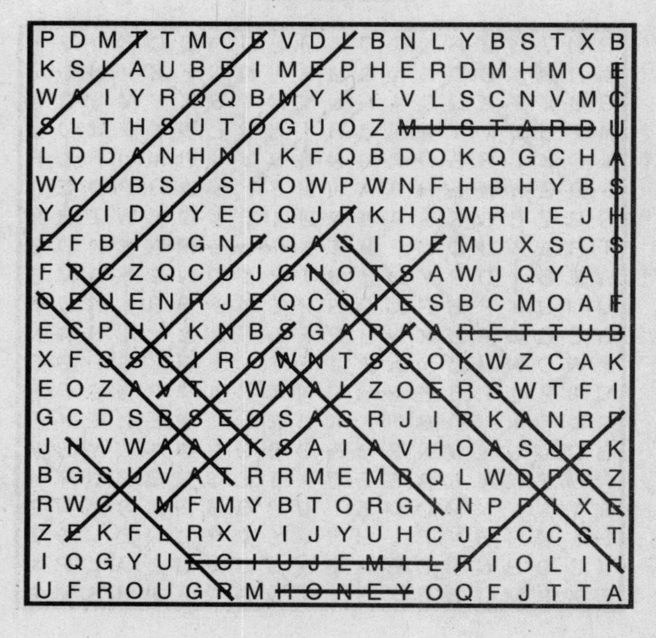

SOLUTIONS:

PUZZLE # 97

I Q L U F Y O J E O F O V V Z T W W U D
X M O A U H B T G Z D Y G G L E E F U L
B S E E Y N N L O B P Z P A N Q Q D D Q
B F B E A A B L I Q L B U O Y A N T E C
P S H Y T X E Q K S B I O C A N G Y T Z
J C N L T X S C S Z S Z T P C E B I R J
T Z U H H F M W S P Y F C H V E F C A O
W X D L R L E C X T I O U T E R H [illegible] E L
E C V Q [illegible] U R O R J A W R L O F L F H L
T C J B L G R Q W N D T D J Y E T [illegible] T Y
R K N O L R Y E D E C B I R M R L T H Y
L W O Z E F J G L O W R E C T A V A G U
U V P Q D O A I T K E E C C O C B E [illegible] L
F H T P U M G R O R H S Q U Y Z Z B L O
R C I V S H Z P A C E F R A D I A N T X
E X J Q T D E L D V B W Q W R C D D X T
E K R E O F U B Y K X H O P K X P A T K
H X D H X C L Q U N T R O U B L E D U M
C P J Z O X K B B N H M R E H Z A Y Q D
H H R J C B D E T A R A L I H X E B G Y

PUZZLE # 98

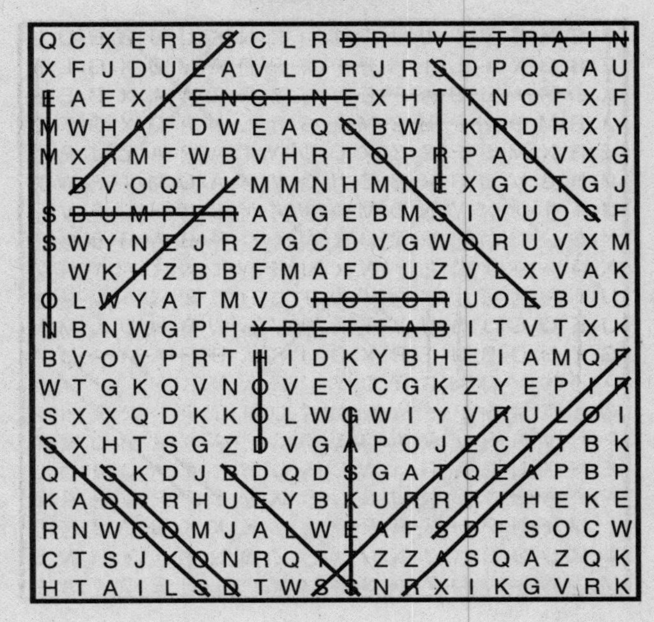

PUZZLE # 99

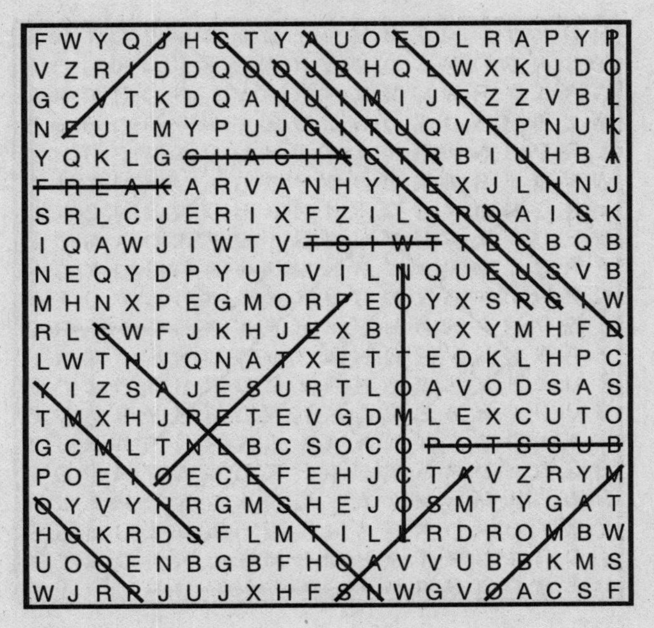

PUZZLE # 100

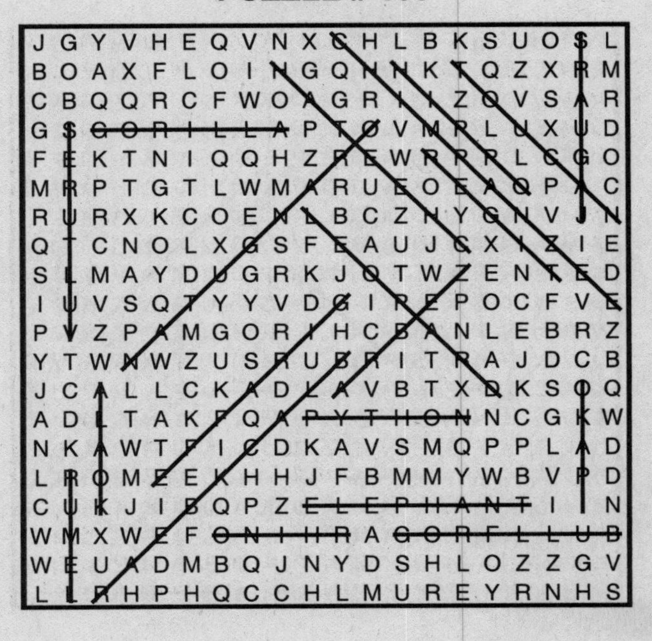

SOLUTIONS:

PUZZLE # 101

```
S N O R T H W E S T E R N I R N R B M Z
Y R R E I D J B B B P J Z K M W O N X I
B T E A T T O L E P J D S P E A R F L W
Z X R T Y A A Y E X W D W I H N I F U D
M O R A A C T J X L J M F S M V T M N E
Y F O T K L V S A U E Z B R A D L E Y Z
Z G E B Z E J E O R O N G I V Y F Z L M
E J U G V G P F B I O O F E U D R U P Y
L R P V S N Z T B K H R Z T F K F C H Z
N K G X H J Z G Y I J Q U A W U A P E D
B A R A T Q O S V G Q V N A M N I N M N
S K W Q Z C P N B L U U I V D A H H G D
J J Z J N S Y A T Z U H A N J I L L F C
W D U B M L L V R F N M N J L F Z A I H
A S T I A L M E C A R G Q L B V O C K T
B P B M S K P C R K W Q S C E T E S Z V
A T O T T X E W R G D D J T T N D B S T
S G A O Z U T R P V A Y K A H H Y F G D
H T J I R Q T R N L U N W W E S J S W A
E G N I R E T T Z K P A U M L A I S S L
```

PUZZLE # 102

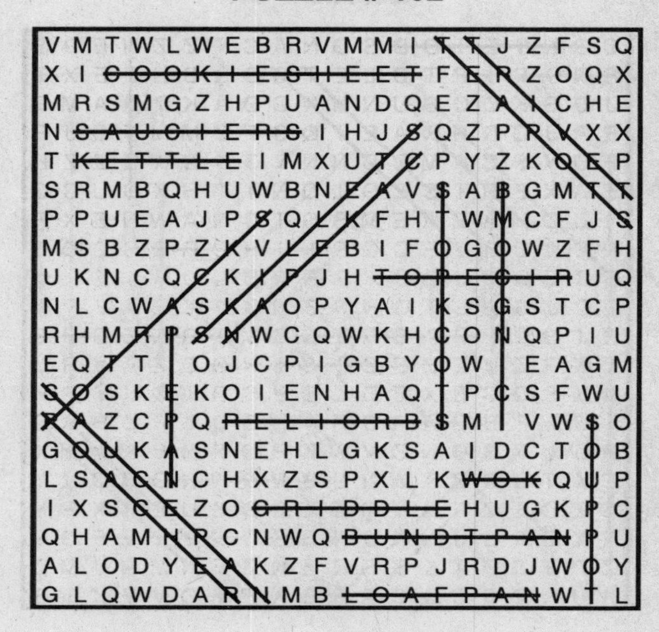

PUZZLE # 103

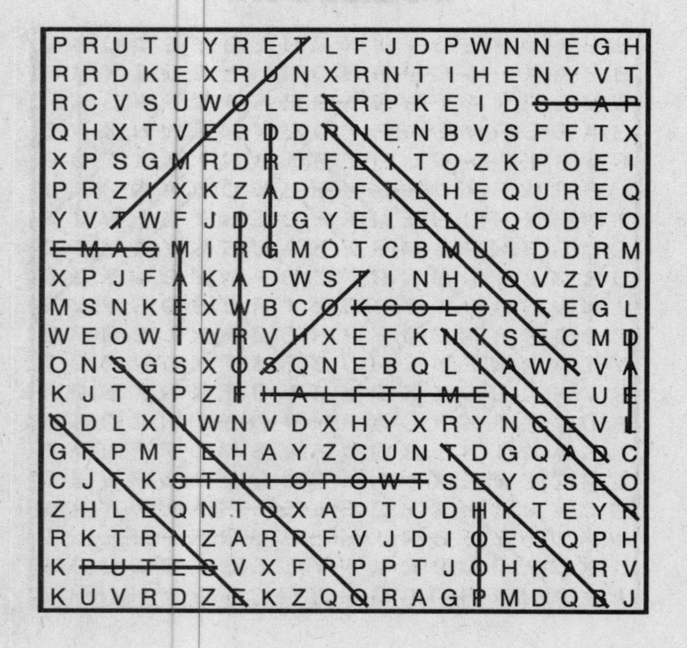

PUZZLE # 104

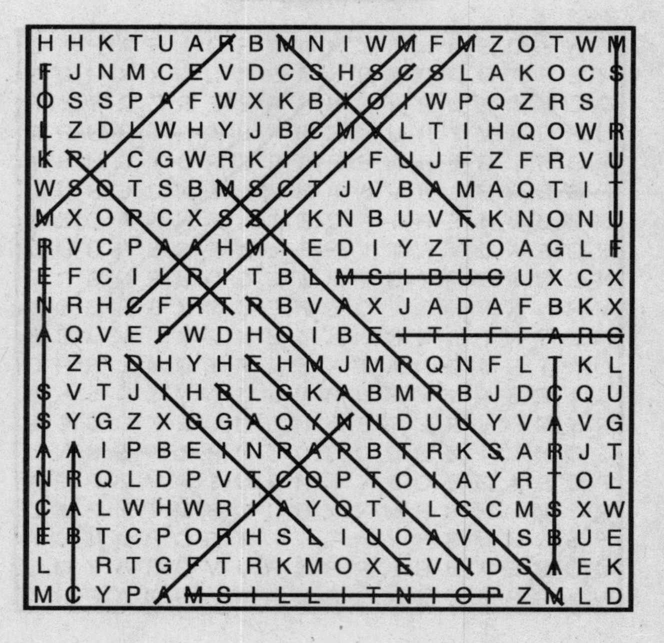

SOLUTIONS:

PUZZLE # 105

C G N I L I O B S G N A C B Z Z H E P Y
G N I P I P T B L E T G D L B H E E X T
J U S K Q Q G U N N N G D A K I A A M R
P A J Q D H W A E I Q S F Z M M T Q J P
F U Y F C A M C D N N Y T I U W E Z Z H
E A X F R T S L G I Q N I N H K D U C Q
V U O M A E A E M S G T C G A W N E X F
E S A C L C R O G G N I H C R O C S Q P
R F F A S G O J Y R S V D Q O J N S X W
E L C Q B U T W H S S H K F L H A F P W
D I B Y R O A S T I N G M I G N E O U S
Y K R J J Z B R O I L I N G O Z A V R Y
D N S O C S X E D L Q S M R I Q X Y B H
I C A I B P A R C H I N G D S P O H S S
R W U P Z G N O V W K P Q X N B K I M N
R A T U D Z A W N B U R N I N G R O V I
O Z D I Z E L Y R T L E W S U E K X R Y
T X L P G J N I J F H Q U S V I V F O S
Z P E G R X L T N Z Z N Z E N M H J M Z
A U N D F O J G A C C K F G Q M Y K I S

PUZZLE # 106

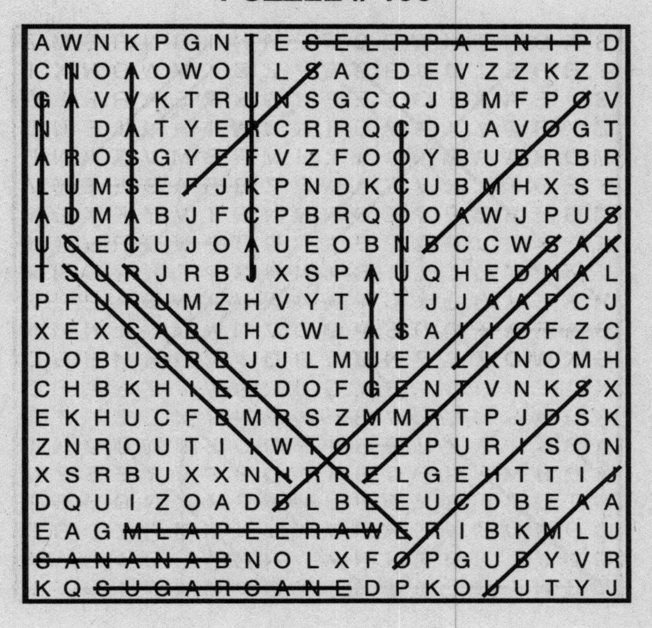

PUZZLE # 107

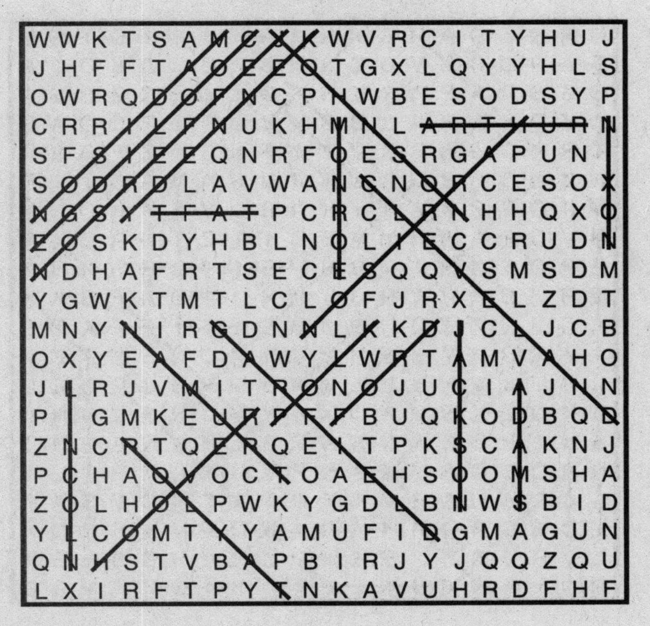

PUZZLE # 108

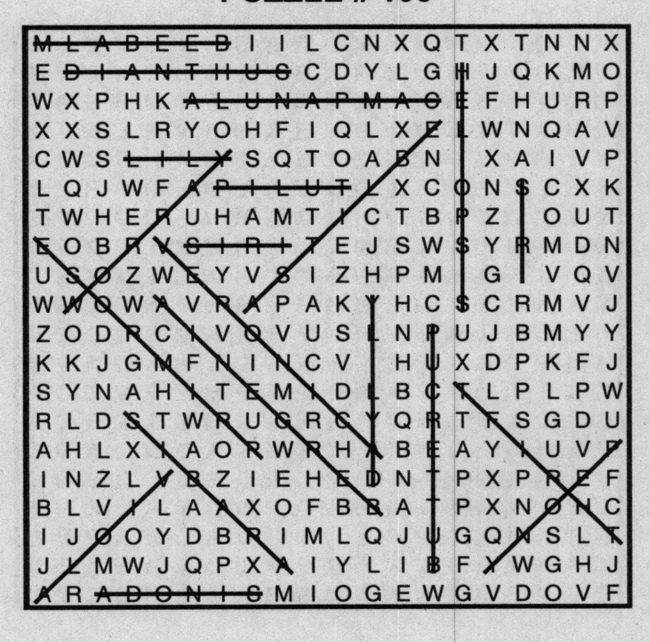

SOLUTIONS:

PUZZLE # 109

J B M T J U N M M N P A F N O S B I G A
R Q Q S C A G H O A K K N I V A D R L I
X J O R R A W S K V Y W Y T L N E B P O
D L D O B I P S U J T K N Z A M X Q K J
G X N X D M W D V K Y A H Y Y R Z P T O
E O F M I O V E J W D J B S J L T I Q I
S F U S D N E I P N Y P N E E U K I D F
I Z A E J T G B V B P C J R R L F U G F
I A L P U T E T N A M I B P Q N Q A M A
R B E A S Q N L B A M A C A T A A E M I
J Y L V A S R L P M B C O K J M U S Q V
Q X X P A X I D V V B O V C R U X S N
K G Y H U C R R Z U D W S V F Z L P H B
Z A A B N I S A B T A E R G X D L U T O
A R L V Z E J P A T I N I B Z W J V H G
A G M A V U Q V J T B Q U F V J T Y Y G
U G G A H B M Z M U K A R A K O R D O S
O P J M H A E K H F N N X T B R E C S R
R O I A B X R X C H I H U A H U A N A A
M J W F K L B I R I A O P T A N A M I P

PUZZLE # 110

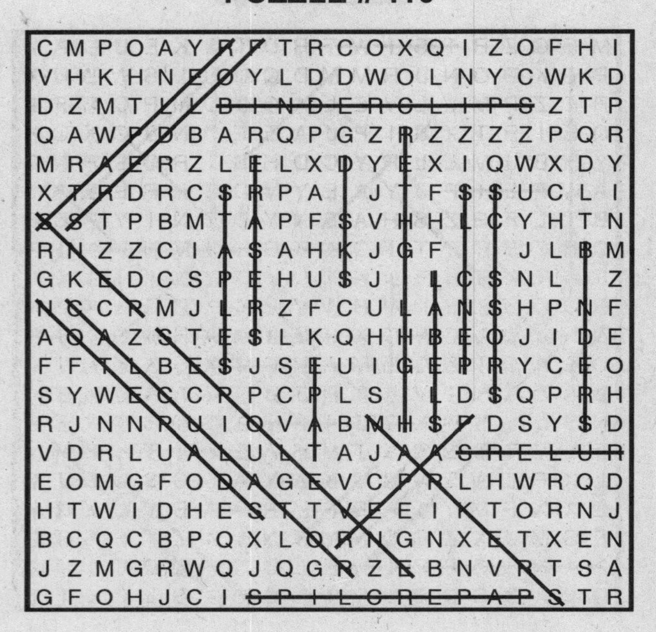

PUZZLE # 111

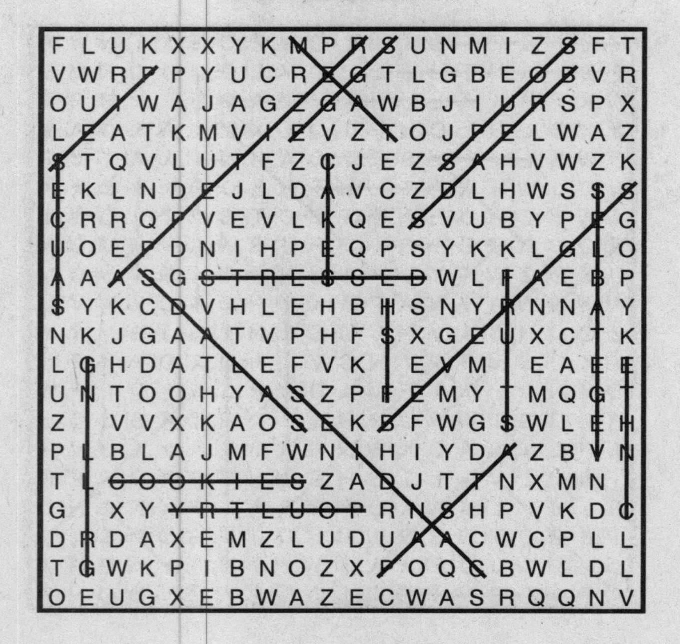

PUZZLE # 112

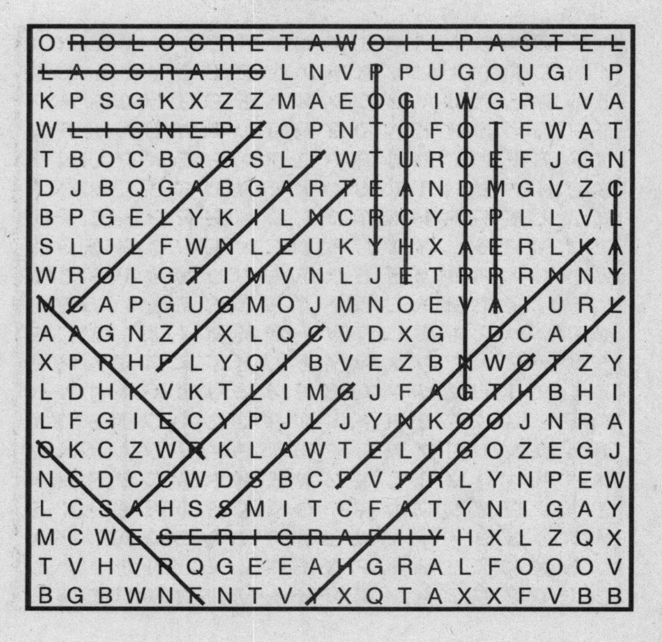

SOLUTIONS:

PUZZLE # 113

M F C Z R T S I W T R D T B K E U U A V
P L K O O N J R M M D Q U U L S W L U X
R E Z P M L L V E L A Q B D M R Q R F L
Q E I R T X S I P J A E E O N B O X Q E
Y H B J M L L R Y C D H B T R O L P N O
A W F L I P J Y A E Y V D C L R B E A J
B T L F R Z S H A B N Y D F N I Y P C B
O R Z E Q P T T O W K G H J M H P N T I
F A M R M H H N N H U F W Z U A Q F O F
D C O U Z B P U R W V L K K R D N K B M
D N J Q L C F O X J E J H A H W G I I T
O E A C T D C M M A N B T X U X K E T L
B W D T N I V J P R B U L G W A C X K U
N S D U S O X O B A S O W S O S I X P A
F L V Y C D R T T H H A E N I T U O R V
L K F L W T N S U K W Y A E C S U D T Q
Q X N F M Y I A E R Y K T A R V U X Z H
R S M J X Z G O H M N N L A Z T S S T I
H A N D S P R I N G L D U R Q D C U F U
D V W X B Q B U R I N G S L S L G J F K

PUZZLE # 114

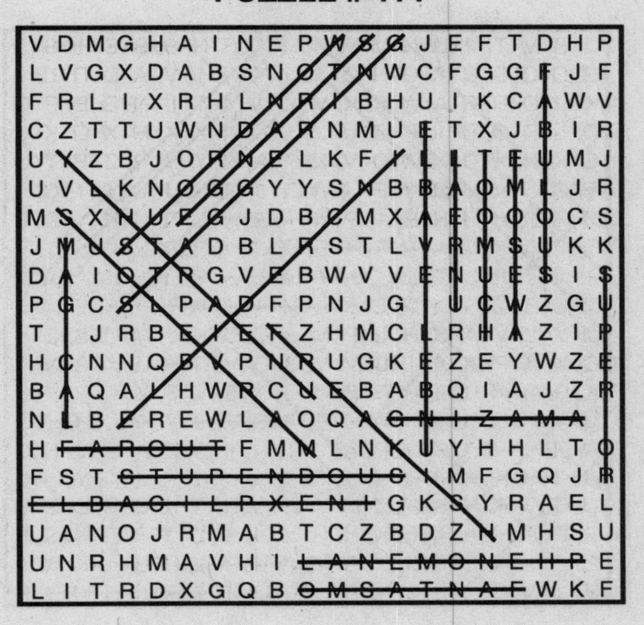

PUZZLE # 115

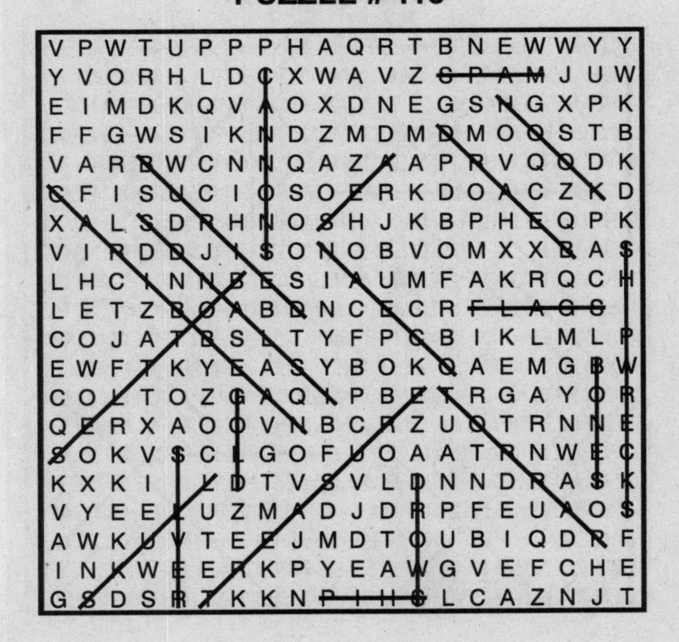

PUZZLE # 116

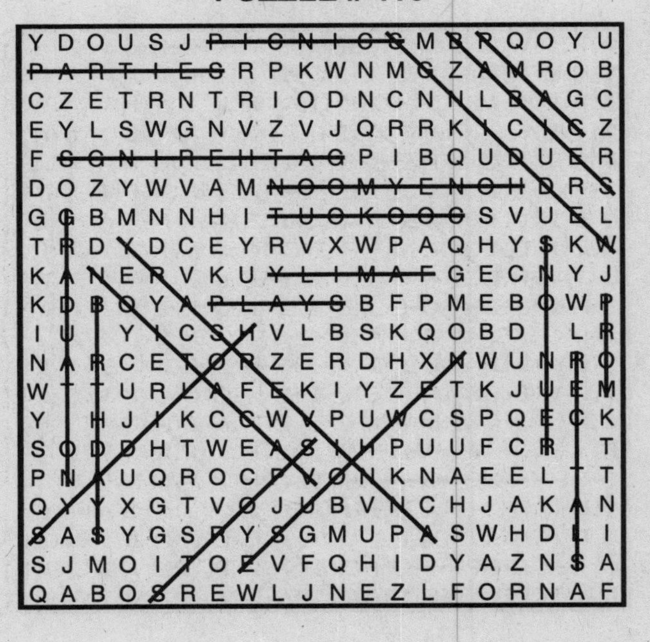

SOLUTIONS:

PUZZLE # 117

U R O A I A W K S S H P X O S U J Y S M
X Q X K Z D J B H A C M O T S G P I R E
R U Q R E K I L S I E A A R R C E K V F
M Y I P U R U H R F S R L H K J A F F T
K Z L M T K B W K C B W C L I C J M K Y
A V F R Z R E M P E W W O M O M H R A Q
E P O J O H A M B U R G E R J P A Q A S
T H O W H S G N I W T O H O D A S H P I
S Y N T H W S H Z F T E S U B F I I I S
A S A G A L B S U G A R A P S A I T L V
N K N Y Y T G S M K Z F E K G Y D S G I
U X E W Y D O N W Y L W A G V Q W S N G
T C M G S Q D E I M V B C M Z V D Y O K
U C G D L U G Y S P O H S E O T A M O T
S V B D R U T S Z B I Y C E I Y I L I Z
A H H O T D O G S C J Z S X P L A E L R
L E R C O R N L K H I H A D D U Z E I P
M C K I E A R E C T L D U W V F L B R L
O J Y P M Y N M Y P B V B Y B E S I T F
N G P H N R R T H U N M I W W C Y D B T

PUZZLE # 118

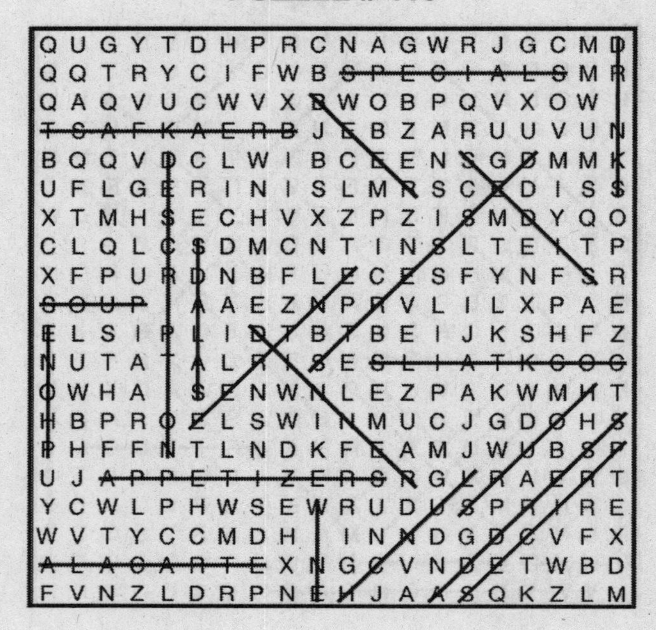

PUZZLE # 119

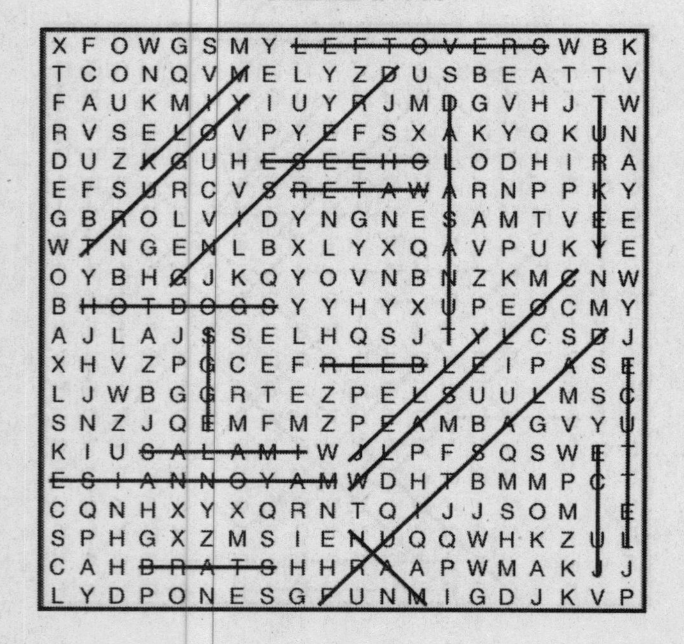

PUZZLE # 120

SOLUTIONS:

PUZZLE # 121

V	V	J	B	L	F	N	R	F	B	V	R	D	E	I	V	Q	Y	N	J
H	P	C	D	L	T	P	V	K	G	F	Y	R	A	X	H	U	Y	O	C
L	I	G	D	D	H	J	D	X	A	E	F	D	D	P	S	B	G	N	M
L	B	E	S	Y	H	M	Z	N	P	N	O	I	N	H	O	W	O	V	S
S	K	Z	S	K	E	D	V	C	F	Q	I	M	Z	A	U	F	L	M	C
C	R	I	Y	Q	A	H	S	D	N	Z	G	S	E	T	E	B	O	S	S
Z	C	E	A	Z	L	T	P	K	P	E	W	E	T	T	N	I	I	C	W
S	F	N	E	W	T	A	Q	Y	R	F	D	N	Z	O	R	T	B	N	J
Z	R	H	W	C	H	M	M	M	M	E	J	G	T	Q	R	X	B	D	A
G	O	G	M	G	N	E	A	Q	Q	C	B	L	X	G	D	X	G	R	K
O	V	D	Y	B	Z	N	N	J	X	D	Y	I	E	G	D	N	B	Z	S
V	E	Z	C	W	F	R	E	N	C	H	K	S	Q	D	I	E	C	F	S
E	F	U	A	E	A	D	K	H	P	N	N	H	Z	T	G	R	K	D	E
R	R	C	R	P	A	G	S	A	M	U	X	L	E	L	S	X	N	H	N
N	M	I	T	E	G	I	R	S	Q	Q	L	K	A	T	B	C	W	C	I
M	G	S	U	H	N	G	N	Z	W	M	R	X	J	N	F	W	E	C	S
E	S	U	U	A	O	G	P	J	S	A	I	I	M	P	B	Y	N	F	U
N	H	M	P	E	N	N	P	L	M	C	N	K	P	K	V	B	B	S	B
T	U	S	G	S	C	I	M	O	N	O	C	E	N	A	F	K	W	X	F
V	Y	R	T	S	I	M	E	H	C	C	B	K	T	A	Z	R	U	K	K

PUZZLE # 122

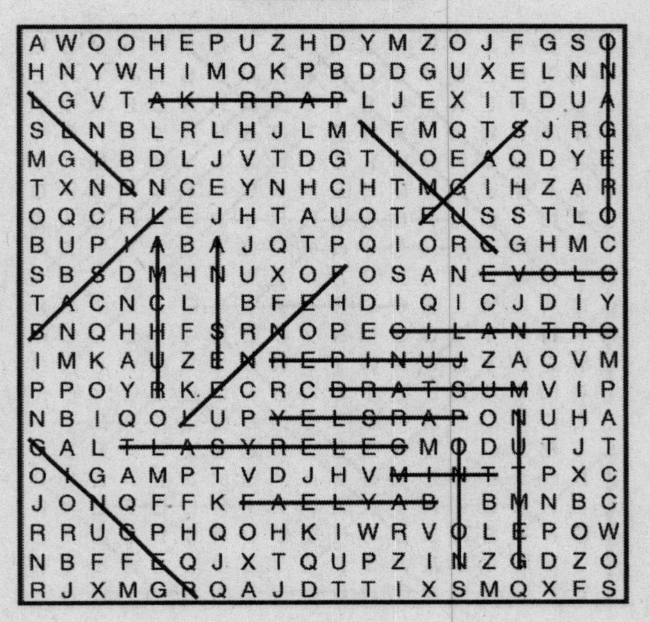

PUZZLE # 123

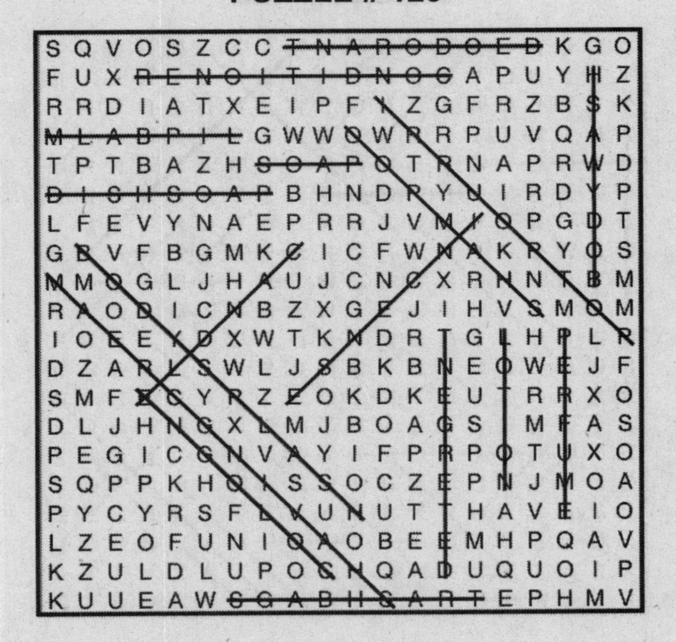

PUZZLE # 124

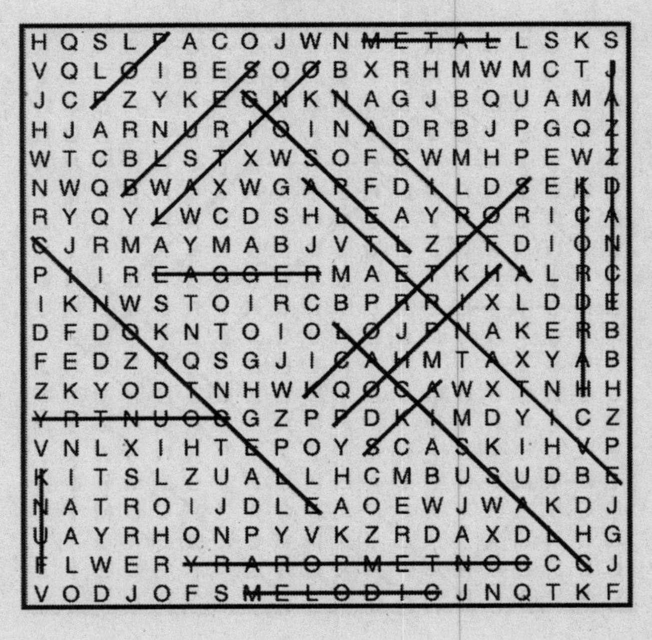

SOLUTIONS:

PUZZLE # 125

S X Z C J Q P A U S N R Q X D N L G Q H
X N Q B S L C O A A I P F Q Y X C I P L
O Y X H J R I P Y N V Q Q K W V P C O N
Y C O H O A I V G P Z O B O C K H X G N
S W F B Q P C M E Z Y B Z Z H M Q H V Q
S C A O H S A P X D T V C J Y C C C P N
U T N I S S G A K G E F O I G A M F J Z
S S P S T U N T S R N R G T L E Y I Z E
Z T K E L J U M C Z J I A M Y E X X P A
B N R A M U R S D R I B L D Q J E O M P
G A U F U W S O V U V O W E T Z R L O W
N H L U T N F X D J B K B V V T L M H X
I P B T X R E Y I I K B S G H A Z R E I
T E K E O C Y H O R S E S G G Z R B V X
A L B N C R L R M Z U D I V T G R T S T
E E R T E M F O E U J T G M J Q Q Z F D
E I V N E F R J W Z D T I C K E T S W G
R D A N S W B U E N E U Q H B C V I J P
I V K C L D A W S C S G B N L A W B D G
F E F C A N N O N B A L L F L Y I N G S

PUZZLE # 126

PUZZLE # 127

PUZZLE # 128

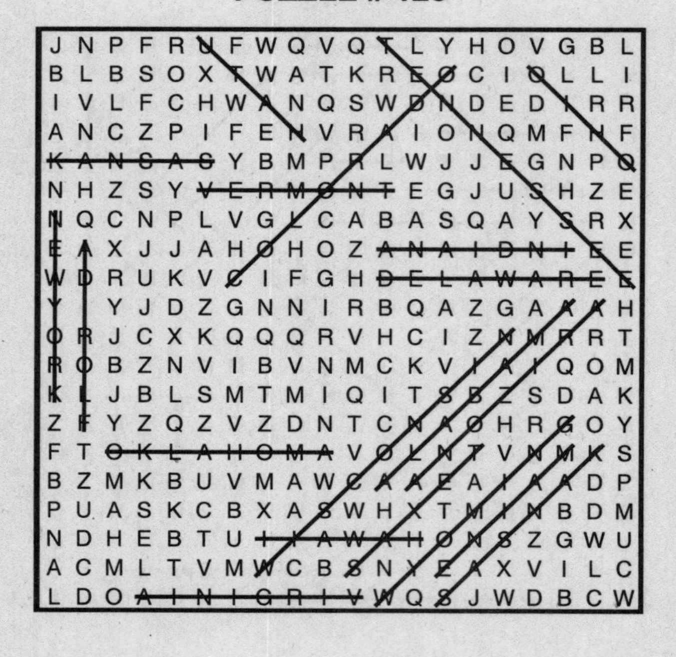

SOLUTIONS:

PUZZLE # 129

```
L R I F F F F M N F D B Y J L E X K Q D
O K R Z Q R Z A D E Z S W R R D V I E W
R I H E A Z I S A Y E F G C O L H I H L
U S R P Q Q X N R N O R S A Y K L X L N
R W C U R M I R E A Z L G E L R C B F Q
A U N N B Z E Z P L N C C R E Q R I O N
D W P W V H C P O J T Q M E E R R E N X
O U O B C O L U R W I L L O W V T R S K
E S Y D S E D A E S P L F I H S E N O S
D K L G F X L L F G I A Q P U T H V S E
X I I H B P P E I E Q K L T O B Z N Y A
W U K P Y N E H N C I B P M Z L B K K E
G N W T I P A Q O H N Y X L T T J A U V
E Y C J I U C M C K L K Y Z N R O Q D Y
H E W R A X H F Z A K S C K U R E O F K
B J R V I W A U C Y S L V Y J S O E W E
Y M H T O B W U A X C E M Q Q W O L L J
U G H O M P E B F A T E O J G V V P G I
Z O R K X U K O Z Y L H I O J U A M H F
N R S A B K G R A U K M D N U M D F O A
```

PUZZLE # 130

PUZZLE # 131

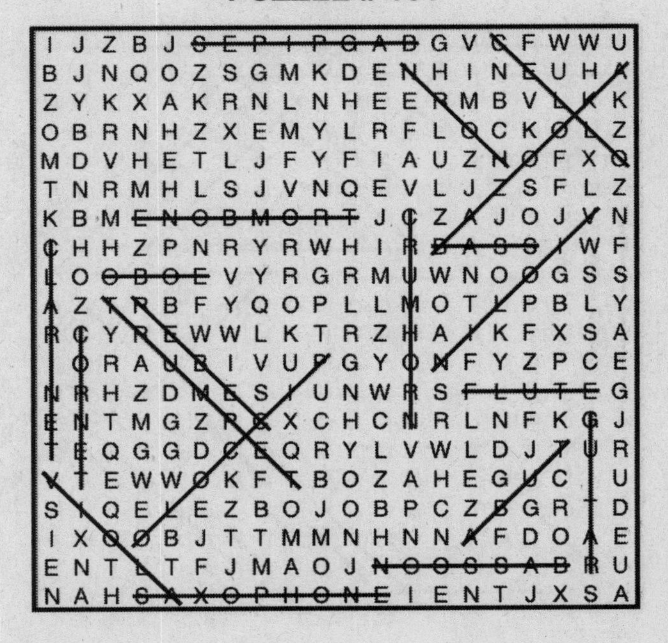

PUZZLE # 132

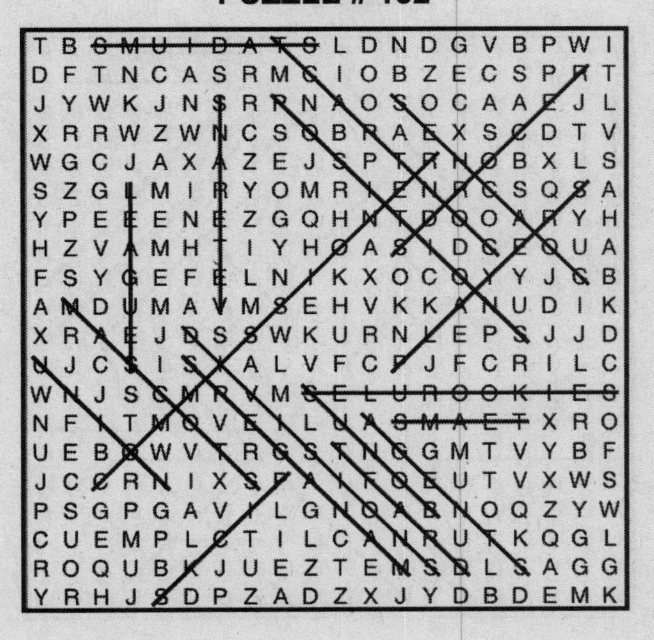

SOLUTIONS:

PUZZLE # 133

V T H U P D X O Z A D M C U I G T O L L
Y R V N O J N W T I V T A Z I X U W V G
B Y F C L U E K L P L U J R Q T O T C M
A Q P E Y F B H Y A G B D W L J R S S L
Z N S S A B A E S L W I M K R I T J I E
P T V Y T P V O H I B L L A I Q N T H G
D X H O R E P H D T Y A E E Y E L L A W
M T Q M K P R D O C J H Q Q K F B T B K
K H C P G Q K W Y J J B S L P M H D T S
Q F J P G X D Y M N M Q Q H Y B S Q C L
G V C A R P K J X W S N Q S A U C A I W
H T E U Z J T K O S O N Y Q N R T L Q T
G S W O R D F I S H L Y Q F C F K U D M
O R W R T B T D H T E X I I I X R E A A
R V O I F W N Q G E V S M S T W J A G H
F Q C U I S M V I H H G H E R I Y N A I
U W U V P V E B Q S S F I Q N I Q U N M
Y D D L X E F F L O U N D E R Z X T O A
V O U E F G R Q B G C J H S L I S X Z H
S W W N O M L A S B U X A B S Q U E E I

PUZZLE # 134

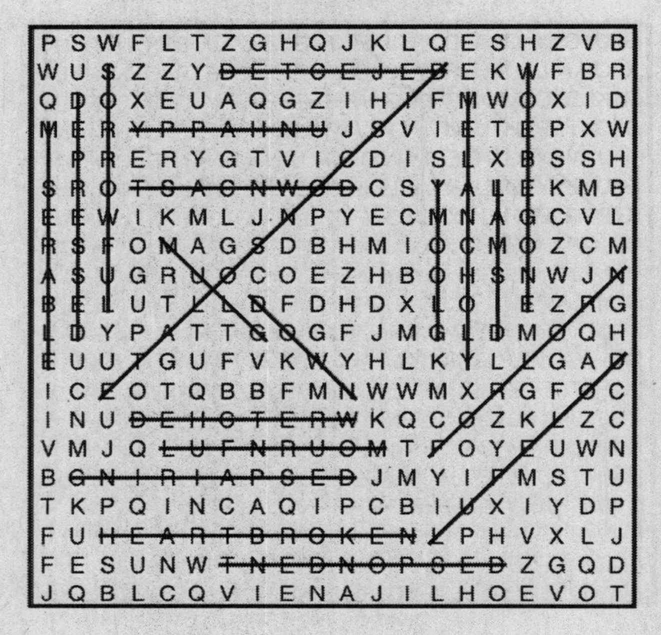

PUZZLE # 135

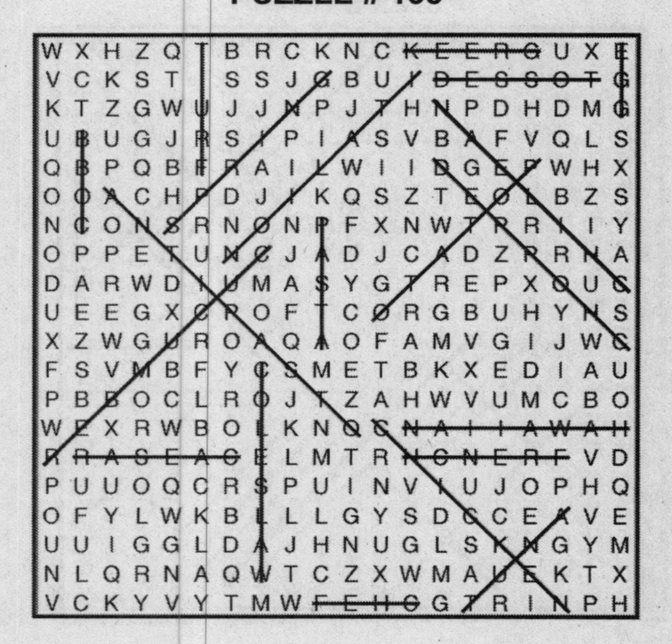

PUZZLE # 136

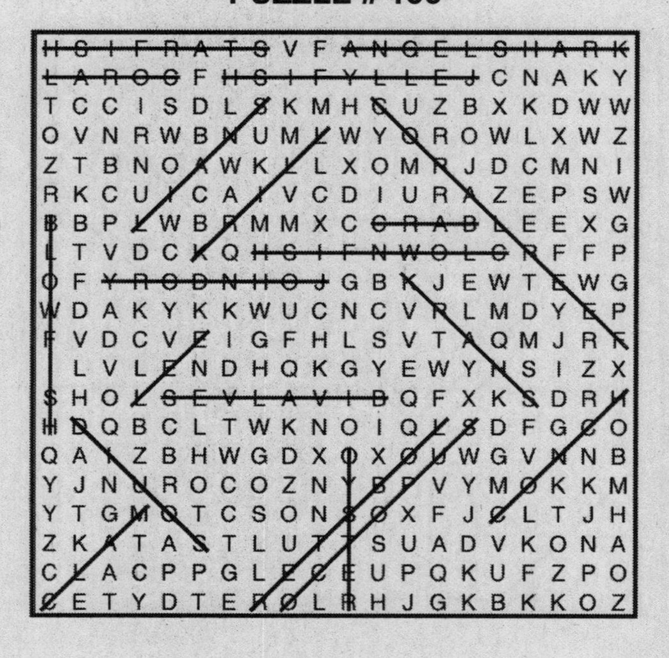

SOLUTIONS:

PUZZLE # 137

G	U	G	X	G	A	D	T	J	P	T	B	Z	Z	J	B	R	M	D	G
K	Q	J	L	H	U	R	P	L	O	F	P	T	Z	E	B	O	L	S	L
M	K	B	O	M	W	P	O	G	W	H	E	L	K	Y	U	U	L	E	E
S	G	T	P	H	U	U	L	I	V	R	U	W	Z	F	S	U	H	A	K
I	J	V	A	G	N	E	L	W	T	O	I	N	O	Y	A	D	C	H	Q
E	D	L	Y	D	U	X	A	L	Z	O	O	P	L	A	N	K	T	O	N
K	E	G	E	H	I	X	C	O	F	E	L	O	G	O	F	X	K	R	V
Q	D	R	H	R	B	J	S	L	X	L	H	C	B	E	S	C	G	S	D
H	N	I	H	C	R	U	A	E	S	T	D	S	R	T	G	C	E	E	O
S	H	U	P	M	L	Q	B	G	B	R	M	E	W	I	A	N	I	C	C
R	S	T	S	H	R	I	M	P	Z	U	W	A	P	G	U	M	O	P	Y
G	I	G	J	V	H	E	T	N	B	T	I	W	W	E	P	U	V	R	Q
M	F	T	F	Z	L	C	P	O	O	A	M	E	S	R	R	Z	D	A	S
R	D	J	T	S	D	W	U	H	T	E	X	E	X	S	W	O	O	N	K
N	R	L	I	R	O	Z	I	L	M	S	G	D	T	H	N	H	L	W	B
H	O	I	D	C	E	J	U	R	Z	V	B	J	U	A	G	T	P	M	G
C	W	T	A	D	B	M	A	R	L	I	N	O	T	R	C	U	H	R	L
E	S	E	T	Y	Y	B	E	N	I	D	R	A	S	K	N	N	I	W	Y
A	S	P	T	G	N	F	Y	Q	S	B	Q	K	D	S	W	A	N	G	K
W	W	D	B	C	T	S	U	Q	F	S	A	P	Q	T	K	G	L	I	Z

PUZZLE # 138

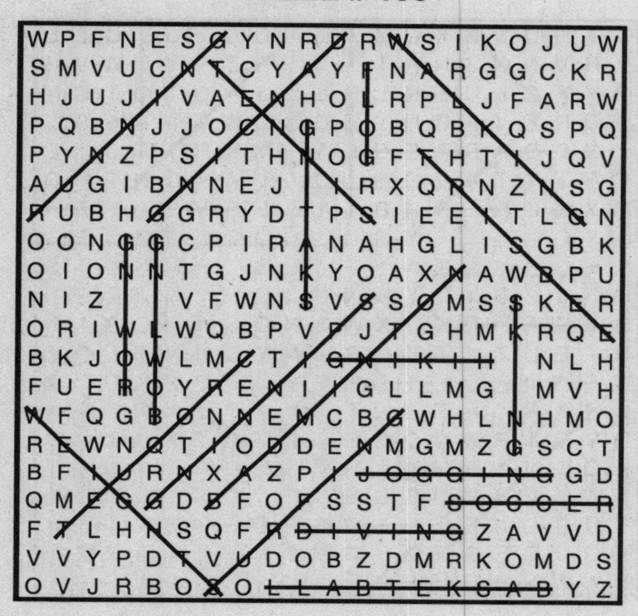

PUZZLE # 139

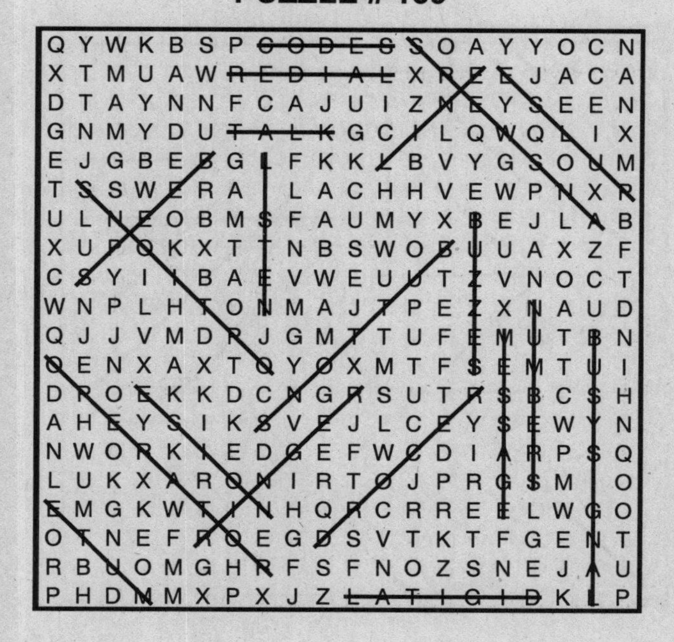

PUZZLE # 140

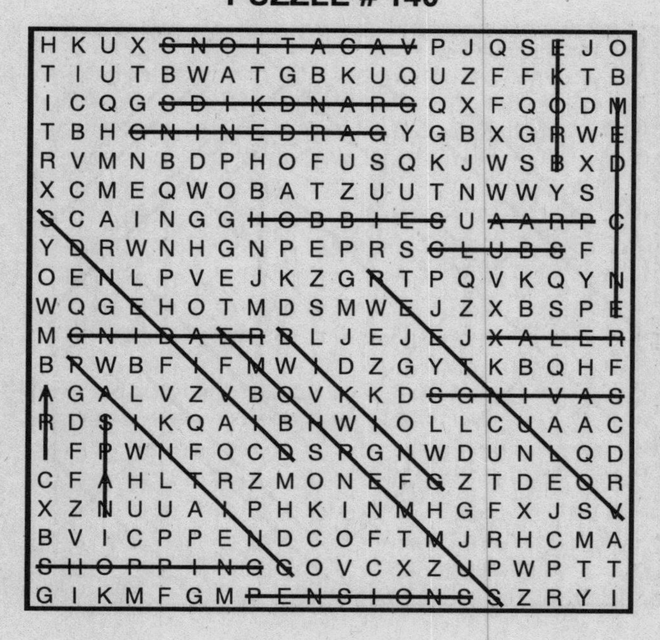

SOLUTIONS:

PUZZLE # 141

Y M O G M D Q W E J P I R G D R A C E S
I D D Y H O P I C S P T R J M Y I C H W
V Y N A H V G H A H R H G I D E E J U J
S F M A C X T R A C T O R S D O Z J E Y
H K L T C V G S C S U P N Y S E O G K J
E T Q W S N Y B R E D Z J Q R J S R J N
E T R F Y F O Q N S W V V M V K V A M T
P A F C R A A T M F E R R I S W H E E L
J S D R A W A S T Y A F H T M S Z Y P B
Y F I X Z R P S Y O D Q R V J Q E X X G
N R K G Z G M H J R C E M O X N D M R P
E I Y O M G T F M P C R T C E X M A A D
V E S C R A F T S N X R K F Z P N L N G
K S D N P U R N O U V I Z R R D G E Z T
E Z W A R T F C K T D U A D S T P V P B
X M I E N A Y K P S H B Z T K L M C N P
W Q U S T O B L O E B K A S C P O B B N
K Z P D Y G M H D I L N L S K W A T X T
T T P U L Q M E T R D L T X I W L D B T
H T G K O D R O L Y O R A O F S C X P I

PUZZLE # 142

L E X T F O C E A N K U R S X Y L D K A
E R D V D U Y Y R A U T S E W D A V U A
N K S C D Y B R V L V R F T A A B I O H
M E A U E N S P V Y R D D I S U M E M Y
A L H L Z A L P I E Q O D D X Q P R W Q
Q G F U U D T Y N D X A Q C K C D W K C
F O S L A G O O N E I J T H J F V X N Y
X U R O K S Y C L L A F R E T A W Y R J
G G C K I L K R W T X G X Z Z A R R N A
E Z S G I A E E P A K Q H R E A F P V Y
T Y V I Y P L E Z X I M E F T V J A U Y
C A Q F D O H K V V C C H U A D O M Y Y
Y K L Y R D D M F U I U B B K F R D L G
J D C O F I N K X N Z I G E J K D E G Y
L O M A R S H U W U R V Y K K M N M Q R
K T V T F D D G O T L C T V P N J H I N
Q O E K N L Z K S S O G A Q A Z W V B E
I Z O O Y B U R G V Q Q C H K A E A I W
W N P R J N C G E S O V C S I R Y H Z J
N T W F B J E X I Q V T T V U K I L D X

PUZZLE # 143

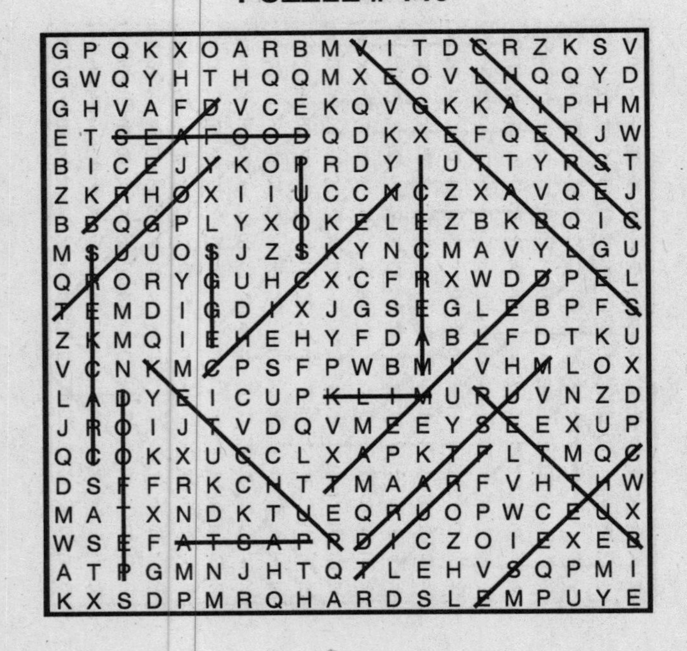

PUZZLE # 144

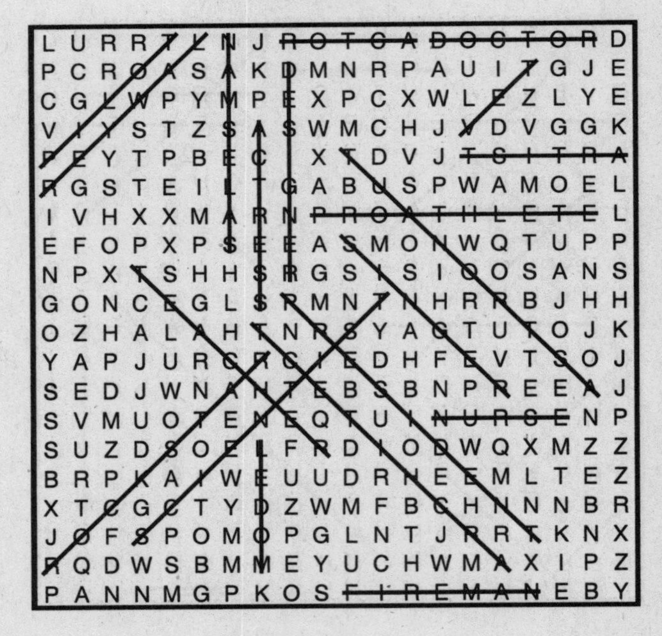

SOLUTIONS:

PUZZLE # 145

```
Q R O P U U P R D D V R T A S I U K U G
N V S U S N A I S R E P E I F W R G L D
Y B U M V S H N S K O V L E N Y N G E N
Z J M E M I Q D S K P V H R G I W B O F
I T Y I R D A Y R R E H C A D E M R I A
Z I N D T P N Q R R F K J A J M E R N E
J C O H H I G A B Y P X E A K I N G Y L
P A U N M G K E N A E R O K P F T N I S
F L E Y P W R I E K P E F D T J O I D D
C I Y D J R J O C S D E W D G I R P F O
T L N J Y W U U V B Z I A X V Z R E D O
T A T A R I A N R L I M S G N B O E F W
L I C Y Q T X O I A B A I K A A W R N G
T T D H X W O R R O M F G C N J T C R O
U W W Z E M E R I W V P B M G G Y S B D
H J U Y R R E B R A B W Y M Q Y F P Q F
Y A I H T Y S R O F Y J W O P Z Q Q Q K
U B T B E K I P S F C U Q R H T L L R A
R A K U A K J U O G J F B A I Z T U E D
B O R D E R O I Z D K S C B D M K O N X
```

PUZZLE # 146

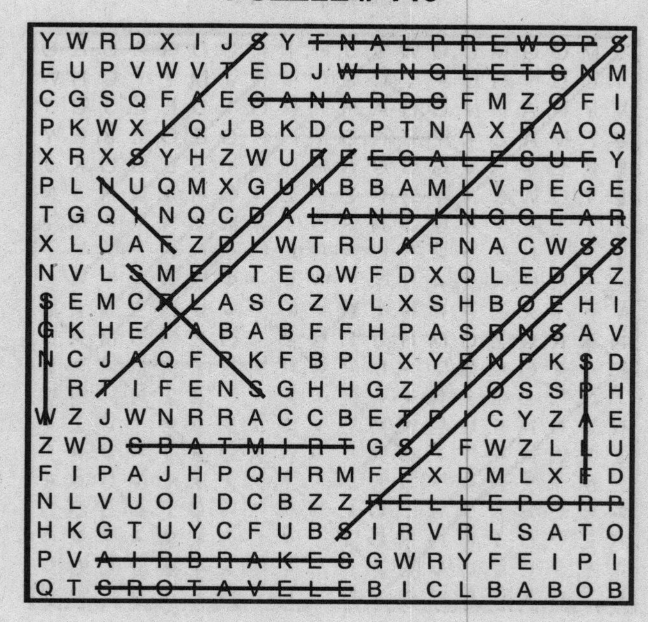

```
Y W R D X I J S Y T N A L P R E W O P S
E U P V W V T E D J W I N G L E T S N M
C G S Q F A E C A N A R D S F M Z O F I
P K W X L Q J B K D C P T N A X R A O Q
X R X S Y H Z W U R E E G A L E S U F Y
P L N U Q M X G U N B B A M L V P E G E
T G Q I N Q C D A L A N D I N G G E A R
X L U A F Z D L W T R U A P N A C W S S
N V L S M E P T E Q W F D X Q L E D R Z
S E M C R L A S C Z V L X S H B O E H I
G K H E I A B A B F F H P A S R N S A V
N C J A Q F R K F B P U X Y E N P K S D
I R T I F E N S G H H G Z I I O S S P H
W Z J W N R R A C C B E T P I C Y Z A E
Z W D S B A T M I R T G S L F W Z L L U
F I P A J H P Q H R M F E X D M L X F D
N L V U O I D C B Z Z R E L L E P O R P
H K G T U Y C F U B S I R V R L S A T O
P V A I R B R A K E S G W R Y F E I P I
Q T S R O T A V E L E B I C L B A B O B
```

PUZZLE # 147

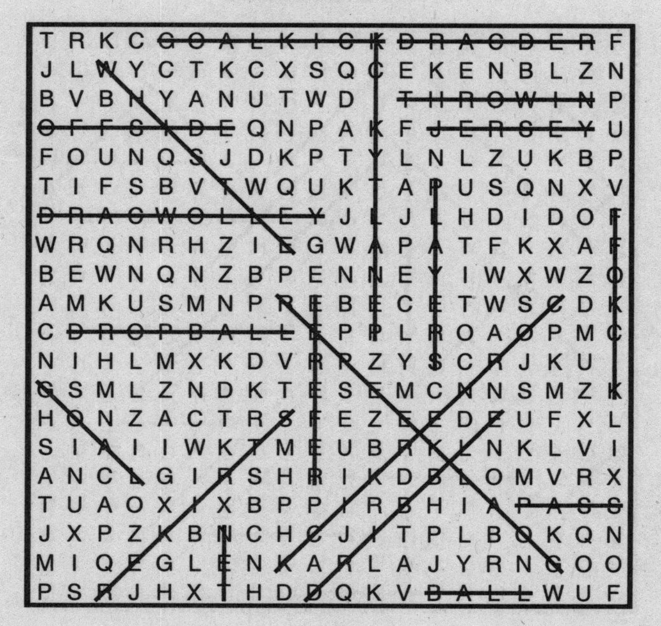

```
T R K C G O A L K I C K D R A C D E R F
J L W Y C T K C X S Q C E K E N B L Z N
B V B H Y A N U T W D I T H R O W I N P
O F F S I D E Q N P A K F J E R S E Y U
F O U N Q S J D K P T Y L N L Z U K B P
T I F S B V T W Q U K T A P U S Q N X V
D R A C W O L L E Y J L J L H D I D O F
W R Q N R H Z I E G W A P A T F K X A F
B E W N Q N Z B P E N N E Y I W X W Z O
A M K U S M N P R E B E C E T W S C D K
C D R O P B A L L E P P L R O A O P M C
N I H L M X K D V R R Z Y S C R J K U I
G S M L Z N D K T E S E M C N N S M Z K
H O N Z A C T R S F E Z E E D E U F X L
S I A I I W K T M E U B R K L N K L V I
A N C L G I R S H R I K D B L O M V R X
T U A O X I X B P P I R B H I A P A S S
J X P Z K B N C H C J I T P L B O K Q N
M I Q E G L E N K A R L A J Y R N G O O
P S R J H X T H D D Q K V B A L L W U F
```

PUZZLE # 148

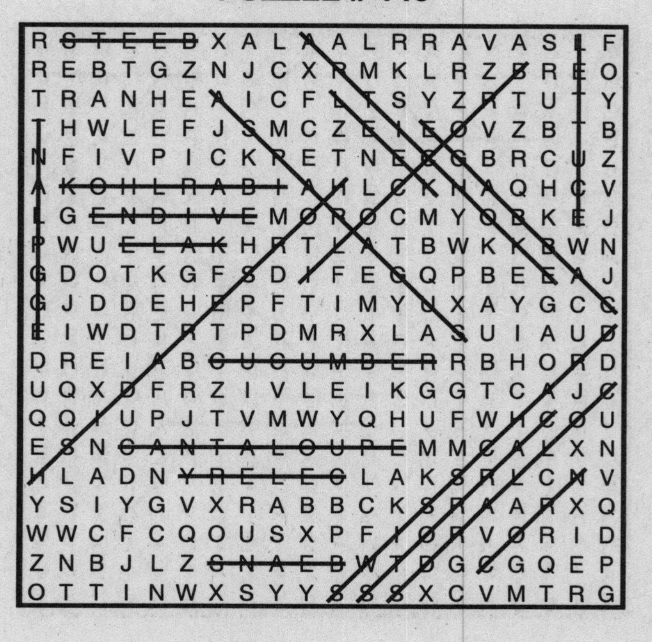

```
R S T E E B X A L A A L R R A V A S L F
R E B T G Z N J C X R M K L R Z B R E O
T R A N H E A I C F L T S Y Z R T U T Y
T H W L E F J S M C Z E I E O V Z B T B
N F I V P I C K R E T N E C G B R C U Z
A K O H L R A B I A H L C K H A Q H C V
L G E N D I V E M O R O C M Y O B K E J
P W U E L A K H R T L A T B W K K B W N
G D O T K G F S D I F E G Q P B E E A J
G J D D E H E P F T I M Y U X A Y G C C
E I W D T R T P D M R X L A S U I A U D
D R E I A B C U C U M B E R R B H O R D
U Q X D F R Z I V L E I K G G T C A J C
Q Q I U P J T V M W Y Q H U F W H C O U
E S N C A N T A L O U P E M M C A L X N
H L A D N Y R E L E C L A K S R L C N V
Y S I Y G V X R A B B C K S R A A R X Q
W W C F C Q O U S X P F I O R V O R I D
Z N B J L Z S N A E B W T D G C G Q E P
O T T I N W X S Y Y S S S X C V M T R G
```

SOLUTIONS:

PUZZLE # 149

```
X D S D R Y J S T R A W B E R R Y I T B
X C S W A P B I C M A E R O N O T S O B
F L E K F B T H B Y O D K I R F P H O T
L F M F T T O U R L R R P E B E R Q J W
E E S S K C Z R E C U R U D Y K C F C A
L B N P O M E G K V I E E M D L S A I B
P W I L K B G A U N P I B B P G I J N Q
P P A L K R D A H O A E P E R K I M V T
A T N C L B L K B U W L C E R S I K E Y
E C A S X S U U I Q U Y T Z B R A N O R
B L E L P P A H C T U D Z M F M K R S R
B J J T Z L C T H G B C U S T A R D A E
Y R X I W T E S O M Y Z Y N B I B Q M H
N G A S L D E M P C V A O P A C V O T C
V Y Y B U N S J O P I G M P N E K O N T
M A G G U A H M Y N E R N I O C M R Z J
L V T O L H O I P D S A R Q F R X X A A
W F W L Z R R N F J M S P A F E X E B R
N A T F O E L C X K A B W L E A O P W S
D E K L G K M E D Q Y Y T W E M H C C U
```

PUZZLE # 150

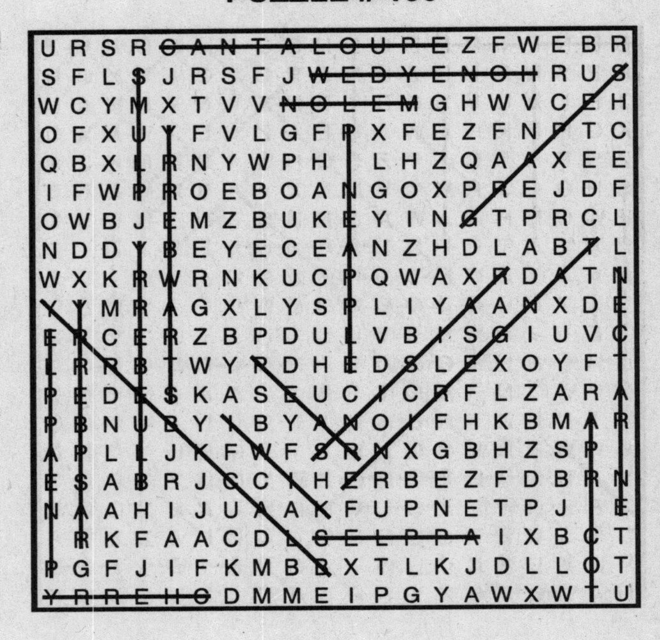

PUZZLE # 151

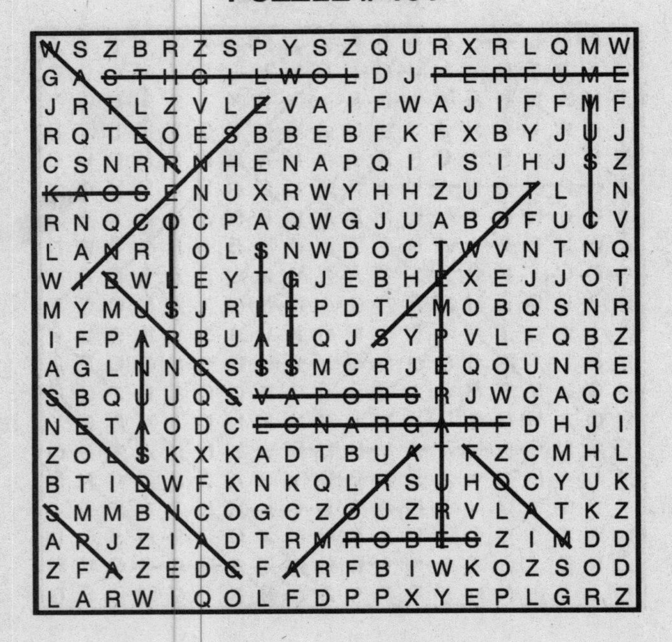

PUZZLE # 152

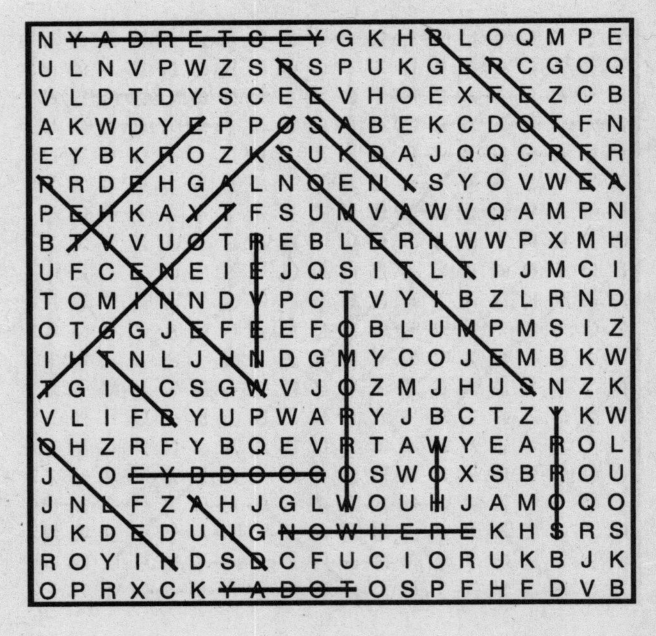

SOLUTIONS:

PUZZLE # 153

S D N E I R F E G E H Q Q O M S D P V J

K E Y N P L E Z U N E T G C Q I T X G H

J E L A U V Y C B I B U E Y N Y R N A E

K G R P K H L W J H E A Z K E J T A A O

Z S F K I C I P Z S Q H S S S N R K U J

S H G I J P M Y V N N X V R S A M K L T

E W C N H W A W A U R H D B O P B E U X

H W X S T P F D T S V X N X L O X K L E

C A A J U M S S A R G B O M A D N L S L

I X F T S K R O F H G C P C I H Y S B G

W E I Y E X D S V L L F D I Y Q G V L X

D M Q K H R C O W T D E S S E R T L E J

N D W Q N S M N O T B Q D A J V N F M Z

A I D F R T S E H F I D Q J L T X H O Z

S P G P D V O G L E B I Y F E U A P N L

Y A B A Y H X Y N O Z P X K U T E O A T

T E B R R E A S L V N D N K A B N G D Z

O G S K Z R S E E P Z A X B E W Z K E Z

Y G M F Y K U H W I L C L E F W L X W I

H A W G P S X X S B U E S Y J U A W Z Y

PUZZLE # 154

M G V P L A Y G R O U N D F W Z V S A O

J L E Q S D E W J J S P A R K G A P R Z

Q K L R B O P I L C O M M L B X C O Y W

U C G A I O N F I X B R A C W C A L R L

C Y Z G B Q Q N F V I L E Y L X T F D N

S Z R U S E C E H Y K L R L F X I P L Z

A G F S B I S M I G E D C Q W V O I Y S

N Q O S P U J A Y E R Z E H U B N L A F

D F O E P N V S B K I H C E S Q V F Q M

A Y G L N D O E M J D V I E P A W I O S

L W Z A N I I S A Z E P S C N V K C U T

S V V T H A H D G N S S C A H L P N C Z

M K C U Y J J S V H A L T H S X S J M K

T A N K T O P S N L O N B G Z C U O F S

Y R V U I M V X G U U O Y E R Q D M T T

G I F Y R E M N Z S S H L E J T T R L W

V S W I M S U I T S H D E I E H O F Y U

C T L D W S N J E U N N V L A H X Q R O

A C T I V I T I E S Y U Y A S J K D U Z

P O P S I C L E S A E F F H K I E I V T

PUZZLE # 155

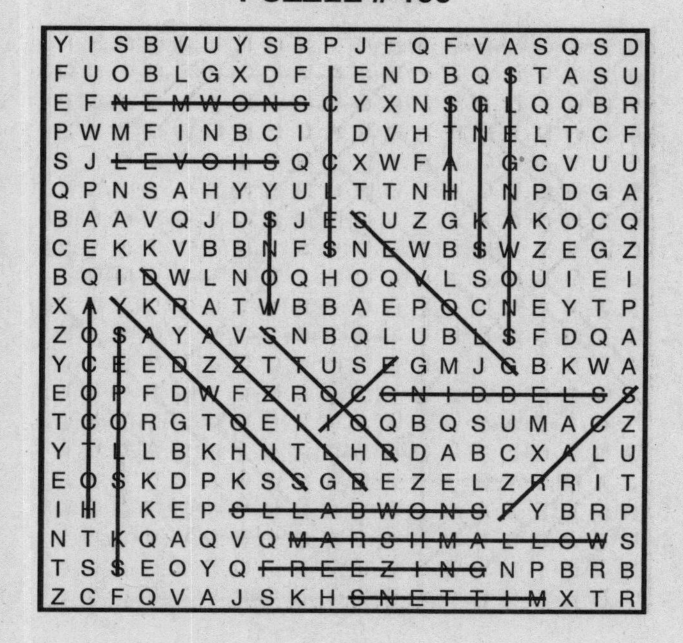

PUZZLE # 156

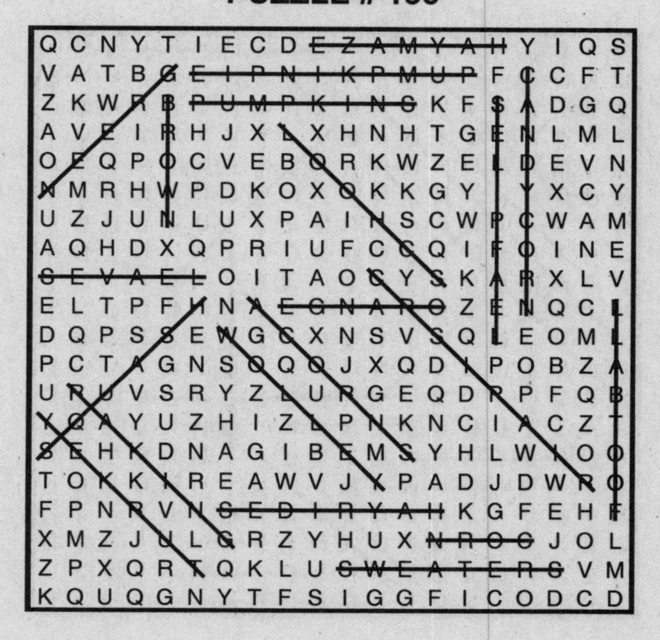

SOLUTIONS:

PUZZLE # 157

W	Y	L	M	W	X	J	L	P	A	P	T	H	O	J	O	T	T	K	D
C	S	T	O	S	T	D	S	E	M	T	G	K	R	S	M	L	Q	O	U
F	D	R	E	T	R	J	V	T	A	N	E	E	Q	T	I	P	U	G	B
E	M	J	W	O	A	H	Q	H	C	V	L	O	O	C	M	D	M	C	N
S	Q	L	E	O	C	M	H	B	Q	H	E	I	E	E	S	W	D	J	D
J	X	T	B	B	K	I	P	E	X	U	I	S	E	S	M	S	H	O	F
M	Y	B	U	N	X	N	U	S	F	B	M	U	R	N	O	I	H	A	P
E	G	T	M	I	C	U	D	E	L	J	G	B	T	I	S	M	E	C	T
A	K	V	F	A	W	O	D	A	O	R	G	G	R	R	S	Y	P	L	B
M	R	A	W	R	V	V	L	S	W	G	L	R	L	E	O	W	V	X	G
X	H	J	H	W	J	R	E	O	E	W	T	A	V	K	L	V	X	L	R
B	V	M	U	D	H	Q	S	N	R	A	F	S	W	C	B	L	L	G	O
M	A	L	L	S	E	I	Y	T	O	P	U	S	R	P	Z	W	A	V	W
D	Z	S	M	L	G	V	U	C	J	Z	L	Q	Y	N	J	J	I	R	T
H	U	Y	E	L	F	O	N	R	A	I	N	F	Y	V	M	M	P	B	H
O	C	J	X	B	Q	I	D	Q	N	F	V	V	K	F	R	T	I	P	Q
Z	S	O	M	H	A	C	M	R	W	F	Z	D	E	R	X	O	K	U	G
U	H	Q	N	R	Q	L	T	J	C	T	F	W	G	U	X	L	T	Z	P
Z	Q	G	E	H	S	O	L	A	G	T	H	K	H	P	P	Y	N	O	Z
G	H	I	M	I	J	G	O	Y	I	C	E	D	X	G	I	B	K	I	O

PUZZLE # 158

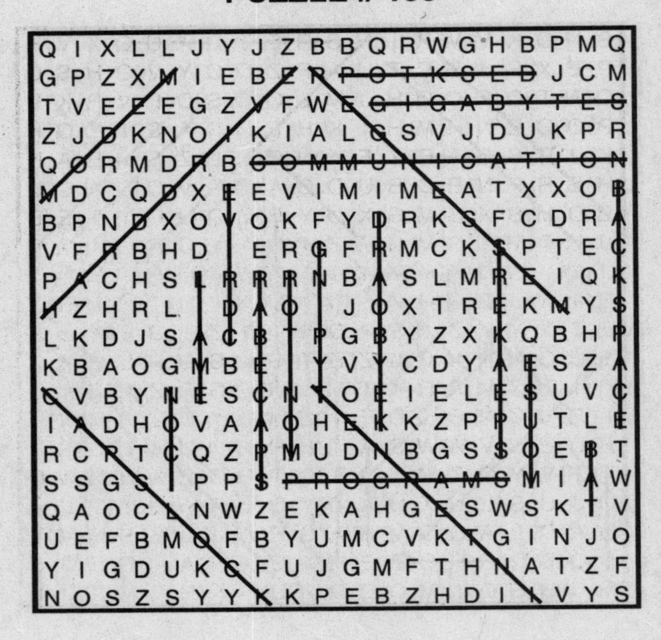

PUZZLE # 159

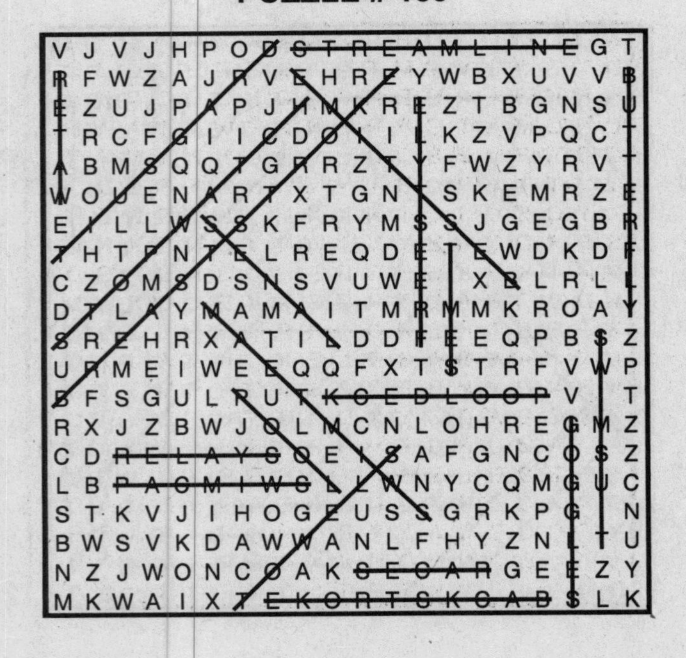

PUZZLE # 160

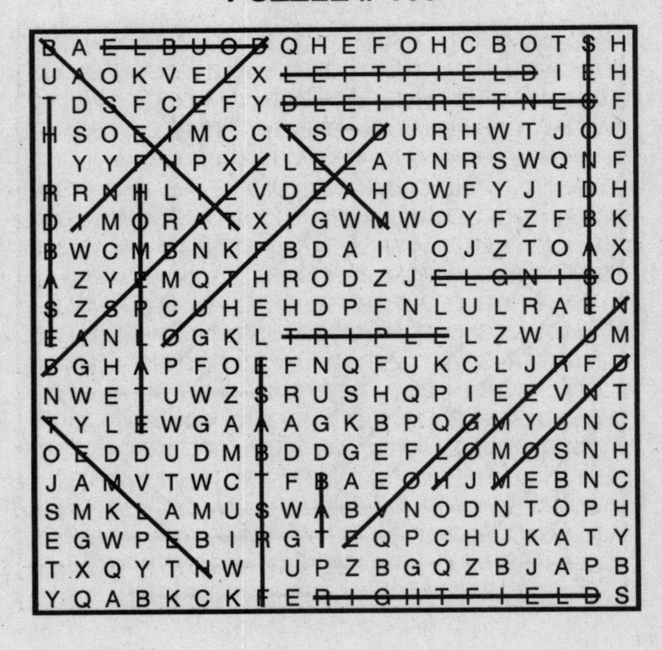

SOLUTIONS:

PUZZLE # 161

B N Q K V M R I N S R E T R A U Q X V H
P E X P J E C T U A F Z C O Y V O H S C
Q W T Q F C O H J M L Q U S D F V R K V
P O O E N H M H I K H F N S A S I Y Q K
K J R S S A P Y F A N C C L Z S M E A N
H E R P N E D B U D O A M O V Q S A C U
E D M B X G M G X U Y P T Q U O Y I E B
V U Q M F R V G R L W O F Y G R H I S T
J B S W D K U T A Q H I W F O E T E S T
B R W L Q C U C E U I N A Y D T U U E T
E J X Y E Z I S P Q S T T Z I G P P O D
T C G N R N F L Z E T G L C O K E H R J
P I T Z H R R K T M L U F G R Z S A Y H
L E M C N B E O E I E A Q X D L O H B Y
R D E E V A W S K T P R I G U B F J S H
H T V Y O Z M I S F C D N O E A N N W O
O J U S L U X U A L Y D F R W E I T V A
O A D L A Q T V B A G P O J L E N M M Y
P Q B D S H O T E H X C X H A N R E B S
M U H G O W M O C B S U B N H P M C J L

PUZZLE # 162

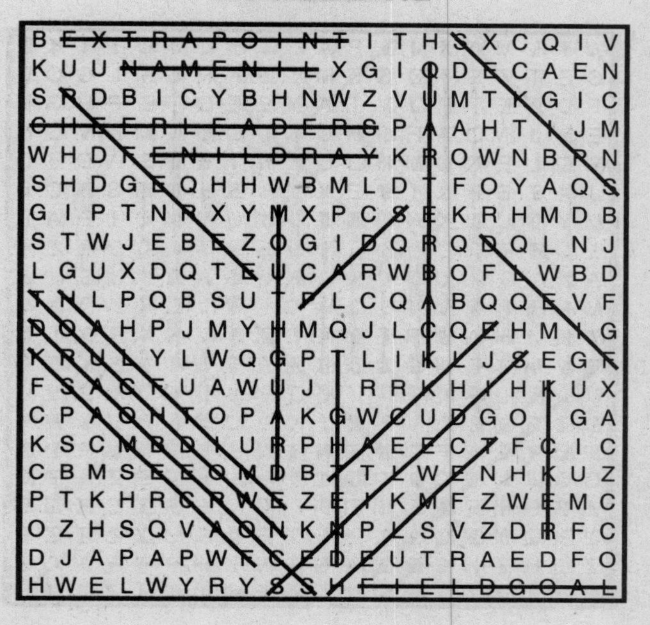

PUZZLE # 163

PUZZLE # 164

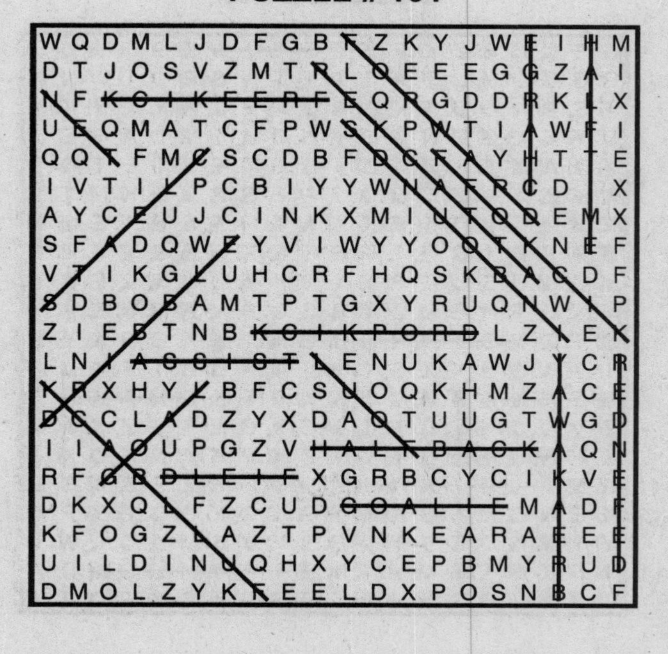

SOLUTIONS:

PUZZLE # 165

G	H	R	H	Y	M	N	U	J	O	L	G	U	O	W	R	E	R	W	G
L	E	B	R	F	M	M	V	M	S	N	Z	Z	R	K	B	T	H	U	E
U	K	O	B	X	E	Q	O	J	I	G	N	I	L	L	E	P	S	Q	K
E	S	O	E	C	J	T	J	D	S	L	T	E	K	A	I	J	S	L	L
P	S	K	T	P	Z	B	A	L	L	I	F	N	Y	N	S	P	B	F	I
L	C	S	N	R	C	E	B	L	N	C	F	Z	S	G	Y	W	B	V	Y
U	O	O	N	O	R	P	X	G	K	N	Q	V	F	U	X	B	E	M	E
J	M	E	B	T	O	C	B	L	B	E	H	U	V	A	K	B	R	Z	X
Y	P	A	C	R	X	O	X	N	U	P	V	K	J	G	L	L	B	H	J
A	A	R	I	A	R	M	D	Q	B	X	F	R	S	E	R	F	D	P	W
N	S	V	B	C	B	P	J	D	R	T	E	S	C	A	X	E	F	U	Z
C	S	I	M	T	U	U	Z	O	D	C	Q	W	I	R	V	B	L	C	I
L	L	B	L	O	K	T	F	L	E	Q	P	I	E	T	C	A	U	U	H
B	F	A	O	R	Z	E	P	S	X	K	P	C	N	S	R	F	Y	Z	R
O	E	R	S	O	F	R	S	R	A	Q	W	B	C	D	Q	V	H	I	Q
I	V	B	I	S	K	S	X	Q	U	R	R	J	E	N	D	Z	K	R	M
M	A	T	H	E	R	B	M	Y	D	F	I	N	J	U	E	E	P	J	G
Q	B	W	O	Q	N	O	A	P	W	Q	F	Q	S	R	Q	Z	S	B	S
N	H	I	O	M	K	D	O	G	T	E	A	C	H	E	R	S	J	K	Q
U	A	I	Q	K	R	V	S	M	T	G	Y	M	J	B	H	V	C	H	S

PUZZLE # 166

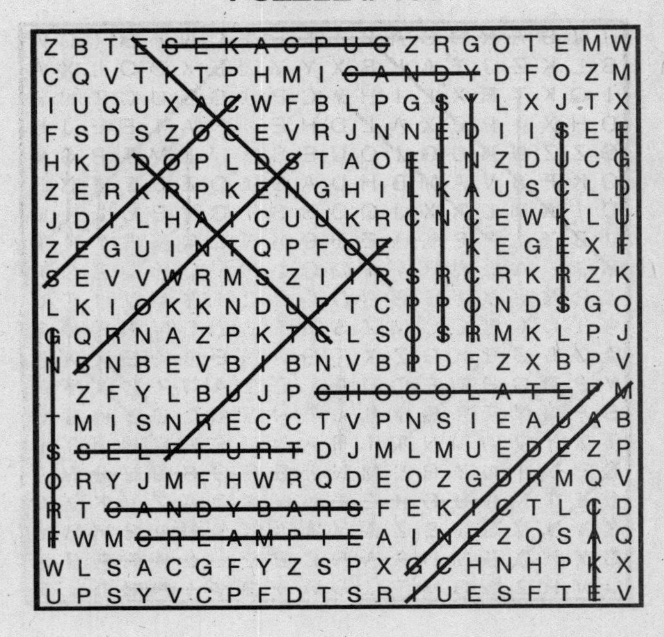

PUZZLE # 167

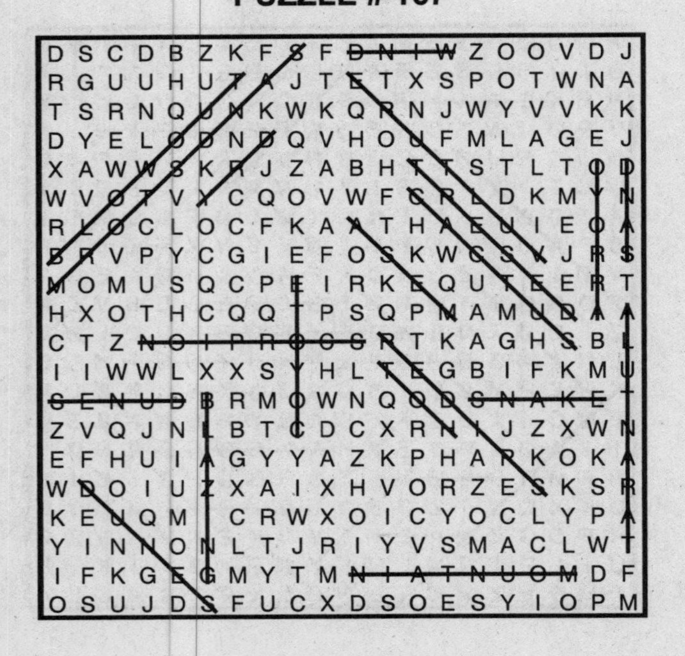

PUZZLE # 168

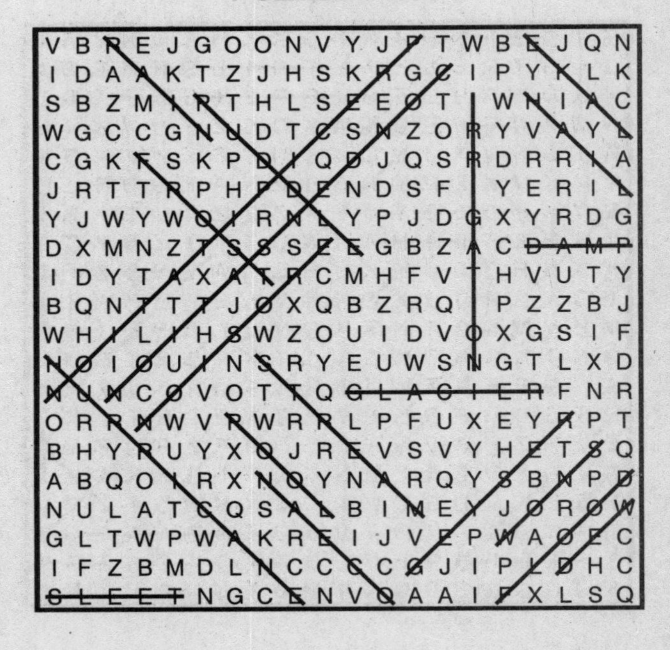

SOLUTIONS:

PUZZLE # 169

J X S A N D C A S T L E T L N F R I C W
S L K Z J T A L B X Y Y W E X B O L X A
I Q K T R X L I H Y C P R G D U C T N P
D H X I P E X A L D H E L F A I E E J U
G Z Z U H C G I O U E S H N L M T P S I
O K F S V A M B H U A S I O E E F J R K
D I A M L A X J Q O S S T C Y P U E I L
J E X I F S N A E C O H F K O H S L A Z
S K P W E R E V W M Q M H H H B N L H J
Y O S S Y T F B U D G I C I S M M Y C G
A I O L N C O M Z S H T B L U V N F N S
A G F C E K G Z X T S A N D A L S I W U
Y P D C R W E Q H F L Z Z A U I U S A N
B P N Y Z D O I K A B N H G O G V H L G
T X Y V W M N T I R A N M P W C N K T L
S R N I N Y R S M N E E R C S N U G M A
L E T U B U C K E T N Y G Q A Z V K X S
K V V V S I B Z A Y W A X D N A G W W S
C X K A R M H S A N D D O L L A R S T E
J M H Z W G M T J S W I M M I N G B L S

PUZZLE # 170

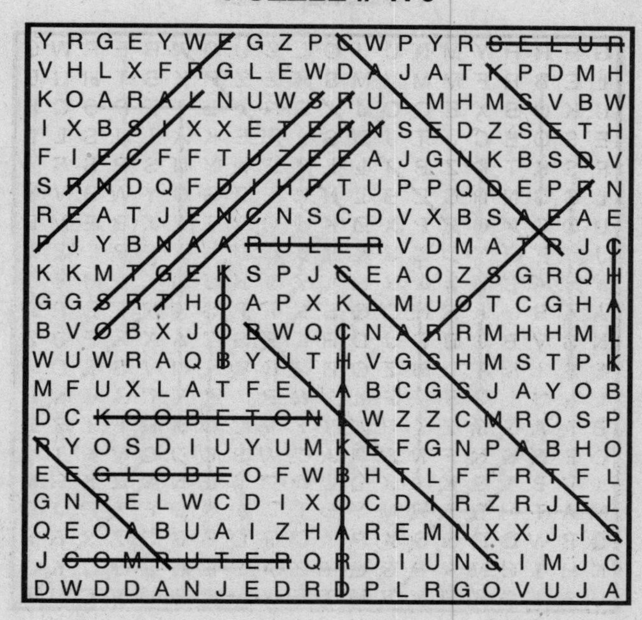

PUZZLE # 171

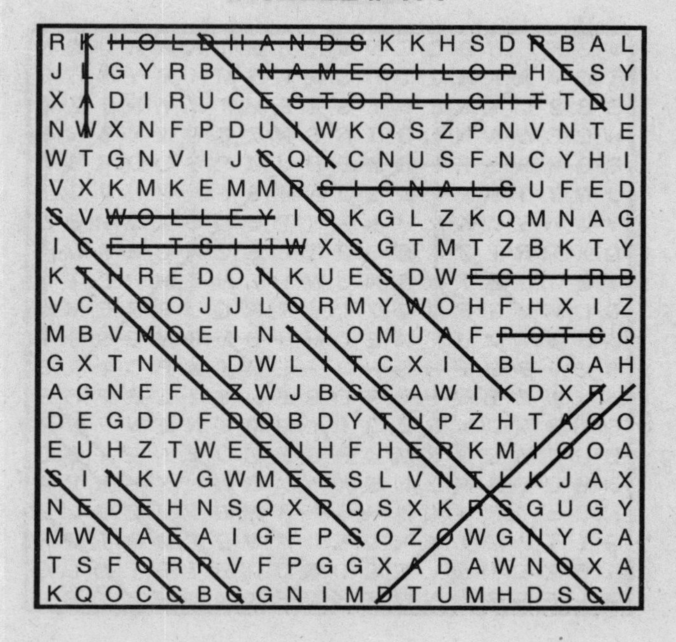

PUZZLE # 172

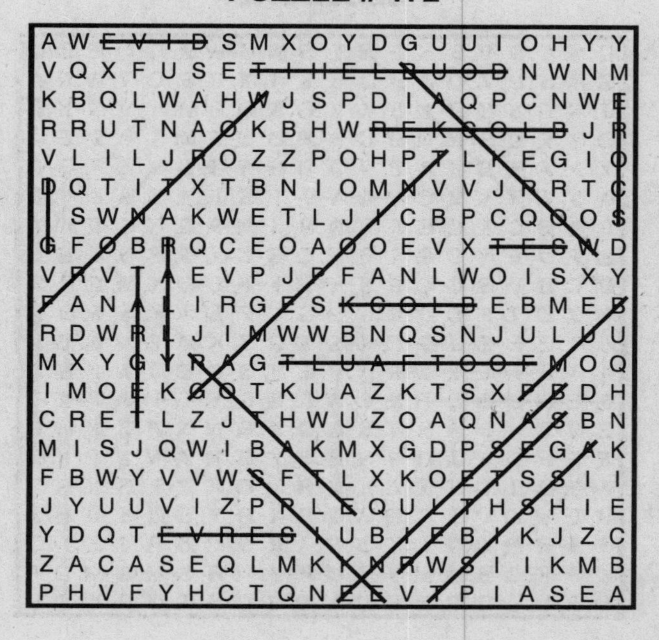

SOLUTIONS:

PUZZLE # 173

F Q R P W E O P F K F T N K Y N B Q F H
P S I N P D I T F C R E N I L E A J J L
N W U G X O S O L X Z K T O N V S W K L
S I F Y W T F A V S U F E H R E K T D A
N N U T C U S O S E R E U D O L E D W B
M G O A I S T N Q T G A I Q S K T U R E
U S T Z M T X E H V U V B J K J B N S G
O C P A W I R N R C U E P Y B E A K G D
H H T I V J W U N A T S O W E Y L M N O
J E I G T H R Z N L U O T U H K L R I D
S T W J A M R K W G L O C C B A N J R Y
Y E G K A D R O P R Q B S S W Q O O E F
W A M A T E S G N I W S I R R Y C R M E
Z C E O B R Q X H N T N H R U O T Z H D
F H L X T S Y X D J Q Y G Y U O N K A I
X E T I O K M P Y V O V U L E K F S L L
K R S F R I E N D S I L A A Q Y X A Q S
D G I Q H C Q V S T G S L F D T O J T M
X L H W H I F F L E B A L L A O D C Y C
U P W A B I U I M Y G E L O N U J Y M G

PUZZLE # 174

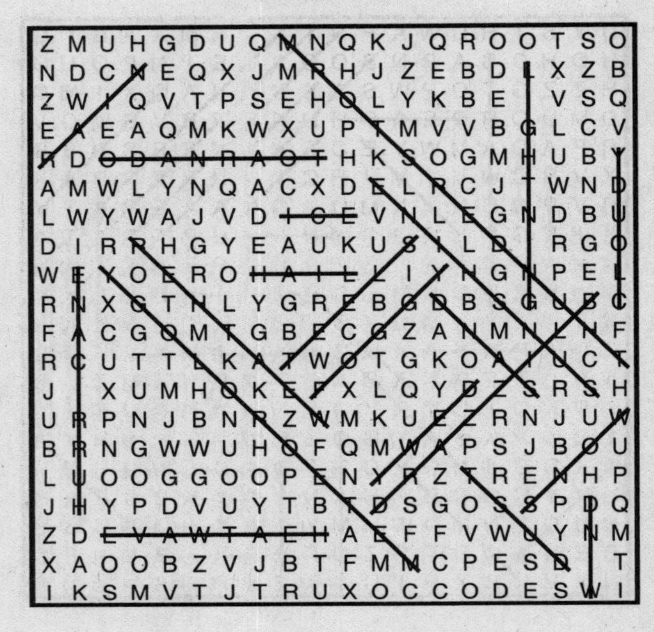

PUZZLE # 175

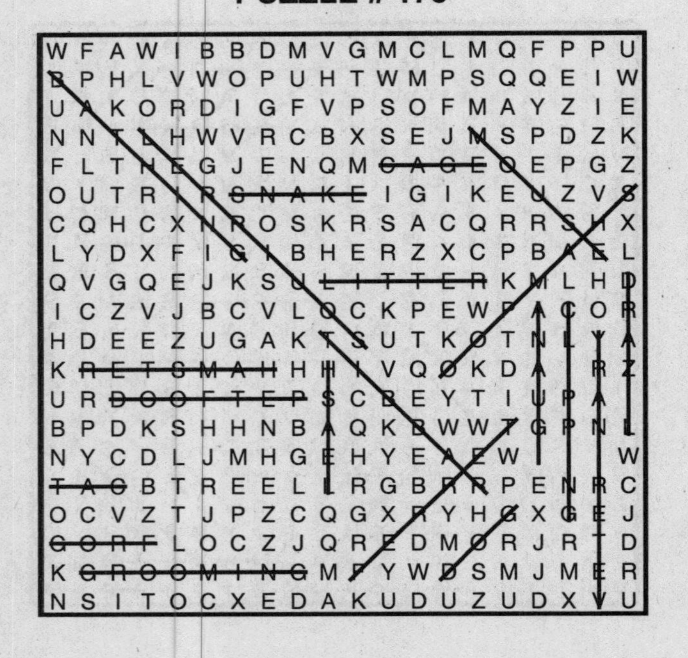

PUZZLE # 176

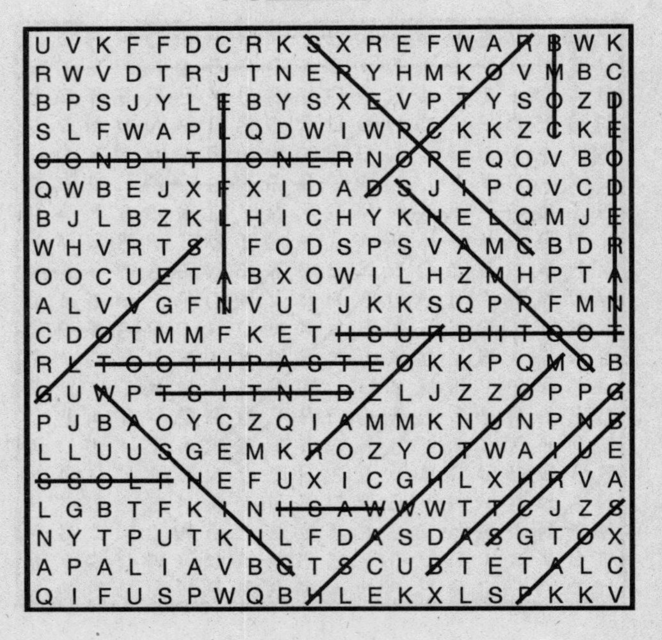

SOLUTIONS:

PUZZLE # 177

```
U Y S I R C W A F N T T X H M X A U V Q
U D H C S A P N B O O I I E T N P O L G
H Z Z G T O P W S A E L U U A O X I M O
D M U Q R P E A C H N N E R R V G M Q V
R F A C A M W Y E C F A I M F F S N B B
X V B C W V I M J F Q I N R R E R P A K
R V P N B N I X M U J Q G A A E R A T M
X I E G E L Q D G M U L P U P T T A T A
N M A Z R R K J E Z J L J F Z N C A R S
O W R Z R C I V I S T O C I R P A E W G
S J Z E Y K H L K O Z C Y K T R O K N K
E P A P A Y A X M G N X R I M V V H O B
W H L T E R T A O A Z H X P H U M Z C Q
I P A Q I U T R Y O K B E H K R N U T R
Y Q W P K O A T G O E P M M S N L R Y A
T K D B J N Q L C T F O Z D E W U O P K
U J Y C G C E F H A U L N Y K B C P I H
H U C E N M D W M M Y   J X I Q L C S H
B E U L O P T S Z O F Y F H H E L L F C
N Y V N D X R I U T X E Z W F S M K M Q
```

PUZZLE # 178

```
E K J W T Z Z D R E R N R E C Z A B T G
A C H Y A M N R E N T O V A Q N C O Y M
Q X H I T C A B B A G E R D H K M F S B
D H W O C O B E N K C R P E D A G P B W
Z O U E W N R O C T O Y O K T I W I A Q
R B O X N X O U A T V I V O M G C L R U
Z A R I X I T N U N U E W I P R Z E T S
M J D F N U R H I E Q L P L Z R O T   A
Z A H I F S E D M O B K A E F E O T C E
A G E O S A W C L A N C Z G P D I U H B
Z N T R S N O X I X Q   E G Y P L C O B
G I O J I K L U Y H T P N P G E O E K S
C I Q W Z K F B R Q S M Q L F P C S E S
U A I M U Y   L E D I U A A N P C V O Q
C O O E C I L B L P S S H N W E O N B U
U V S X C J U V E Z K H A T O R R Z C A
M M W J H N A R C H G R H G D D B V N S
B Z C L   C C B S O K O M M D Z B H P H
E E Y L N U C C J C Y O J M G G I E W U
R B E L   K J E W E D M P Q C Z R W L D
```

PUZZLE # 179

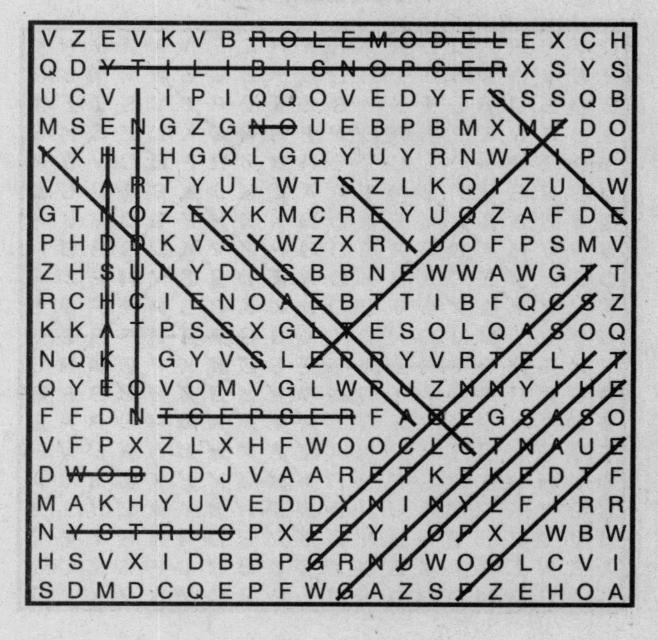

PUZZLE # 180

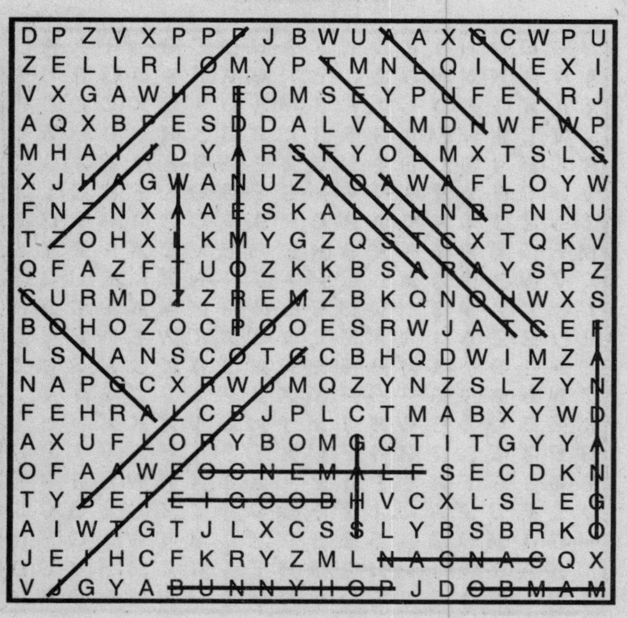

SOLUTIONS:

PUZZLE # 181

X Y A X U W W R R R T X W R H U T X S W

C H B J T I H B U O B N J H P A T O X S

O D K D S H K U Z E C D X C F C U T L I

U W L G M N D L J T E K K O H F W E G K

N M I J O G B X V E K Z L Y O A M H B P

T S U H D A N C E U X I P F O I M I P H

R E V I T A N R E T L A V W T R G B O E

Y W W M W N Y K D S Z A B G Q B B C E C

F M P Z I Q Z N W S S H A D A N I N L R

F N F C T K F I N Q O R U N F N T A Z J

D D O Y R V N R V H N H D L O S S M P B

T U R X Q G F P V T E F Q R S S G O A A

I N O X Q W Z H O A L R T D I A N J R R

S Z A A Q Q I A V X Q C D C K R M C K B

W R Z C V P L Y I K E Z A A V G T O Y E

J O V A H H M E U L N L M K Q E E E A R

U T P O J E Q P E R C U U Q H U I Y Y S

O L P G T E K F Z C V R R S A L V Q H H

X Q L A R O H C C P J N C V B B L O Z O

K B L U E S G V L L W U C Z B E K Y A P

PUZZLE # 182

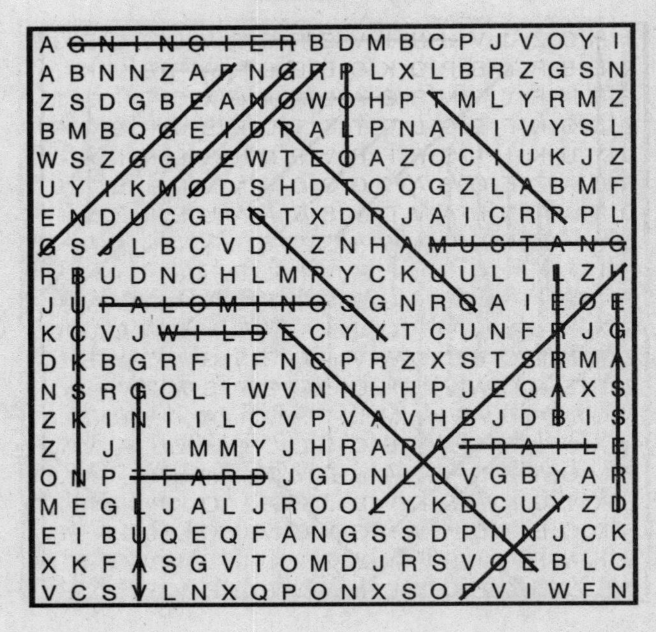

PUZZLE # 183

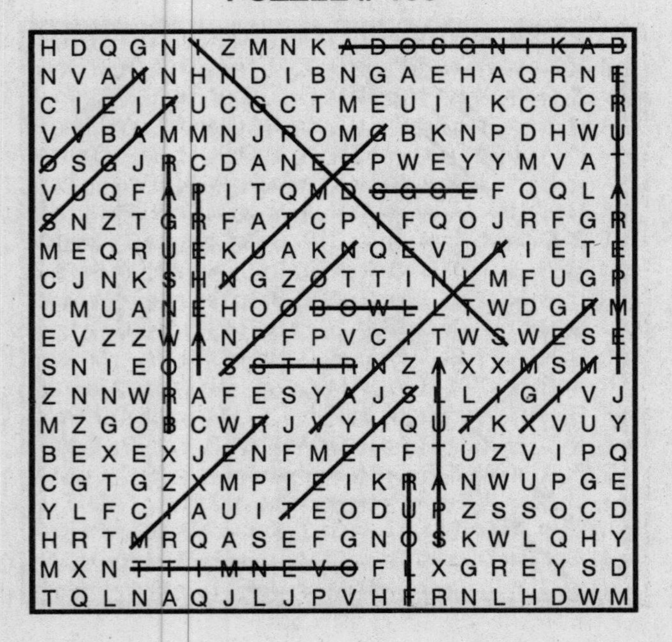

PUZZLE # 184

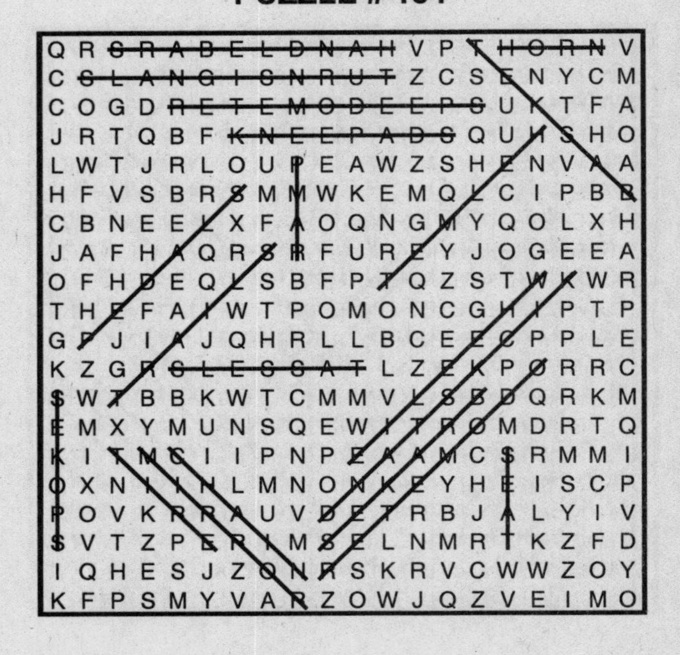

SOLUTIONS:

PUZZLE # 185

I	M	C	Z	J	V	U	N	I	V	E	R	S	E	M	L	J	U	D	J
D	E	B	R	L	B	P	Q	K	O	E	P	S	T	A	R	S	M	K	I
F	T	M	F	Y	I	M	R	G	A	L	A	X	Y	X	C	T	I	E	A
Z	S	S	N	F	E	G	L	E	T	C	T	D	E	B	J	P	S	C	R
U	Y	U	K	I	L	S	H	F	R	V	O	N	M	O	O	N	L	A	J
R	S	A	Z	E	O	P	A	T	G	O	C	S	U	V	O	I	S	P	L
O	R	W	T	N	H	A	V	D	Y	S	C	A	M	U	E	F	Z	S	P
U	A	I	E	E	K	C	A	W	P	E	L	S	Y	I	W	O	A	G	Y
E	L	P	N	R	C	E	S	E	N	Y	A	I	E	H	C	K	T	O	S
F	O	M	A	G	A	S	T	E	S	S	T	R	E	L	I	A	Y	V	G
E	S	X	L	Y	L	H	R	O	J	H	L	X	S	V	E	W	C	Q	T
Z	R	N	P	Q	B	I	O	W	V	U	O	Q	V	G	T	T	Y	B	U
Z	C	E	O	O	W	P	N	K	C	T	C	E	B	S	P	T	W	C	O
N	O	W	H	R	A	W	A	M	L	T	M	G	L	R	I	N	Q	B	O
W	X	O	I	R	T	Z	U	S	C	L	C	U	O	V	Z	L	T	V	W
R	M	Q	W	Z	S	U	T	A	B	E	Y	T	A	N	U	G	Y	X	J
E	X	I	G	K	W	O	E	V	B	J	O	R	D	O	K	Y	V	P	C
N	D	Q	E	Z	D	W	M	N	C	N	G	N	Q	C	O	C	L	E	B
V	X	N	F	R	I	G	A	T	S	S	J	C	G	E	T	V	N	B	D
A	I	V	N	U	F	O	K	D	A	N	C	W	A	D	M	B	J	P	A

PUZZLE # 186

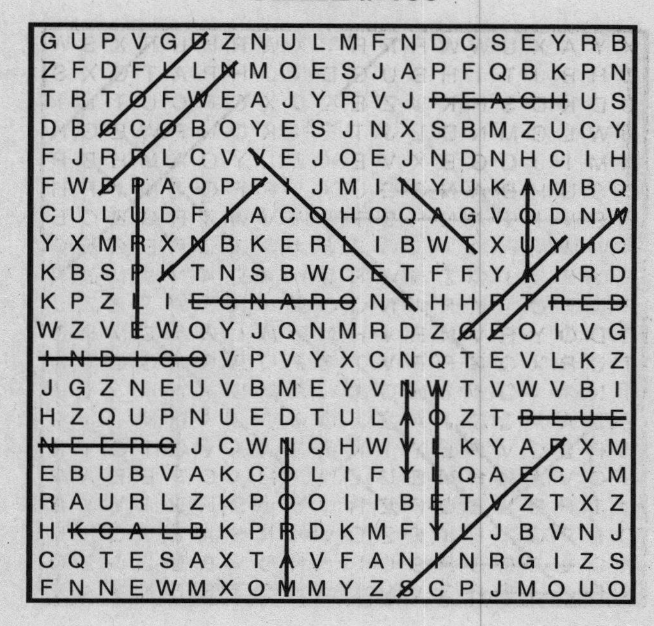

G	U	P	V	G	D	Z	N	U	L	M	F	N	D	C	S	E	Y	R	B
Z	F	D	F	L	L	N	M	O	E	S	J	A	P	F	Q	B	K	P	N
T	R	T	O	F	W	E	A	J	Y	R	V	J	P	E	A	C	H	U	S
D	B	G	C	O	B	O	Y	E	S	J	N	X	S	B	M	Z	U	C	Y
F	J	R	R	L	C	V	V	E	J	O	E	J	N	D	N	H	C	I	H
F	W	B	P	A	O	P	P	I	J	M	I	N	Y	U	K	A	M	B	Q
C	U	L	U	D	F	I	A	C	O	H	O	Q	A	G	V	Q	D	N	W
Y	X	M	R	X	N	B	K	E	R	L	I	B	W	T	X	U	Y	H	C
K	B	S	P	K	T	N	S	B	W	C	E	T	F	F	Y	A	I	R	D
K	P	Z	L	I	E	G	N	A	R	O	N	T	H	H	R	T	R	E	D
W	Z	V	E	W	O	Y	J	Q	N	M	R	D	Z	G	E	O	I	V	G
I	N	D	I	G	O	V	P	V	Y	X	C	N	Q	T	E	V	L	K	Z
J	G	Z	N	E	U	V	B	M	E	Y	V	N	W	T	V	W	V	B	I
H	Z	Q	U	P	N	U	E	D	T	U	L	A	O	Z	T	B	L	U	E
N	E	E	R	G	J	C	W	N	Q	H	W	Y	L	K	Y	A	R	X	M
E	B	U	B	V	A	K	C	O	L	I	F	Y	L	Q	A	E	C	V	M
R	A	U	R	L	Z	K	P	O	O	I	I	B	E	T	V	Z	T	X	Z
H	K	O	A	L	B	K	P	R	D	K	M	F	Y	L	J	B	V	N	J
C	Q	T	E	S	A	X	T	A	V	F	A	N	I	N	R	G	I	Z	S
F	N	N	E	W	M	X	O	M	M	Y	Z	S	C	P	J	M	O	U	O

PUZZLE # 187

H	B	O	P	B	D	G	S	Y	C	G	C	I	N	C	I	P	N	N	E
Y	W	H	D	A	N	E	B	I	Z	B	D	C	U	F	Y	M	R	M	T
Q	R	O	M	O	V	G	B	S	I	G	S	F	C	H	F	L	O	K	Q
Q	B	F	O	A	K	F	C	R	B	N	D	G	L	W	O	R	C	D	Z
Y	W	Y	C	D	R	Q	D	S	R	I	C	X	D	U	G	G	K	A	S
J	T	C	P	V	S	S	L	I	A	K	G	V	P	P	O	U	S	T	G
T	R	E	E	S	J	I	J	H	S	I	G	Y	C	A	K	M	N	N	V
C	E	R	U	T	A	N	M	O	W	H	Y	H	P	M	S	A	U	W	Z
E	J	T	P	R	A	B	N	B	I	M	A	F	O	N	L	N	E	O	U
V	U	W	T	B	B	L	D	V	M	E	C	W	V	P	K	A	W	L	K
W	C	A	M	P	F	I	R	E	M	A	T	L	E	Y	I	W	X	L	A
K	A	W	P	F	M	F	G	L	I	I	I	A	U	C	W	H	R	A	V
U	L	T	S	S	A	R	G	U	N	B	V	P	T	L	O	P	Z	M	Z
S	J	E	E	D	T	H	X	U	G	K	I	T	E	K	Z	J	X	H	I
S	L	J	Y	R	W	H	Y	B	M	Z	T	N	N	Q	C	S	K	S	X
U	D	A	S	K	F	F	X	N	T	F	I	D	T	J	K	X	F	R	D
R	M	N	M	C	W	A	S	X	L	A	E	V	S	C	E	G	H	A	E
U	N	E	U	I	P	K	L	J	Y	S	S	C	I	G	R	L	I	M	O
Y	L	C	F	O	N	J	E	L	C	W	Q	T	Z	K	C	P	K	J	W
X	Z	K	J	N	S	A	B	T	S	A	S	U	V	S	R	R	X	O	F

PUZZLE # 188

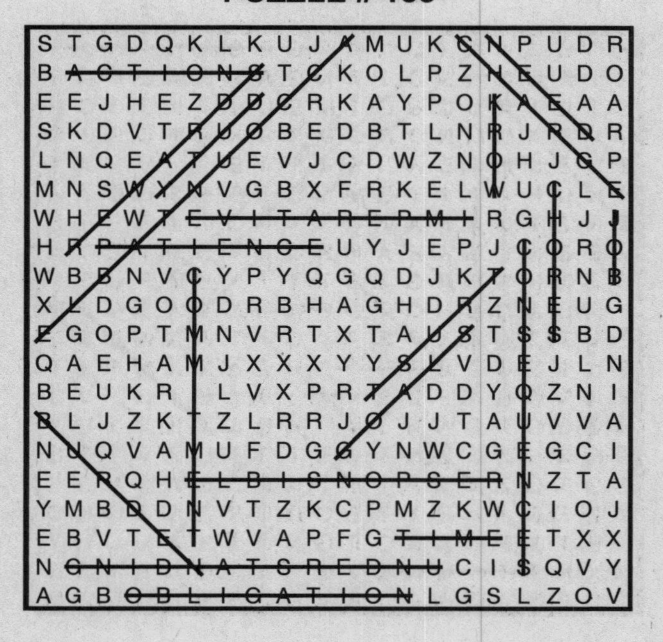

S	T	G	D	Q	K	L	K	U	J	A	M	U	K	C	N	P	U	D	R
B	A	C	T	I	O	N	S	T	C	K	O	L	P	Z	H	E	U	D	O
E	E	J	H	E	Z	D	D	C	R	K	A	Y	P	O	K	A	E	A	A
S	K	D	V	T	R	U	O	B	E	D	B	T	L	N	R	J	R	D	R
L	N	Q	E	A	T	U	E	V	J	C	D	W	Z	N	O	H	J	G	P
M	N	S	W	Y	N	V	G	B	X	F	R	K	E	L	W	U	C	L	E
W	H	E	W	T	E	V	I	T	A	R	E	P	M	I	R	G	H	J	J
H	R	P	A	T	I	E	N	C	E	U	Y	J	E	P	J	C	O	R	O
W	B	B	N	V	C	Y	P	Y	Q	G	Q	D	J	K	T	O	R	N	B
X	L	D	G	O	O	D	R	B	H	A	G	H	D	R	Z	N	E	U	G
E	G	O	P	T	M	N	V	R	T	X	T	A	U	S	T	S	S	B	D
Q	A	E	H	A	M	J	X	X	X	Y	Y	S	L	V	D	E	J	L	N
B	E	U	K	R	I	L	V	X	P	R	T	A	D	D	Y	Q	Z	N	I
B	L	J	Z	K	T	Z	L	R	R	J	O	J	J	T	A	U	V	V	A
N	U	Q	V	A	M	U	F	D	G	G	Y	N	W	C	G	E	G	C	I
E	E	R	Q	H	E	L	B	I	S	N	O	P	S	E	R	N	Z	T	A
Y	M	B	D	D	N	V	T	Z	K	C	P	M	Z	K	W	C	I	O	J
E	B	V	T	E	T	W	V	A	P	F	G	T	I	M	E	E	T	X	X
N	G	N	I	D	N	A	T	S	R	E	D	N	U	C	I	S	Q	V	Y
A	G	B	O	B	L	I	G	A	T	I	O	N	L	G	S	L	Z	O	V

SOLUTIONS:

PUZZLE # 189

X E E X B C G B J T Z Q K E E G B Y K A
Q N X G S B E E O Y A E Y N S A O B I Z
T A S W U R B G L N C I C U O J O P N Z
V I B N T B E I G U P X Y K A M A P D T
N J N R A T M H K E P V L T T R E S N Y
Y B O J H A D M T R X W L U N E C W E U
X L B E F W Y T E O L K Z R U H V G S B
O B R H O L H G C L M R M E A T I R S Z
Y A W F G P D W A O I V S T B A S A O O
A N D N I S U O C V V W J S L F T N C R
N V G I I E F R U E A P V I G D D D Y B
H F D F U B V U K L E N Y S G N U M I T
E F F N Y R M Q N G L B T U Z A P O E R
N A B W G C F I X T C A M B S R X T E T
U T Y F Z U P K X C N J D O R G D H J L
P H Y S K E W W X D U A T O R K T E T D
F E A I T G A T H E R I N G M O D R J G
I R F S Q B A D E D N E L B R D J T Q I
V P M W H I S I B L I N G D L W Y M W Z
O C V A D O D T R O P P U S D U U F A A

PUZZLE # 190

PUZZLE # 191

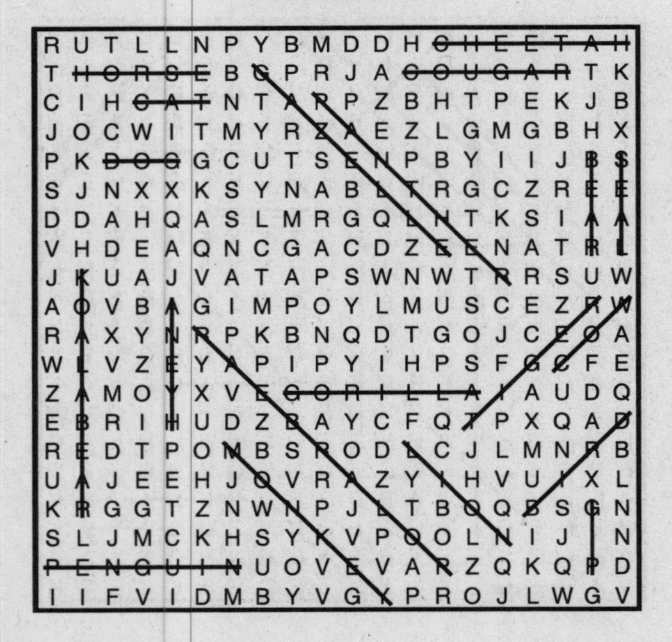

PUZZLE # 192

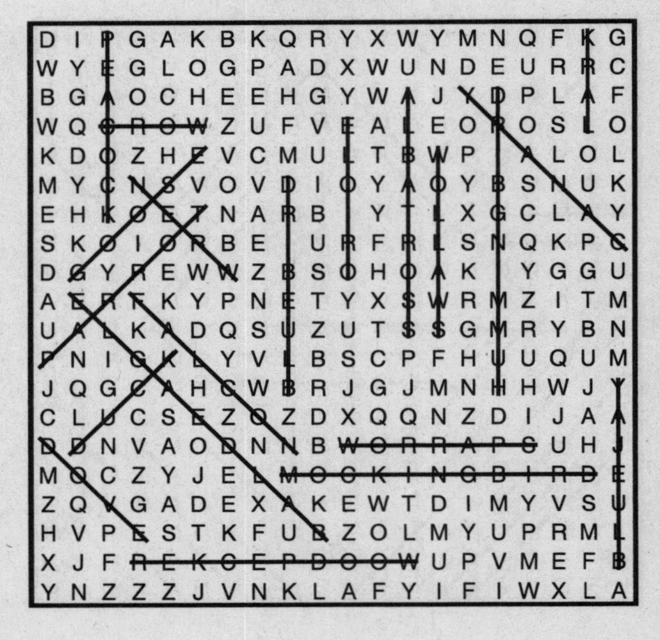

SOLUTIONS:

PUZZLE # 193

V K J W W L I H D E O I Z C X G L P S Q
M X T Y U K R O F H O T I P L Y O K N K
T T U Z L V H M B X S L Q A D M U A T Q
E P R B M M N C J H B D K G C M N S T H
N P X U O G X P A U V C N D X P I G T W
G R V V C D E Y F Y U A L B G D R H W J
Z S U O A K F E X D I E U W H E P S T D
N H Y V Q I C K A J I B H J W U J R H B
Z E I X E T R F V F G B A M O D A B U N
I E S L N R N E T C B E Y P C C H V L D
Z P D G W R D A Z I H A W C T V Y R R J
E P P A A Y E I S I D N B O B R E R M D
C P W B F H K S V L L F R O P M R Z Q I
O W G J W M M O E J E [illegible] P W R O L S D H
M Y J Z T A D I W L W E T A X Q C F F Z
B R Y Y J T F D B M G L F R D G O K M Z
[illegible] D P R Q N S J N X I D O J E L E U Q I
N Y T E R K Q D Z O Z X Q V C F S X T Y
E A L O P O I I O S R F Q S C V Q L A W
T O C Y T G V B Z G I X M E M J J T C D

PUZZLE # 194

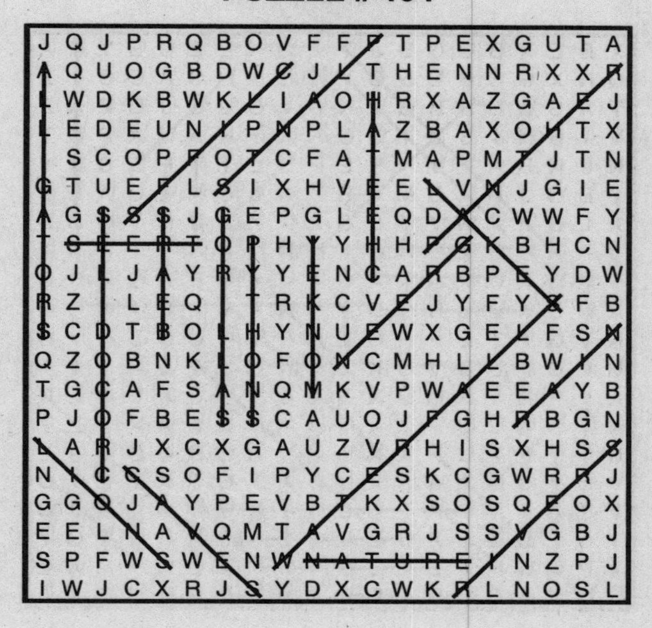

PUZZLE # 195

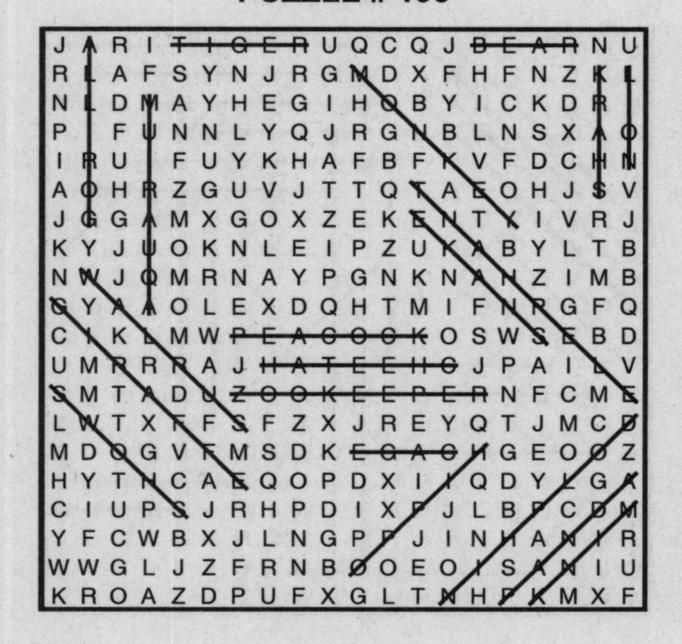

PUZZLE # 196

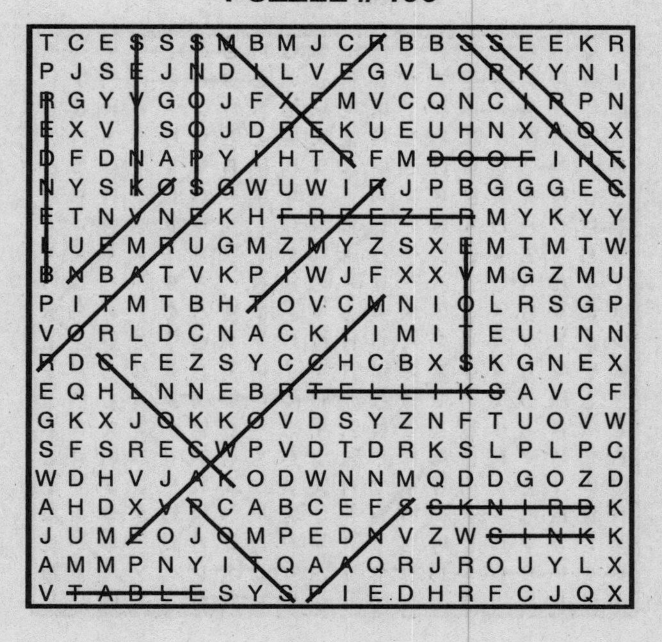

SOLUTIONS:

PUZZLE # 197

I X P K M B N P R B A T H T U B C A R N

C K V E J E D X E L H X K P A D I F E K

W V F B M O G W W N G U X Q O G W D Y J

A D L W Z F T S O N T Q N L M N W U R N

S L D T K R C F H I D N F S M Y K P D Q

T D W H L O I V S J F F E W M N N N R C

E E N R O Z A R X T Y D P Y Q B A K I V

B N M P A C R E W O H S R L X F J G A E

A R K S T O I L E T G C J F Z K W L H L

S O W F O Z X I R E N O I T I D N O C U

K R R Y F J R Y K M F X O E S K Y H N P

E R C U R L I N G I R O N P O T E Y B E

T I R B Z X H C M Y T Z A O G M F B B L

S M G E O M O A Z H U F P K B G D I M J

L U H U K N X L B V D M O G H E H Q Q Y

E U A X R Y Z R C E A Y Y P M S M B I H

W H M L N G U X T H H S B O O U C B S O

O Y P R O S M H S L A I A A Y A C U U D

T K E H H K Y F I A B N P E P V R X Y U

C W R A X D A C K U V K N S C B H E Y E

PUZZLE # 198

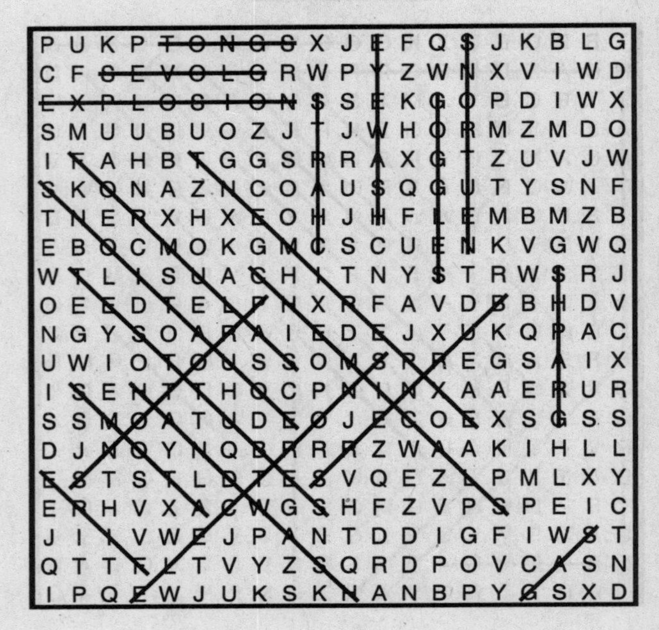

PUZZLE # 199

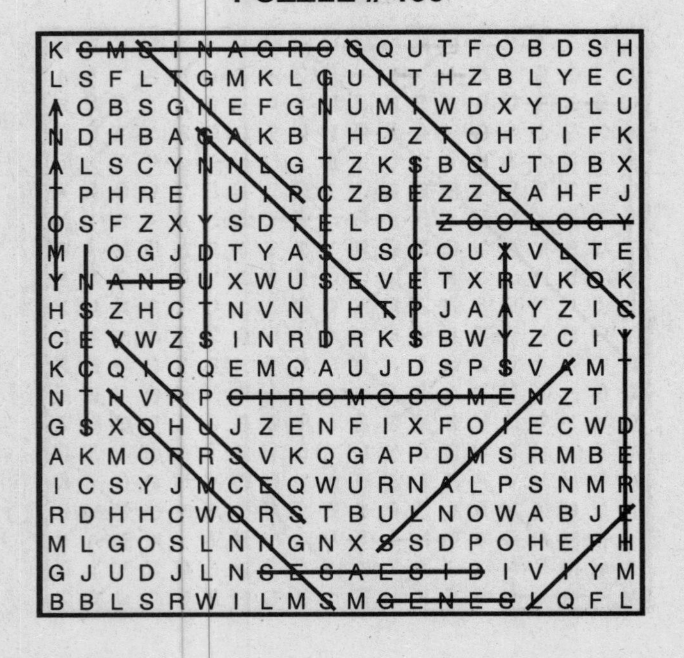

PUZZLE # 200

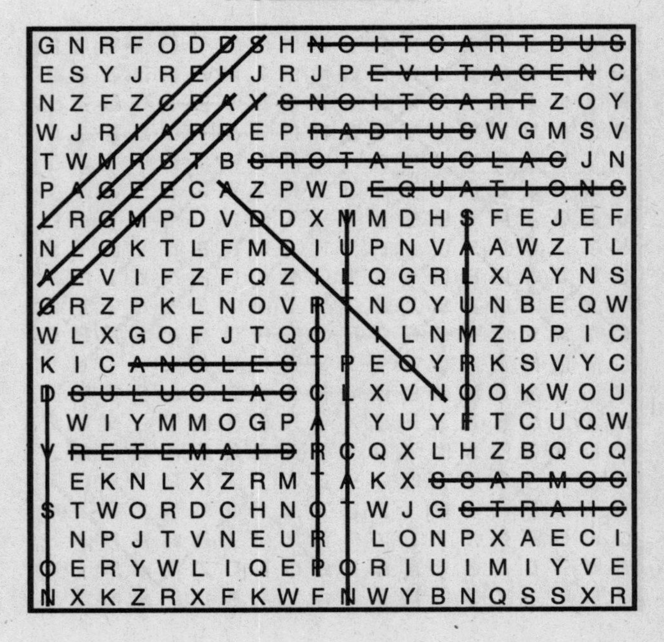

SOLUTIONS:

PUZZLE # 201

T	B	B	C	E	U	Z	K	O	C	O	N	J	U	N	C	T	I	O	N
H	D	A	E	R	F	O	O	R	P	F	V	Y	J	R	N	N	O	P	D
P	Y	E	C	B	Y	I	M	T	S	E	O	R	E	O	O	J	R	Q	M
A	J	Z	V	C	B	J	Q	Z	R	P	A	A	V	I	I	O	N	I	U
R	C	H	X	O	K	V	N	B	H	M	D	E	T	R	N	R	U	W	V
T	I	W	Q	R	S	L	S	R	M	I	L	C	C	U	O	N	O	Y	M
I	B	K	Y	R	E	W	W	A	N	S	A	F	N	U	U	I	N	B	F
C	U	B	K	P	N	L	R	G	X	R	V	C	G	O	X	V	O	W	W
I	G	E	J	I	T	G	J	E	T	D	I	H	N	P	Z	H	R	E	Q
P	S	W	I	P	E	R	Z	N	O	A	D	R	O	A	F	C	P	R	Q
L	E	W	B	D	N	T	O	I	T	R	E	K	P	B	D	S	U	X	B
E	F	S	K	D	C	C	G	I	A	P	V	P	A	G	E	N	N	R	R
O	V	X	Q	L	E	J	O	F	O	F	S	V	R	U	O	U	A	P	C
A	F	I	G	K	S	N	T	R	P	Y	P	P	A	N	O	L	H	R	I
P	V	F	T	N	J	U	P	V	X	L	E	D	G	N	C	H	W	N	L
D	A	E	J	C	I	W	O	S	K	Z	L	Q	R	H	K	C	K	C	D
V	S	Z	H	F	E	T	G	M	O	H	L	T	A	B	Z	X	L	K	R
U	A	H	R	Y	I	J	I	L	C	B	I	Y	P	V	N	O	O	Y	O
N	B	R	E	V	D	A	D	R	S	S	N	X	H	A	W	G	H	W	R
I	A	D	L	L	P	O	X	A	W	Z	G	N	S	R	I	T	M	K	Q

PUZZLE # 202

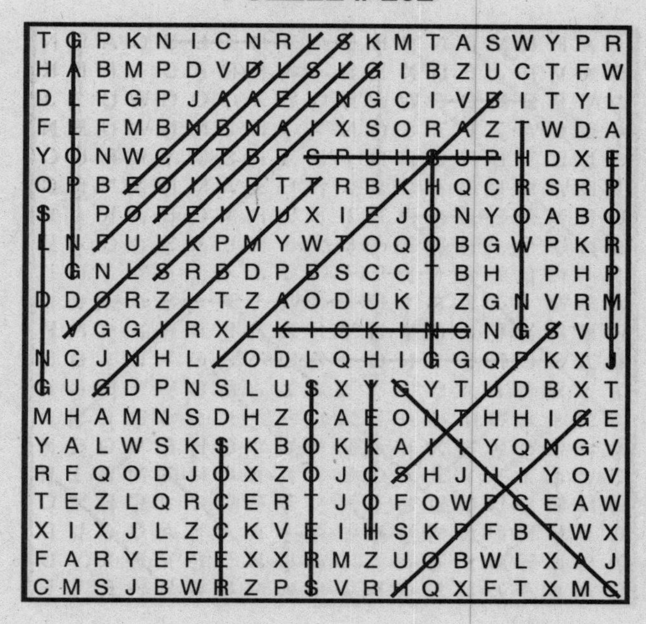

PUZZLE # 203

PUZZLE # 204

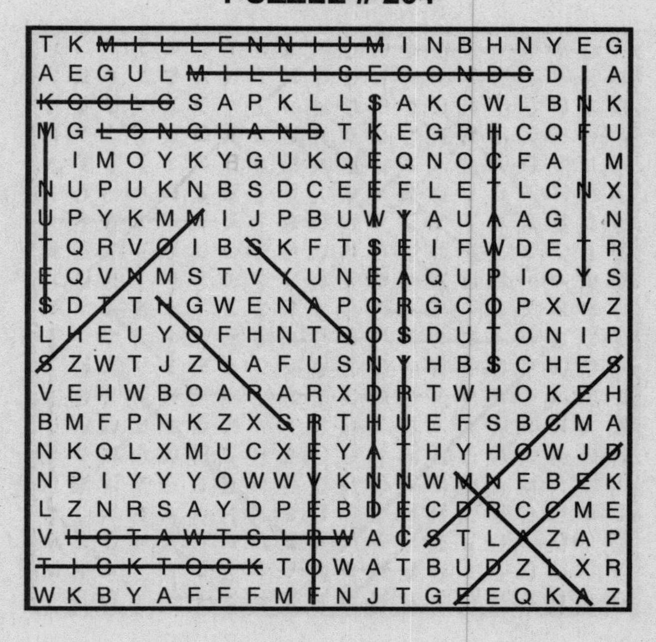

SOLUTIONS:

PUZZLE # 205

H W L X F H E E Y Z B P O W M Q W Y L H
K X C O E Z S Q S A L A R M O E N P E O
S E L L G O R G M V Q E J I C D S U K O
V E M S H E A U B M X V D Y Q U E G P E
I E E U D Y F H M D E T S T A T I O N G
T S E D C M I O K M W V L A D Q A I J R
H R A Z C D U C H S E U T A N K W K P B
N L C I M Q U U S I R O N J Y Y O C V A
E G M M D R F X I I I I Q I A L B J C Q
R M M A T B R X U V F K X P F Y R M X E
I X L E E Z O A G I K W N L H O R X H E
S A R C C S V U N C B D C Y T P R J B C
X I H N P L C I I A A F U O D D C M S H
F N I W R I Y P T W G X C P N R U K S B
R H I C F O W K S W D N F C O C A H X O
J Z O I S X H A I R B R E T A W H N A K
S V D B O X S E D E H V F B T I I D T N
J P M O L D Z B O O T S K Q D R V G P H
B R M U G M C A P T A I N P D K W Y Z T
Q J P I Q N X T E A M W O R K F W K V B

PUZZLE # 206

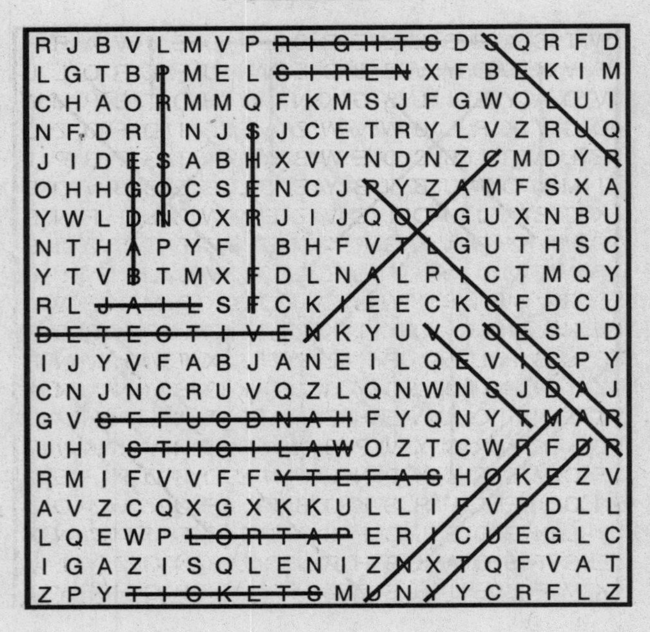

PUZZLE # 207

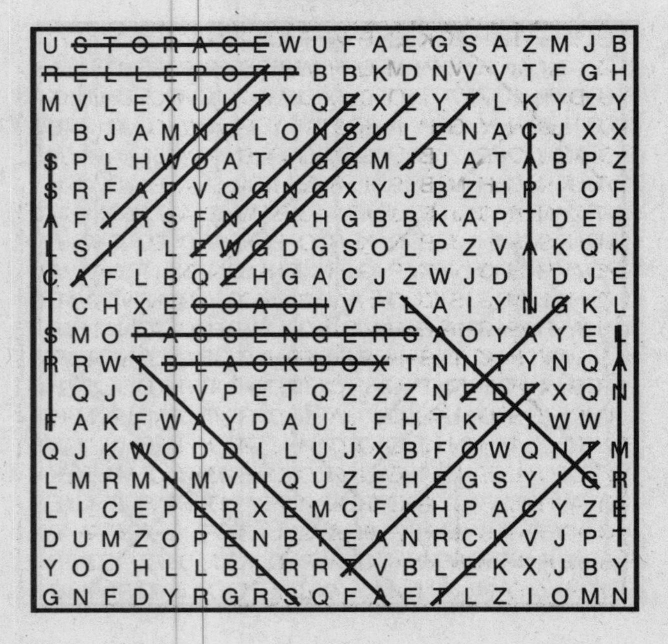

PUZZLE # 208

SOLUTIONS:

PUZZLE # 209

W T S A R O L L E R B L A D E J V A R H
F V K S D Y V B B O E N V U P E R Q L L
V O A Y E I L S G K N I D H D T B P M W
Q G Y K R L U W V W Z A B F I D F O Z O
E L A R L B C O E W B R P D T G T S P I
I M K O W U B Y B Y E T G B E O B V O P
K C B A J U Q I C V Z E N W R L I F N R
N V X K G H W G P I M Z Y C F T S Z X S
F W R G J O S A L Z B T Y V J U W G L E
Q R X W H R I W L Z M C P X P M F F O H
X N V I K S Q Y T K L Y T R U C K S Q D
G S B P L E V P I E P F A X E W K V N P
Y I H R H B U O Y S L R K G S A N X R W
K I R I Q A W E H Z A L C T T E I E R F
L K K A R C Y V P B N W P E R V T A V D
F C M S C K X B N U E N B Q S O F P E S
N G I F T F R S K D S O J F O T M B O J
Y L N G D E L C F S A U D C B J M O N X
E G T S O A J B H R J G S T N G Z A L U
K V F S H I G B D Z M L X J P Q H T Y I

PUZZLE # 210

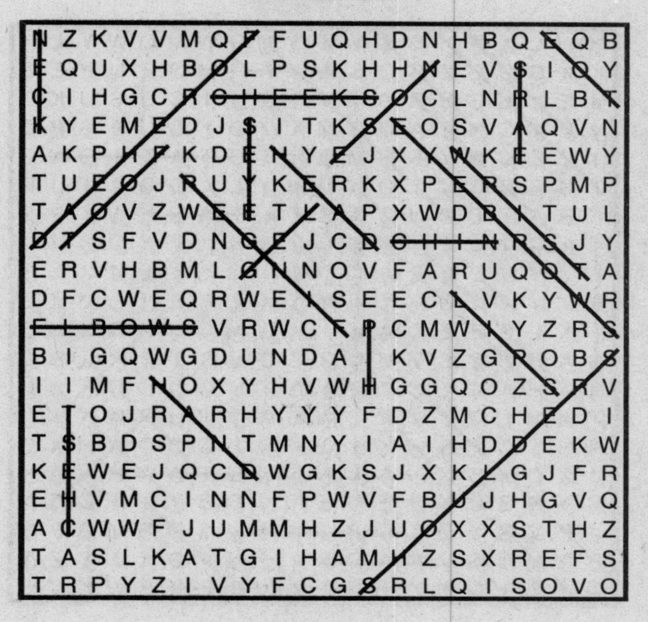
N Z K V V M Q F F U Q H D N H B Q E Q B
E Q U X H B O L P S K H H N E V S I O Y
C I H G C R C H E E K S O C L N R L B T
K Y E M E D J S I T K S E O S V A Q V N
A K P H F K D E N Y E J X Y W K E E W Y
T U E O J R U Y K E R K X P E R S P M P
T A O V Z W E E T L A P X W D B I T U L
D T S F V D N G E J C D C H I N R S J Y
E R V H B M L G N N O V F A R U Q O T A
D F C W E Q R W E I S E E C L V K Y W R
E L B O W S V R W C F P C M W I Y Z R S
B I G Q W G D U N D A I K V Z G R O B S
I I M F N O X Y H V W H G G Q O Z S R V
E T O J R A R H Y Y Y F D Z M C H E D I
T S B D S P N T M N Y I A I H D D E K W
K E W E J Q C D W G K S J X K L G J F R
E H V M C I N N F P W V F B U J H G V Q
A C W W F J U M M H Z J U O X X S T H Z
T A S L K A T G I H A M H Z S X R E F S
T R P Y Z I V Y F C G S R L Q I S O V O

PUZZLE # 211

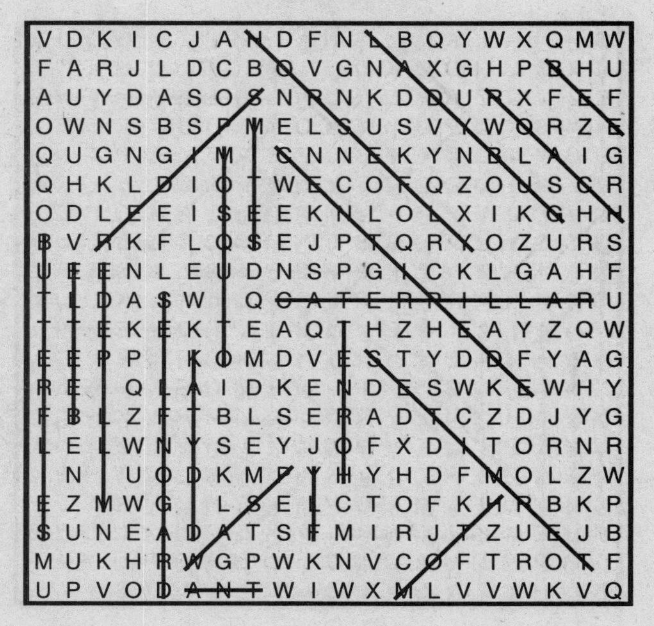
V D K I C J A H D F N L B Q Y W X Q M W
F A R J L D C B O V G N A X G H P B H U
A U Y D A S O S N R N K D D U R X F E F
O W N S B S P M E L S U S V Y W O R Z E
Q U G N G I M I C N N E K Y N B L A I G
Q H K L D I O T W E C O F Q Z O U S C R
O D L E E I S E E K N L O L X I K G H H
B V R K F L O S E J P T Q R Y O Z U R S
U E E N L E U D N S P G I C K L G A H F
T L D A S W I Q C A T E R P I L L A R U
T T E K E K T E A Q T H Z H E A Y Z Q W
E E P P I K O M D V E S T Y D D F Y A G
R E I Q L A I D K E N D E S W K E W H Y
F B L Z F T B L S E R A D T C Z D J Y G
L E L W N Y S E Y J O F X D I T O R N R
I N I U O D K M F Y H Y H D F M O L Z W
E Z M W G I L S E L C T O F K H P B K P
S U N E A D A T S F M I R J T Z U E J B
M U K H R W G P W K N V C O F T R O T F
U P V O D A N T W I W X M L V V W K V Q

PUZZLE # 212

E T S T I B K Q P W F O Z N W Q Q J Y T
Z C K X R V W M Q H W E S G F Z R A W K
U D T I V V V O D E D M I L W C L C Y C
U I C N Y G P A A E V Y B A Y G J K W U
D K W D E Y B U G L G Q B S Y D N H B R
S G K B H M B S I B E I A S A E X A D T
K Z N H G J E J A A C O W E A R G M C P
H H S A H J P C K R Q H N S C D V M W M
R A R M O Y K F G R W N B K L I L E W U
E H I M S S D Q H O Q J G B C L V R R D
V W R E C K E R W W Q U W H Q A I I W T
I V V R C T S H O V E L B A G Q B R F G
R B X R Y T T M Y C T E N X F O O I D Q
D Q A S G I L Q T A S C R T C V L X K I
W N J A H N S E O G H J O D N K J H T R
E D O L E L C E B O C O E M R C V K J V
R A H W B I R E R L L P Y O F V I V N F
C K D H G A E P W B O L F T A H D R A H
S W R X M N W M O A P O K T D R G Q T H
J R X O N I N X D X B Z T C J B E B A R

SOLUTIONS:

PUZZLE # 213

Q I A C Z Z W A R D D S M T W L Z V N U
B H A O Z C L F V N H I E G P H A C J T
M R E Y T W Z T S E B M D E A Q Y R B N
B E B P Q B B B R G P M V Z N L B C O J
U S K A R V W I H J O R C U O B A W B C
V S L A U D P E O I J R A S O M X U L P
T V U J I F G R R U X K V P L C G F V J
S P I H W D C B S I M Q Z E A S E Z R F
Y D B R A S A W E L A H R R S W R H S J
N V B B P N P C S B O R K C K U L Y G S
L J A Y K T F U L I T M E G A I R R A C
V G O E B T V A R U Y V W O X S E D W N
M G R P N B C F M S C J A Y E R D Q B L
P V W T N K V B A D A P B E V L P O E B
P O O Y S Q L K J M F H Z F E S O A Z N
Z R T M U E C O W B O Y H A T T T O O U
A D I M W O L C G M D W S D S H G S O R
E T R E D V C O W G I R L P E B B S V M
H E E U E L T T A C S Q G R B R V A X Q
R D A B F V Y H T S Z G U Z G N F L H U

PUZZLE # 214

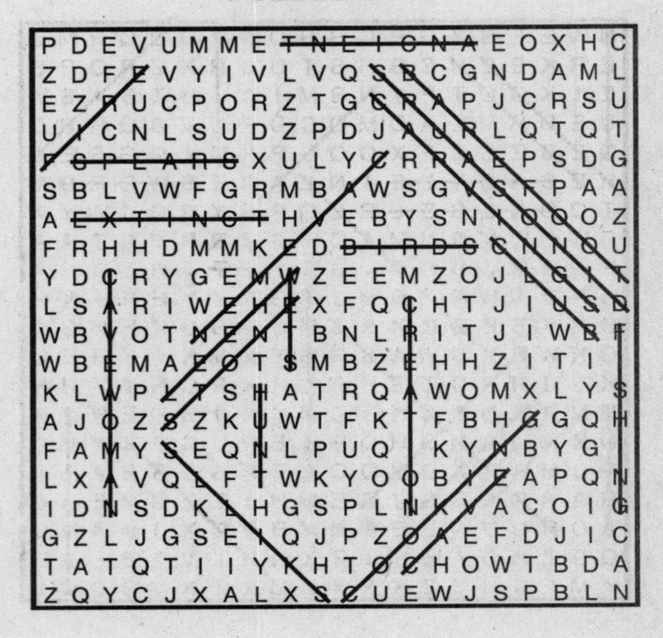

PUZZLE # 215

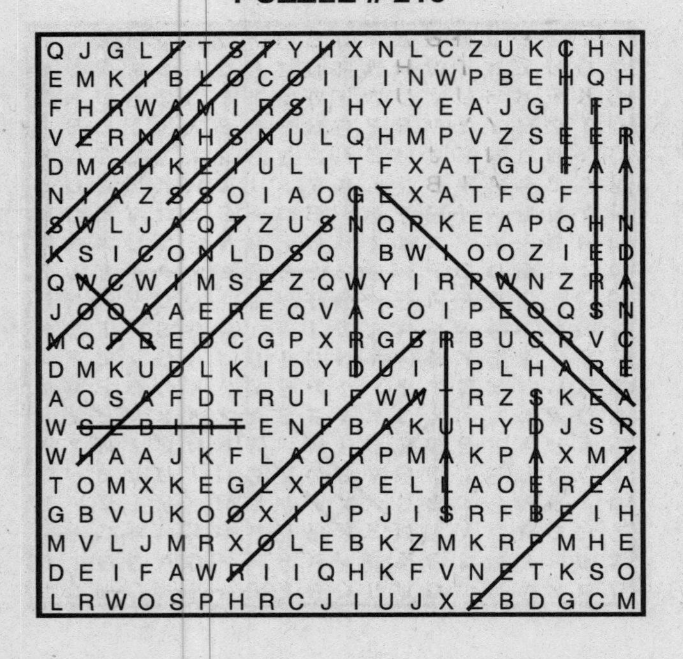

PUZZLE # 216

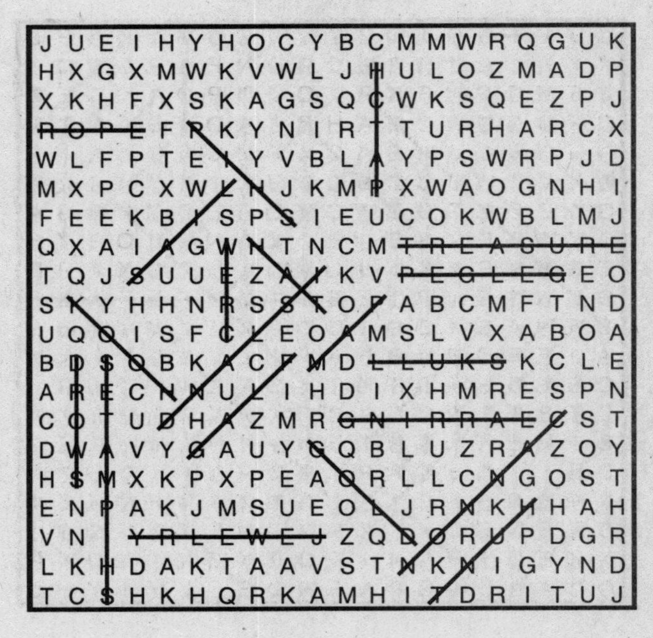

SOLUTIONS:

PUZZLE # 217

N W E F S Y G P C R R O O P D D Q R M Z
E R K E E H S G H S T U J R X Z R O P S
E I K G O T P Y N B M I A I H T B A S W
U E D R M L A D M O C D P N V B O R U D
Q E S Z S Z F X O Q G P X C I G G S E G
H E C A S T L E I N L A P E S W O R D M
T Q D N E G E L R L G P R Y J Q J W Y Z
F W R W M Q Y M A O T S J D B H C C A A
E T A G Q U M B L D B E L T T A B K N K
A T J T W R N D B J T G M Y Y E K I N G
B F K B B O Q X K S H O U B O M F H G I
D N W B N U W A S R G Y Y M K I F R E O
K S J N R C T E H F I E X P D G I T U H
R M A F N I C X T T N D X J H M E R Y F
O C M D L N D H D R K E W U C A X Y R Q
M J H W I A D G Q O I F A S U S B A L L
R A R R S B G J E E U H I L T Q Y E A C
A O P U V N L E F H M B P O X J H K V O
Q E Z H C A B M T P X K N X V I B L A W
K M L J U Z Z X F X D E X Z K M O D C R

PUZZLE # 218

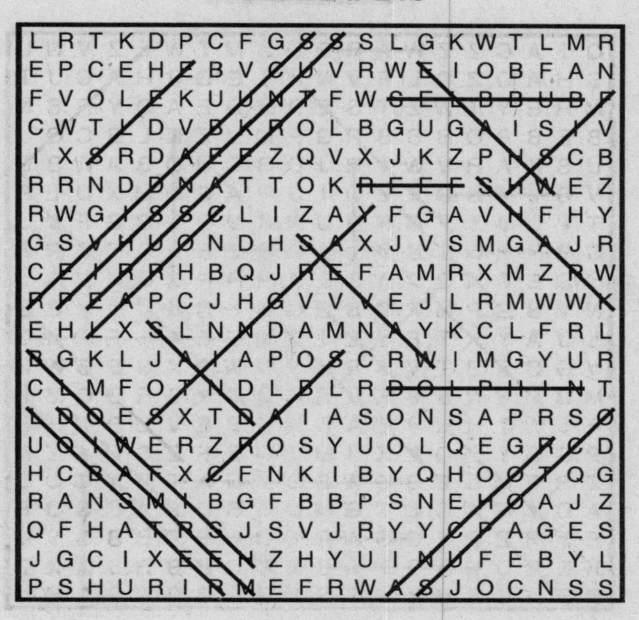

PUZZLE # 219

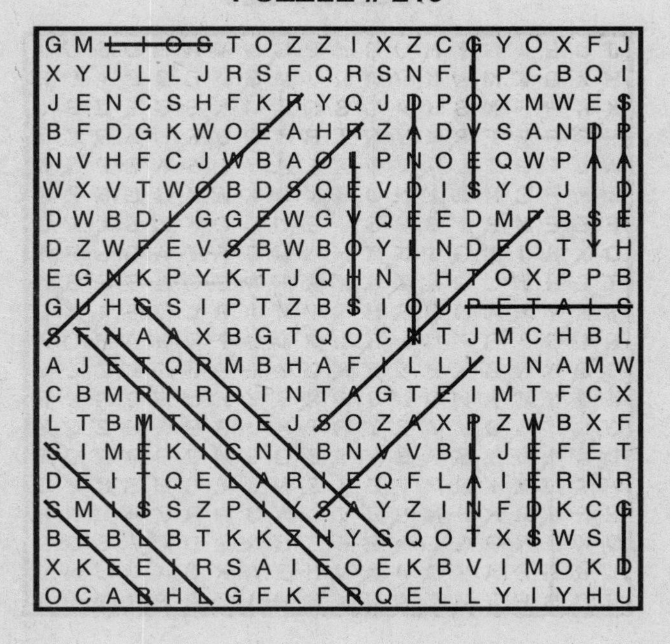

PUZZLE # 220

SOLUTIONS:

PUZZLE # 221

X B U K M I N T S I F Z E Y U S D X E U
I H M Y W X G D Z R Z X Z B U C W A J U
E O R S P R I N K L E S T I K R P E P V
N V N I K F E B K U E L L U A L C C E R
P P G I C O O K I E S G Y G D O U C Q T
R Y M M R Q L P I R N C U U T G J Q I R
W T J M T Y W H N N W S M O W Q E Z A B
M Q R A S J N C H O C O L A T E N B A E
G Z C E X C E R S D V M H X J O Y I H Y
X D N R P C J M P U D D I N G D Q H E D
H W P C E P T D A Q M E S S N P T A T I
W U H R Y A I S Q E U L K A I N D R N S
Y Q L E H B M E B T R Q C A G F Q D M U
R E F T N L P F A S P C S A C M F C K C
T S H T P C A F M E J Q E M I T L A A K
S A W U P V Y K U J O T G C I M N N I E
J Q F B U K P V G V U G R U I Y P D V R
H F M F A C U J C A Y D R E C E R Y G Y
Q K A Z K P Q I K R N F L U N E B R U T
F Q D L L B R O W N I E S J R W O H P K

PUZZLE # 222

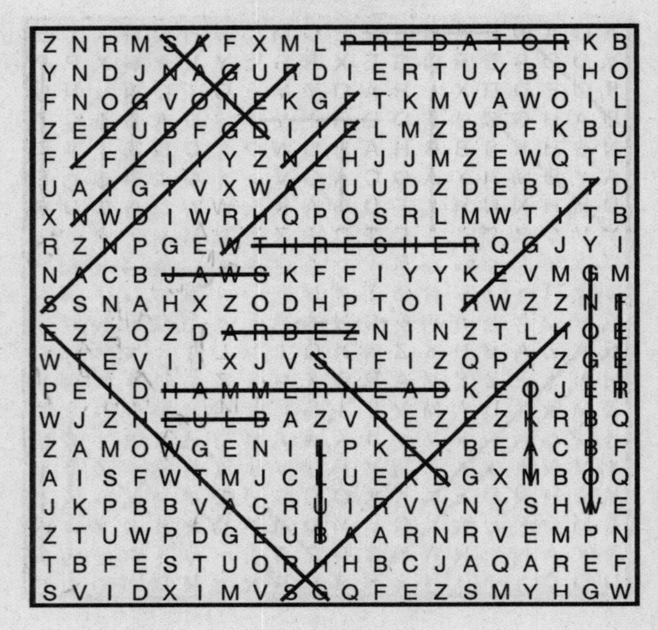

PUZZLE # 223

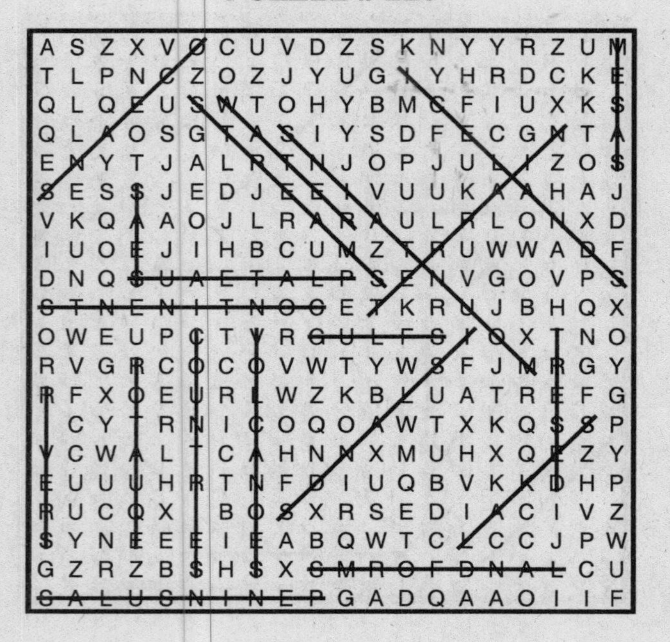

PUZZLE # 224

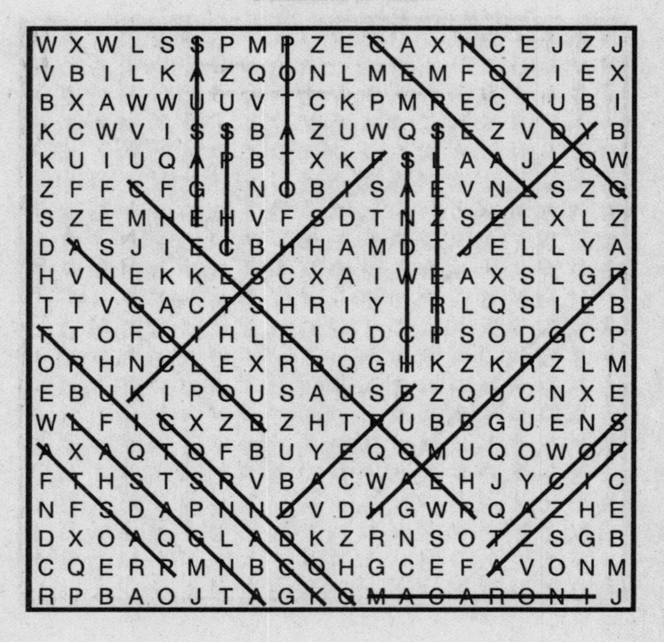

SOLUTIONS:

PUZZLE # 225

```
A O A W E A G L E E C M G U H Q S X Y E
V Q O S E B O G E X P S W Y L P G X P P
K O F D R X L R A O Y M A O I O N L N U
D A H G C J F Q D R I V E C D A E E C T
N S H A S B B H A B D W Q X C G E [illegible] Y T
A Y D M H X A O C A G V S F O I R G J E
D D H X N H L F D G A K I W W U G O Q R
Y V Q B P J L E E D A E B U M V T B J C
G S X A K N O R E J A D A I M O C R A R
V J R K J M N Z T X H F Z A R C O P G J
F F Q P P A R T D N A S C Y O D B N D C
E A Z A V U Y Z K X Q I M L U P I R W X
H N I F Z Y M A R Q X G F Z G P A E A F
Z M O R U A M N P I G E R M H O Q H S G
K Y F N W V V V J X N Z H O B A X Y L G
I V N A I A P T V F U V Q E B Z I O E N
K G H N B E Y K K O C C R E U V V W K [illegible]
C M O P U W L G C Y O O X D A E Z V D W
T Y A N Y N W O L E C A B B C F W U K S
U Q D X I J H S N S D R Q A M D W T I P
```

PUZZLE # 226

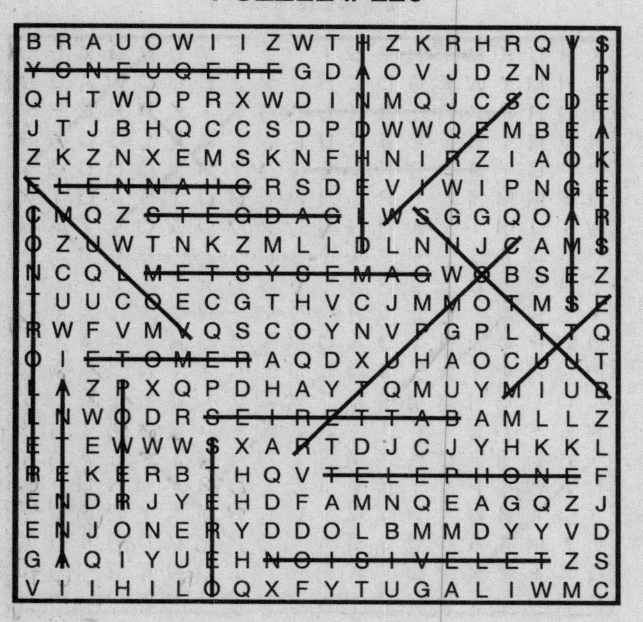

PUZZLE # 227

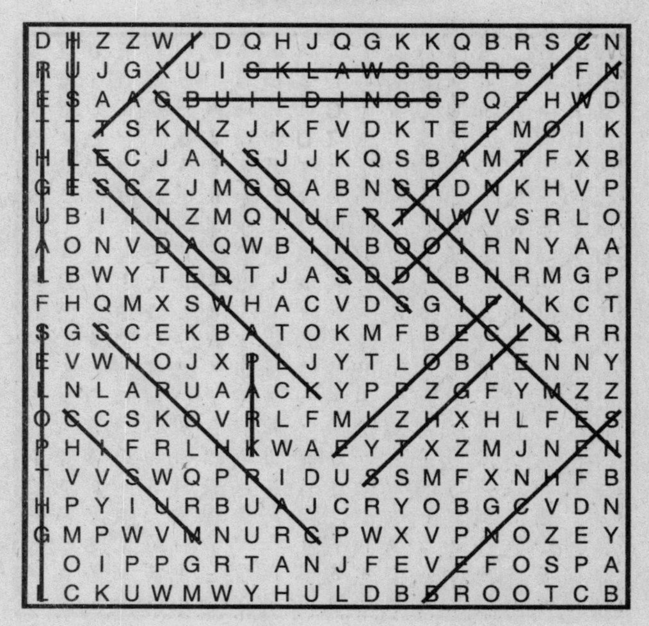

PUZZLE # 228

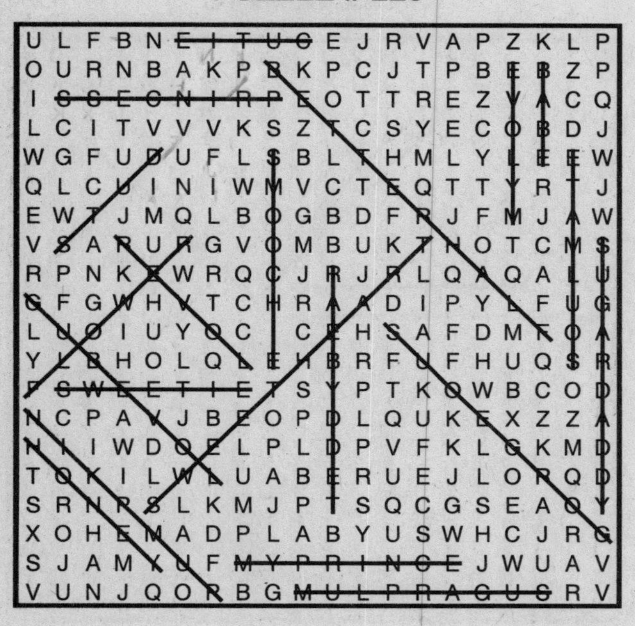

Manraj

~~5 hrs — 30 min~~

4 hrs — No Break
5 hrs — 30 min
8 hr — 30 min
12 hr — 1 hr

XX — Women
XY — Man